GÖTTINGER ORIENTFORSCHUNGEN

I. REIHE: SYRIACA

Band 27

Wörterverzeichnis
der apokryphen – deuterokanonischen Schriften
des Alten Testaments in der Peshiṭta

Herausgegeben von

Werner Strothmann

1988

OTTO HARRASSOWITZ · WIESBADEN

Wörterverzeichnis
der apokryphen – deuterokanonischen Schriften
des alten Testaments in der Peshiṭta

bearbeitet von

Werner Strothmann

1988

OTTO HARRASSOWITZ · WIESBADEN

CIP - Titelaufnahme der Deutschen Bibliothek

Strothmann, Werner:
Wörterverzeichnis der apokryphen-deuterokanonischen Schriften
des Alten Testaments in der Peshiṭta / bearb. von Werner Strothmann. –
Wiesbaden : Harrassowitz, 1988
  (Göttinger Orientforschungen : Reihe 1, Syriaca ; Bd. 27)
  ISBN 3-447-02683-9
NE: HST; Göttinger Orientforschungen / 01

ARTHURO VÖÖBUS

VIRO ILLUSTRISSIMO HUMANISSIMO DOCTISSIMO

QUI

CHRISTIANORUM ORIENTIS HISTORIAM

SCRIPTIS UBERIBUS SAGACIBUSQUE

ILLUSTRAVIT

HOC OPUS DEDICO

VORWORT

Die apokryphen - deuterokanonischen Schriften des Alten
Testamentes werden von den syrischen Schriftstellern
nur selten zitiert. Deshalb genügt für diese Gruppe ein
Wortverzeichnis, das dazu anregen möchte, sich mit die-
sen Schriften zu beschäftigen.

Dieses Buch widme ich Herrn Professor Arthur Vööbus
in Chicago, dessen Werke über den syrischen Bibeltext
uns bei der Bearbeitung der syrischen Bibelkonkordanz
eine große Hilfe sind.

Der Deutschen Forschungsgemeinschaft danke ich für
die Gewährung einer Druckbeihilfe.

EINLEITUNG

Die Handschriften der Septuaginta und die der Peshitta
des Alten Testamentes haben über den Bestand des hebrä-
ischen Kanons hinaus noch eine Reihe anderer Schriften.
Diese Gruppe, die nicht fest umgrenzt ist, wird apo-
kryph[1] oder deuterokanonisch[2] genannt. Die Handschrift
des Alten Testamentes der Peshitta Cod. Ambr. B. 21
Inf.[3] enthält 20 dieser Schriften, deren Wörter in die-
sem Verzeichnis gesammelt sind:

1. ‎ܚܟܡܬܐ ܪܒܬܐ ܕܫܠܝܡܘܢ   Sap
Die große Weisheit des Salomo.
Text: Lagarde, aaO., S. 51 - 73.

2. ‎ܐܓܪܬܐ ܕܐܪܡܝܐ   EpJr
Brief des Jeremia.
Text: Lagarde, aaO., S. 100 - 104.

1. P. A. de Lagarde, Libri veteris Testamenti apocryphi,
   1861, Neudruck Osnabrück 1972.
   A. Baumstark, Geschichte der syrischen Literatur,
   Bonn 1922, S. 25.
2. Das Tridentinum hat in der 4. Sitzung am 8.4.1546
   die meisten dieser Schriften als kanonisch gewertet.
3. A. Ceriani, Le edizioni e i manoscritti delle versi-
   oni siriache del Vecchio Testameno, in: Memorie del
   Reale Istituto Lombardo di scienze e lettere, Classe
   di lettere e scienze morali e politiche. Vol. XI
   (= Vol. II of the Third Series), Milan 1870.

3. ܐܓܪܬܐ ܕܒܪܘܟ ܒܪ ܢܪܝܐ 1Bar
Erster Brief des Baruch.
Text: M. Kmosko, Epistola Baruch filii Neriae,
in: Patrologia Syriaca, I 2, 1907, S. 1218 - 1236.

4. ܐܓܪܬܐ ܕܬܪ̈ܬܝܢ 2Bar
Zweiter Brief.
Text: Lagarde, aaO.,S. 93 - 100.

5. ܬܢܝܢܐ - ܒܝܠ ܘܬܒܪܐ BelD
Bel und der Drache.
Text: Th. Sprey, Daniel, Bel and Dragon, in:
Vetus Testamentum Syriace (=VTS),
pars III, fasc. IV, 1980.

6. ܟܬܒܐ ܕܫܘܫܢ ܛܘܒܢܝܬܐ Su
Susanna.
Lagarde, aaO., S. 132 138.

7. ܬܫܒܘܚܬܐ ܕܝܗܘܕܝܬ Jdt
Judith.
Text: Lagarde, aaO., S. 104 - 138.

8. ܚܟܡܬܐ ܕܒܪ ܣܝܪܐ Sir
Jesus Sirach.
Text: Lagarde, aaO., S. 2 - 51.

9. ܟܬܒܐ ܕܓܠܝܢܗ ܕܒܪܘܟ ܒܪ ܢܪܝܐ ABar
Offenbarung des Baruch.
Text: S. Dedering, Apocalypse of Baruch, in:
VTS, pars IV, fasc. III, 1973.

10. ܟܬܒܐ ܕܥܙܪܐ ܣܦܪܐ ܡܬܩܪܐ ܫܠܐܬܐܝܠ 4Esr
4. Esra.
Text: R. J. Bidawid, 4 Esdras, in:
VTS, pars IV, fasc. III, 1973.

11. ܣܦܪܐ ܩܕܡܝܐ ܕܡܩܒܝ̈ܐ 1Mc
Erstes Buch der Makkabäer.
Text: Lagarde, aaO., S. 162 - 213.

12. ܩܒ̈ܐ ܕܬܠܬܐ ܕܡܩܒ̈ܝܐ   2Mc
Zweites Buch der Makkabäer.
Text: Lagarde, aaO., S. 213 - 255.

13. ܩܒ̈ܐ ܕܬܠܬܐ ܕܡܩܒ̈ܝܐ   3Mc
Drittes Buch der Makkabäer.
Text: Lagarde, aaO., S. 255 - 273.

14. ܩܒ̈ܐ ܕܐܪܒܥܐ ܕܥܠ ܡܩܒ̈ܝܐ ܘܐܡܗܘܢ   4Mc
Viertes Buch der Makkabäer.
Text: R. L. Bensley - W. E. Barnes, The fourth
book of Maccabees in syriac, Cambridge 1895.

15. ܟܬܒܐ ܩܕܡܝܐ ܕܥܙܪܐ   1Esr
1(3). Esra.
Text: W. Baars - J. C. H. Lebram, 1(3) Esdras,
in: VTS, pars IV, fasc. VI, 1972.

16. ܟܬܒܐ ܕܛܘܒܝܬ   Tb
Tobit.
Text: J. C. H. Lebram, Tobit, in:
VTS, pars IV, fasc. VI, 1972.

17. ܨܠܘܬܐ ܕܡܢܫܐ   OrM
Gebet des Manasse.
Text: W. Baars - H. Schneider, Prayer of Manasseh,
in: VTS, pars IV, fasc. VI, 1972.

18. ܨܠܘܬܐ - ܬܫܒ̈ܚܬܐ   Dn
Oda VIII und IX = Dn 3:26 - 88.
Od. I = Ex 15: 1 - 21, Od. II = Dtn 32: 1 - 43,
Od. III = Is 42: 10 - 12 und 45: 8, Od. IV =
1Sam 2:1 - 10, Od. V = Hb 3: 2 - 19, Od. VI =
Jon 2: 3 - 10 sind in der Konkordanz enthalten;
ebenso App = Is 38: 10 - 20 und Ps 63: 2 - 12.
Text: H. Schneider, Canticles or Odes, in:
VTS, pars IV, fasc. VI, 1972.

19. ܪܗ̈ܝܠܕܝ   PsS

Psalmen Salomos.

Text: W. Baars, Psalms of Solomon, in:

VTS, pars IV, fasc. VI, 1972.

20. ܡܙܡܘ̈ܪܐ ܕܠܐ ܡܢ ܣܦܪܐ   PsAp

Apokryphe Psalmen.

Text: W. Baars, Apocryphal Psalms, in:

VTS, pars IV, fasc. VI, 1972.

Die Bibelstellen werden nach den Versen und Kapiteln
dieser Textausgaben zitiert. Wenn Texte in zwei Spalten
nebeneinander abgedruckt sind, erhalten die Wörte der
rechten Spalte den Buchstaben a und die der linken den
Buchstaben b, wenn das betreffende Wort nicht in beiden
Spalten vorkommt.

Das Wortverzeichnis enthält sämtliche Verben, Sub-
stantive, Adjektive und Adverbien in der Form, in der
sie im Lexikon[4] angeführt werden, außerdem sämtliche
Formen von ܗܘܐ und ܐܝܬ; nicht aufgenommen wurden Prono-
men, Konjunktionen, Präpositionen, Zahlwörter und ܠܐ
ܠܝܬ und ܓܝܪ.

4. K. Brockelmann, Lexicon Syriacum, 2.Aufl. 1928, re-
   progr. Nachdruck, Hildesheim 1982.

ܐ

aer		ἀήρ			ܐܐܪ
Sap	2:9	12:10	19:21		
EpJr	54				
ABar	21:5	59:8			
4Esr	5:5	6:4	7:40	8:20	
2Mc	5:2				

pater						ܐܒܐ
Sap	2:16	8:3	9:12	10:1	11:10	14:3
	15	18:9				
1Bar	1:4					
Jdt	9:2 12					
Sir	3:2 3 5 6 8 9 10 11 12 14 16				4:10	
	7:27	22:3 5	23:1 4 14	30:4 8		
	34:20	41:7 9	42:9	44:19 22 23		
	51:10					
ABar	32:9					
4Esr	7:104 104					
1Mc	2:54	3:2	6:23	11:9 32 40	13:3 25	
	27 28	14:26	16:1 2 21 24			
2Mc	4:11	9:23	10:11	11:23 24	13:9	
	14:37					
3Mc	2:21	5:7	6:3 8	7:6		
4Mc	2:19	7:1 5 9 11	10:2	13:12	16:9	
	20 20 20	17:6	18:9			
1Esr	1:32	4:20 21 25				
Tb	1:4 5 8	2:3	3:7 10 15 15	4:12		
	5:7 9 17	6:13 15 15 16	7:5 12a			
	8:21	9:4 6b 6b	10:1a 7 8 9	11:2		
	4b 4b 6a 7a 9b 11 11 11 15 17			12:2		
	13:4	14:12 13				
Dn	3:88^y					
PsS	8:10 20					
PsAp	1:1 1 4	4:3				

ܐܒܐ ܒܪܐ <<< ܐܒܐ
ܐܒܗܐ

patres, parentes			
Sap	4:6	18:6 24	
1Bar	1:5	7:8 9 10	8:1

1

2Bar   1:16 19   2:6 19 21 24 33 34   3:5 7 8
Jdt   5:7 8   8:3 19 25   10:8
Sir   3:1   8:9   44:1   48:10
ABar   3:2   11:4   44:2   48:16   56:6   77:3
4Esr   7:103 103   14:31
1Mc   2:19 20 50 69 70   3:29   4:9 10   7:2
       9:19   10:52 55 67 72   11:38   13:25
       15:3 10 33 34
2Mc   1:19 25   5:10   6:1   7:24   8:15
       11:25   12:39   14:7
3Mc   2:12 21   3:21   5:42   6:28   7:7 16
4Mc   2:10 12 12   3:8 20   4:23   5:29 33 37
       8:6   9:1 24 29   12:18   13:16 18
       15:13   16:16   18:5
1Esr   1:48   2:18   6:14   8:57 73 74   9:8
Tb   3:3 5   4:12 12   8:5 17b   10:12
       11:1b
OrM   1
Dn   3:28
PsS   8:25

patres

Sap   9:1   12:6 21   18:22
1Bar   8:9 12
2Bar   1:20
BelD   1
Jdt   7:28
4Esr   4:23   7:106   9:29 32   14:29
2Mc   4:15   6:6   7:2 8 21 27 30 37   8:17 19
       12:37   15:29
3Mc   1:3 23   6:32
4Mc   16:25
1Esr   1:10   4:60 62
OrM   1b
Dn   3:26 52
PsS   9:19

paternus

1Esr   1:29

fructus

Sir   6:3 19   11:3

fistula

Sir   40:21
1Esr   5:2

perire

Sap	4:19	10:6	14:6 27	15:9	27:9
	18:19				
2Bar	3:3 28 28				
Jdt	5:18	6:4 4 8	14:13	16:12	
Sir	8:15	9:8	16:9	17:25 27	19:2
	20:26	23:17	32:24	33:31	41:6
	44:18				
ABar	48:37	54:14	56:15	63:2 2	68:2
	77:13				
4Esr	7:14 20 61 64	8:55 59	9:15 20 22 32		
	32 33 36 37	12:20			
1Mc	2:63	5:13	6:13	12:50	13:18
2Mc	5:5 9 14	6:25	7:20	8:4 19	
3Mc	3:9 26 29	5:18 25 40	6:3 12 30		
1Esr	4:27 37				
Tb	3:15	6:14	10:4 7	14:10	
PsS	12:5 8	15:13 15			

perdere

Sap	4:16	10:3	11:21	12:6 12	18:5
EpJr	13				
1Bar	8:4 4 5 15				
2Bar	2:23				
Su	53 59				
Jdt	1:15	2:3	3:8	5:15	6:2	11:15
Sir	2:17	8:2 12	9:4 6	10:3 16 17	
	12:4	14:9	17:21	19:3	20:9 22
	22:27	27:16 18 18	28:1	29:10 14	
	18	30:23	31:25	35:18	36:9
	39:30	46:6 18	47:22		
ABar	3:5	36:6	51:15	63:3 4 4 7	
4Esr	3:9 30	8:14 29	10:11 12	13:38 49	
	14:10				
1Mc	1:30	2:37 40	3:8 35 42	5:27 51	
	7:6	9:2 73	12:40 49	15:4	
2Mc	3:39	8:6	13:4	15:2	
3Mc	4:14	5:2 12 22 32 43 44	6:4 7 10 21		
	38	7:3 5 12			
4Mc	6:14 24	8:8			
1Esr	8:85				
Tb	7:7	14:2a			
OrM	13				
Dn	3:48				
PsS	4:25 28	8:23	12:4	17:26 27 41	
PsAp	4:3				

interitus

Sap	1:13	5:7	12:5	18:7 13 15 20	
2Bar	4:6 25				
Jdt	7:25	11:22			
Sir	5:7	27:25	28:6	41:11	51:3
ABar	3:2	30:5	44:12	48:7	52:3 53:7
4Esr	3:10	7:48 62 131	8:38	10:10	
1Mc	7:7				
2Mc	6:12	7:23	8:35		
3Mc	5:5 20 38	6:11 23 34			
4Mc	10:15	15:24			
Tb	4:13	14:15			
PsS	3:13	8:1	9:9	13:10	14:6 15:10
	11	16:5	17:25		

perditus

Jdt   9:11

perniciosus

Su   14

lugere

Sap	18:10		
1Bar	4:2		
Jdt	16:24		
Sir	9:1	35:3	52:2
4Esr	7:65 99	8:16	10:4 8 8 9 11 11 39 39
	41 49	14:43	
1Mc	1:27	2:14 39 70	9:20 12:52 52
	13:26		
4Mc	16:5		
1Esr	1:30	8:69	

tristis

Sir   7:34   48:24

luctus

Sap	14:15	19:3		
2Bar	4:9 11 23 34	5:1		
Sir	38:17			
ABar	56:6			
4Esr	10:6 12			
1Mc	1:25 27 39	2:39 70	3:51	9:20 41
	12:50			
2Mc	5:10			
3Mc	4:2 3 8	6:31 32		
4Mc	16:11			
Tb	2:6			

lapis

Sap   5:22

ܐܟܕܐ

penna
Sap   5:11
Sir   22:14   46:18
4Esr   7:52 55 56 56

palus   ܐܓܡܐ
Sap   19:18

certamen   ἀγών   ܐܓܘܢܐ
Sap   4:2   10:12
ABar   15:8   32:6
4Esr   7:127
2Mc   3:14 21   4:9 18   15:9 19
4Mc   11:20   15:29   16:16   17:11 11 11 13

conducere   ܐܓܪ
1Mc   5:39   6:29

merces   ܐܓܪܐ
Sap   2:22   3:15   5:15   10:17
Sir   2:8   16:14   34:22   36:16   51:22 30
ABar   52:7   54:16   59:2
4Esr   3:33   4:35   7:35 83 98   8:39   13:56
2Mc   12:45
Tb   2:12 14   4:14   5:3 15 16   12:1 1b

mercennarius   ܐܓܝܪܐ
Jdt   4:10   6:2 5
Sir   7:20   34:22   37:11 11
Tb   5:12

epistola   ܐܓܪܬܐ
EpJr   1
1Bar   1:1 5   7:7 9   9:1 3   10:1
2Bar   1:1
ABar   77:12 19 22
1Mc   5:10 14   8:22   9:60   10:3 7 17
       11:29 31   12:2 4 5 7 7 8 17 19   13:35
       14:20 23   15:1 15
2Mc   2:13   9:18   11:16 17 22 27 34   14:12
       28
3Mc   3:11 25 30   6:41   7:10
1Esr   2:15 22   4:47 48 61   6:7

tectum   ܐܓܪܐ
Jdt   8:5

adamas   ἀδάμας   ܐܕܡܘܣ
4Mc   16:13

auris   ܐܕܢܐ
Sap   1:10   15:15
2Bar   1:3 3 4 4 4   2:16 31

5

```
Sir    3:28   4:8   6:33   16:5   17:6 13
       21:5   25:9   27:16
ABar   11:6   51:4
4Esr   10:56
1Mc    10:7
2Mc    1:4
PsS    8:1   18:3
PsAp   3:3
Martius, mensis duodecimus                          אדֹהֹ
1Mc    7:49
2Mc    15:36
1Esr   7:5
area                                                אֹרֹדֹאֹ
4Esr   4:28 30 32 35   9:17
familiaris                                          אֹ ֹ אֹ
4Mc    14:7
concordia                                           אֹ ֹ ֹ ֹ אֹ
3Mc    3:21
4Mc    3:21   8:3   13:24
vallis           αὐλῶν              אֹ ֹ ֹ אֹ   אֹ ֹ ֹ אֹ
Jdt    7:3 17   10:10 11
essentia         οὐσία              אֹ ֹ ֹ אֹ
Tb     14:13a
nuntius                                             אֹ ֹ ֹ ֹ אֹ
Jdt    3:1 5
1Mc    9:70   10:51   11:9   13:14 21   14:40
Tb     10:8b
nuntiatio                                           אֹ ֹ ֹ ֹ ֹ אֹ
2Mc    4:11
ire                                                 אֹ ֹ אֹ
Sap    4:5   19:2
EpJr   57    61    61
1Bar   1:6   8:11
2Bar   3:23   4:19 19 26
BelD   4    15    16    31    33    34
Su     7    7    8    13    13    15    15    17    18
Jdt    5:7 9   6:11 13   8:35 35 36   10:11 12
       13 22   12:11   13:1 1 4 16   14:3 4 13
       14 15   16:21
Sir    1:18   5:2   6:12   8:15 15   11:20
       14:19   18:30   22:13   25:12 25 25
       27:9 17   29:18   30:10   32:20   42:10
ABar   3:2 7   4:7   5:1 4 5   8:3   10:2 5
```

(ABar) 11:6   14:1 2 5 11 12 19   20:5   21:1
        22:3   31:1   32:8 8 9 9   33:2   34:1
        35:1   36:10 10   43:2 3   44:1 2 9 12 12
        47:1 1   48:15 38 43   50:3   51:6
        52:2   56:3   73:4   76:2 2 3 5   77:1 6
        6 12 15 22 22 26

4Esr   3:8   4:5 13 13 14 40   5:9 19 19
        7:62   8:4   9:24 26   10:10 13   11:7
        24   12:2 29 40 49 50   13:41 45 45 57
        14:19 23 27 37

1Mc   1:3 11 13 24 44   2:8 13   3:31 39
        4:35   5:17 17 20 21 24 29 39 48 57 58
        66   6:5 6 22 23 36 56 57   7:7   8:6 19
        9:2 4 11 36 59 69 72   10:4 13 60 77
        11:7 21 22 24 39 60 61 64   12:3 32 45
        46 46 50   13:20 20 24   14:1 3 34
        15:4 28 40   16:4 5 21 22

2Mc   1:13 14 19   2:4 6   3:3 5 7,8 23 34 35
        39   4:7 11 24 26 33 34   5:1 9 21 27
        6:11 11   8:9 35   9:14 16 17 29
        10:13 16 19 27   11:7 10   12:1 7 9 10
        12 17 19 20 22 27 29 32 35   13:3 3 3
        13 15 21 22 25   14:4 17 26

3Mc   2:24 25   5:16 21 36 38 44   6:37
        7:18 20

4Mc   4:8 22   7:21   13:17   18:6

1Esr   4:11 23   8:10   9:1 54

Tb   1:3 7 14 15 19   2:7 10 10   4:5 15
        5:3 3 4 5 6 8 9 9 12 14 17 17 17 22
        6:2   8:2a 9 18b 19b 21a   9:2 5 5b
        10:5b 6b 7 7a 11b 12b   11:1 1a 3b 4 6a
        16 16b   12:1b 5b 13a   14:4 8a 12

iter   ܐܘܪܚܐ

ABar   15:1

sphaera   ܐܣܦܝܪܐ   ܐܣܦܝܪܬܐ

Sap   7:17

ABar   19:3   48:9

smaragdus   σμάραγδος   ܐܙܡܪܓܕܐ

Jdt   10:21

Sir   32:6

Tb   13:16a

frater   ܐܚܐ

Sap   10:3 10

7

```
1Bar    1:2 3 5    2:1    3:1 4    5:1    7:8    8:6
Su      61b
Jdt     7:30    8:14 22 24 24 26    14:1
Sir     7:12 18    10:20    25:1    28:9    29:10
        33:19 31    40:25    50:1 12 12
ABar    33:2    77:4 6 12 17
4Esr    7:103 103    12:11    14:33
1Mc     2:17 20 40 41 65    3:2 25 42    4:36 59
        5:10 13 16 17 17 17 24 25 32 55 55 61 63
        65    6:22    7:6 10 27    8:20    9:9 10 18
        29 31 31 32 35 37 38 39 42 65 66    10:5
        15 18 74    11:30 59 64    12:6 7 11 21
        13:3 4 5 8 14 15 25 27 28    14:17 18 20
        26 29 40    16:2 3 9 21
2Mc     1:1    2:19    4:7 23 26 29    7:1 4 5 29
        29 36 37 38 39    8:22    10:21 37    11:7
        22    12:6 24 25    14:17    15:14 18
3Mc     4:12
4Mc     1:8    4:16    8:4 18    9:23    10:3 12 13
        14 15 15 16    11:14 20 22    12:2 4 17
        13:8 11 17 17 17 18 22 22 26    14:7
1Esr    1:5 6 9 12 13 15 35 36    3:21    4:61
        5:3 47 47 54 56 56 56    7:12    8:16 45
        46 47 54 74    9:19
Tb      1:3 10 14 16 21 22    2:2    3:15    4:12
        13 13    5:6 11 12 13 14 14 14 14    6:7
        11 14 16    7:3 4 9 11a    9:2    10:6b
        12    11:2a 17a 18a    14:4 7a
PsAp    1:1 5
soror                                              ܪܚܡ
3Mc     1:1
Tb      5:21    7:15a    8:4 7    10:6b 12b
        11:18b
fraternitas                                       ܪܚܡܘ
Sir     25:1
1Mc     12:10 17
2Mc     9:26
4Mc     9:23    10:15    13:25 26    14:1
cognatus                                          ܪܚܡܘ
4Esr    7:103 103
Tb      7:2
fraterne                                          ܒܪ ܪܚܡܘ
4Mc     13:8
```

cognatio

Sap   8:17

tenere

Sap   1:7   3:8   6:2   7:23 24 25   10:2
         14:19   17:4 11   18:14

EpJr   13   14   17

BelD   11   14   19   21

Su   17   18   20   26   26   39   40   59b

Jdt   1:15   2:10 25   4:5 7   5:1   6:10 11
         12 16   7:1 7 12 17   10:12 23   13:1 7
         14:7

Sir   25:12   26:7   29:1   34:2   37:5
         38:25   40:26   50:28

ABar   6:4 5   7:1 2   8:4   10:9 11 12   12:4
         20:3   25:3   26:1   36:2 8   39:5
         48:8 22 37   51:11 11   53:8 10   59:3
         6   63:3

4Esr   4:11 40   5:15 37   6:8 50   10:15 30
         11:16 17 20 20 21 25 28 32   12:15 38
         13:9 28   14:4

1Mc   1:2 8 19   5:26 27 47   6:56 63   7:2
         16 19 22   8:3 4 7 10 12   9:36 58 60
         61   10:1 52 52 75   11:1 46 49 56 61 66
         12:40   13:15 43   14:2 3 6 17   15:3 7
         14 25 28 30 33   16:12 20 22

2Mc   1:13 24 25   2:25   3:22 30   4:10 27
         5:2 7   7:35   8:11 18 24 30   9:2 5
         10:7 30   12:7 22 24 30 35   14:2 24 27
         29 39 40 41 46   15:8 32 37

3Mc   1:1 5 27   2:2 3 8 33   3:18 25   4:16
         19   5:7 20   6:2 18 28

4Mc   4:2   5:2   6:1   11:27 27   16:20
         17:5

1Esr   1:36   4:2 38 50 50   8:7 46 60   9:17
         46

Tb   6:4 4   7:12a   8:13b   11:11 11b 16b

OrM   1b   3

PsS   8:21   17:17

deprehendi

1Bar   6:8

Jdt   5:18   6:9

Sir   23:8 20   27:26

ABar   9:1   59:3   67:5

```
4Esr    5:1     14:41
1Mc     12:50   15:33
2Mc     5:18    7:1
3Mc     4:4     5:1
4Mc     17:1
PsS     17:20 21
```

prehendere facere   ܐܘܚܕ܇

```
Jdt     7:5     13:13
2Mc     10:36
PsS     12:2
```

qui capit   ܐܘܚܘܕܐ

```
4Mc     14:16
```

aenigma   ܐܘܚܕܬܐ

```
Sir     50:27
```

potestas   ܐܘܚܕܢܐ

```
Sap     5:23    6:3
1Bar    5:4
Jdt     9:13
ABar    21:21   36:8    39:5    48:2    54:14
1Mc     15:29
2Mc     3:34    7:17    9:17
3Mc     2:6     3:11    6:2 5
4Mc     6:34    8:6     13:4
PsS     17:3
```

cunctari   ܐܘܚܪ

```
1Bar    3:5
2Bar    2:13
Jdt     7:21 21    10:19 19    13:2 4
Sir     23:27
ABar    14:2    29:4    36:7    39:8    40:1    44:3
        46:2    63:3    70:7    77:2
4Esr    6:25    7:28 30 34 139    9:8    11:34 39
        12:2 5 27 34 42    13:16 16 17 18 18 22
        22 24 26 48 49
1Mc     2:18    3:37    4:15 26    6:54    7:46    9:6
        8 18    10:14    11:70    13:4    15:10
        16:8
2Mc     1:31    8:14 24
4Mc     12:6    13:17 26
```

cunctare   ܐܘܚܪ

```
Tb      9:4b
PsS     2:28
```

remorari   ܝܘܚܪ
Sir   39:18
ABar   21:25
tardari   ܝܘܚܪܬܪ
Sir   2:7   5:7   7:10 10 34   11:11   18:22
           26:11   35:12
ABar   20:6   48:39
3Mc   5:12
4Mc   9:1
Tb   5:8   9:4a   10:4a
PsS   2:30   5:8
finis   ܪܬܠ ܝܘ
Sap   2:16   19:11
EpJr   71
1Bar   1:6   5:8   6:5   8:8
2Bar   3:30
Sir   1:13   3:26   6:28   7:13 17 36   9:11
           11:19 27 28   12:11 12   13:11   16:3 27
           18:12 24   20:26   21:10   30:10   31:22
           40:2   41:4 11
4Esr   10:28   12:6 9 23 25 28
2Mc   5:7 8   6:10 14
3Mc   5:49
ABar   19:8   21:12   25:1   48:37 47
Dn   3:34
PsS   2:5 32
ultimus   ܪܬܠ ܝܘܪ   ܪܬ ܝܘܪ   ܪ ܝܘܪ
1Bar   1:5
Sir   24:28   41:3   48:24
ABar   6:8   30:2   36:10   40:1   41:5   51:13
           13   53:9   66:6   69:1   70:1   74:4 4
           76:5 5   77:4
4Esr   5:42   6:34   7:73 77 116   8:63   10:2
           59   13:18 46 56   14:22
1Mc   5:53
1Esr   8:39
posteritas   ܪܬܠ ܝܘܪܬܐ   ܪܬܠ ܝܘܪ
Sap   4:19
EpJr   50
1Bar   4:3
Jdt   7:30
Sir   1:13   6:28   14:7   18:29   24:33
           25:7   30:1   32:2   33:16   43:7   49:4

11

ABar   10:3   19:7   58:2   64:7 8 9   67:8
4Esr   7:84 87 95   8:50   11:9   13:56
        14:22
2Mc   6:15   7:41   8:29
Tb   8:17b
PsS   1:1
alius   ܐܝܬܪܐ   ܐܝܬܪ   ܐܝܬܪ
Sap   2:15   7:5   12:13   14:23   19:3
2Bar   3:19 36 36   4:3 15
Su   16   28   53b   56
Jdt   7:1   9:14
Sir   14:4 15 18   23:12 22   33:20   34:23 24
        38:21   40:29   42:10   49:5
ABar   6:5   14:7   21:11   39:4   41:4   77:19
4Esr   3:32   4:14 15   5:53 53   6:6 10 26 41
        49   7:6   9:34   10:10 60   11:4 29
        13:12 39 40   14:22 33
1Mc   5:14 37   7:42   8:4   9:40   10:38
        11:24   12:2   16:19 20
2Mc   3:37   4:20 26 42   5:16   6:1 11 14
        8:14   9:6 28   10:3 36 36   11:11
3Mc   5:49
4Mc   1:4 4 20   6:16 18 35   8:1 10   13:12
        15:20   18:5
1Esr   2:12   3:4 4 11   4:4 4 6 6 33 33
        5:49   8:22
Tb   6:15   7:15a
PsS   4:15
alius   ܐܝܬܪ ܐܘ   ܐܝܬܪܐ
1Bar   7:3
Jdt   7:30
Sir   11:19
ABar   27:15 15
4Esr   7:85   9:23   12:39   13:56
1Mc   2:18   6:29   15:31
2Mc   2:3   3:26   4:8 9 19   5:27   8:20
4Mc   1:7
1Esr   2:6 15   4:5 52   6:4   8:20 66 67 80 89
        90   9:7 9 12 17 18 36
cunctatio   ܟܘܬܪ
4Esr   5:42
deus   ܪܠܝ
PsAp   4:1 1

arbor

Sap   10:7   13:11 13

2Bar   5:8

Su   54   58

Sir   6:3   14:18   24:13   27:6   50:8 10

ABar   36:2   55:1   77:22

4Esr   5:23   6:44   8:52

1Mc   4:38   10:30   11:34   14:8

4Mc   2:14   14:16   18:17

PsS   12:3   14:2

auxilium

PsAp   4:1

olla

Sir   13:2

est - sunt

Sap   1:7   2:13 19   5:5   7:22   8:5 6 17

EpJr   7   58

1Bar   6:6   8:1 13 14

BelD   3   21   23   32   33

Su   1   4   6   15

Jdt   5:20   6:11   10:19   12:3 4 11   13:6

Sir   3:18   4:21 21   5:1 12   6:8   7:6 11
       18 22 23 24 26   9:2   10:30 30   11:9
       11 12 18 18   12:1   13:5   14:11 11
       16:14   17:27   18:17   19:8 16 16 23
       23 24 24 25 26 27 28 29   20:1 1 5 5 6
       8 9 9 12 21 22 23 30   22:21 21 22
       23:12 13 14   25:21   26:27   27:21 21
       28:21   29:11 26   30:19 19   32:11
       33:7   36:18   37:1 7 20 22 23   38:12
       13   39:28   41:1   44:8 9   48:16 16

ABar   5:2   10:14   14:3 12   19:3 4   21:7
       23:6   43:1   44:11   48:24   51:3
       53:1 3   56:11   63:2 7 10   64:10
       67:6   73:1

4Esr   4:7 7 7   5:42   6:32 47 48 51   7:6 29
       39 59 59 72 73 77 84 112 117 119 123
       8:25 33 33   9:11 34   11:1   12:7
       13:23

1Mc   1:59   2:2 28 31   3:60   4:19 61   5:5
       17 44   6:1 2 37 49   7:17   8:3 6 16
       9:7 29 33 36 45 63   10:6 12 35 35 40
       43 63 63 71 75 77 80 87 89   11:27 39
       51 58 73   12:9 15 23 23   13:11 47
       14:7 12 21 24 35 36   15:15   16:5

```
2Mc     1:19    2:4 9    3:6 6  14  17  38  38    4:14
        41    5:25    6:3 30    7:16  28    8:9  27  30
        36    9:2 22    10:13 20 20 24 35 36
        11:31    12:2 3 6 9 16 24    13:2 5 5 8
        14:1 3 9 11 13 14 26 39    15:13 19
3Mc     1:13 25    3:8 21 25 29    4:2 18    5:6 34
        45    6:16    7:3 4 4 6 7 12
4Mc     1:7 23    2:5 24    3:6 7    4:1 4 17
        5:13    6:12 13 13    7:17    10:14    11:27
        13:15 24    14:18    16:11 13 22
1Esr    1:4 10 15    2:23    4:36 39 40 52 53 57
        6:2 31    8:12 22 50 62 70 79 87 88 89
        9:12 18 51 54
Tb      1:6 20    2:10    3:15 15    4:7 8 8 19 21
        6:9 11 15    7:11a    8:21a    10:10a
        13:2a 11a    14:4a 5b 10b
Dn      3:38
PsS     16:8
```

1.sg.
```
Sap     7:1
2Bar    4:9 10 14
4Esr    3:1
Tb      1:4 4 13    3:10 14 15    5:6    6:15
        12:13a 15a    14:3a
PsAp    1:1a
```

2.sg.m.
```
Sir     7:28
4Esr    ·8:7
2Mc     7:16
4Mc     9:30    12:13
1Esr    4:60    8:86
Tb      3:2 11    5:5 11 14 14    6:12    7:11a
        8:5a 16a 17a    11:14a
```

2.sg.fem.
```
4Mc     17:3 5
Tb      11:17b
```

3.sg.m.
```
Sap     2:5 18    17:10    18:24    19:17 17
2Bar    4:1
BelD    2    5
Su      42a
Sir     22:1    43:8
ABar    14:17    15:8    22:4    42:4    54:19
4Esr    7:39 48 60    8:2    12:47    14:32
```

```
1Mc      1:10    2:63    4:11 52   6:30    7:26
         9:12 44   16:12 14
2Mc      1:10    3:4 5 39   5:15 22 23   8:9 35
         9:12   10:23 32    13:9    14:23 24 26 32
         38    15:3 4 12
3Mc      1:3    2:15    6:1
4Mc      1:9 14 14 15 30    2:3 7 8    3:15 20
         4:6    5:4 18 18    6:31 34    7:23 23
         9:24 26   10:12    11:9 18 20 21    17:6
         14 14 22    18:2 5
1Esr     1:25 25 32 37 41 44    2:5 12    4:7 12 13
         37 50    5:62    8:1 3 8    9:11 23 50
Tb       1:22 22    2:1 9 13    5:4 9 18 20    6:11
         7:5    8:6a   12:21b    14:2 11a
PsS      8:22   12:2    17:22
```

3.sg.fem.   ܐ ܠ ܗ ܝ

```
Sap      7:29    8:7    17:12
1Bar     6:9
Sir      25:26
ABar     51:2
4Esr     7:6 79   10:7    14:4
1Mc      3:45    6:41    10:14    14:3
2Mc      1:24    2:29    3:21    4:13    14:7    15:12
3Mc      4:21    5:28
4Mc      1:16 17 19 22 25    3:1    5:26    6:18
         8:2   13:22    14:20    16:5
1Esr     2:19 22    4:46 46    8:80
Tb       1:2    2:13    3:6 8    4:11 12 13    6:7 12
         18    7:11a    11:1b    14:10a
PsS      9:15
```

1.pl.   ܐ ܠ ܗ ܢ

```
Sap      7:16
2Bar     2:13
ABar     21:16 16 16    48:15 15 24
4Esr     4:35    8:7
3Mc      3:21    6:9
1Esr     6:12    8:73 87
Tb       4:12
```

2.pl.m.   ܐ ܠ ܗ ܟ

```
1Bar     7:3
ABar     77:5
4Esr     14:33
1Mc      12:7
2Mc      11:37
```

ܐܫܬܒ̈ܝܘ

```
4Mc     13:12
1Esr    8:57
Tb      7:3
```

3.pl.m.   ܐܫܬܒ̈ܝܘ

```
Sap     3:3
EpJr    19    59
1Bar    1:1
Su      5
Sir     16:2    20:15
ABar    2:2    19:2    49:3    62:5    77:15
4Esr    5:43    6:56    7:13 136
1Mc     2:31    3:51    5:4 9 13 16 55 62    7:13
        12:21 21    13:34
2Mc     2:14    4:19 30    6:2 29    13:12    15:1
3Mc     3:7 10 23    4:8    6:15
4Mc     1:6 20    3:12 13 20    7:24    8:27    9:18
        11:26    14:7    15:25    17:19
1Esr    1:14 49 54    5:7 41 46 49    6:4 25
        8:10 46
Tb      3:5    10:12a    12:10a    13:12a 14a
OrM     6
PsS     4:12    14:2    17:21
```

3.pl.fem.   ܐܫܬܒ̈ܝ

```
Sap     4:9
BelD    19
Sir     18:10
ABar    43:2
4Esr    4:23
2Mc     3:9    11:16    14:30
3Mc     3:30
4Mc     1:18 28 32    5:26 26    15:11
Tb      2:14
```

ira   ܐܬܒ̈ܐ

```
3Mc     3:21
```

edere   ܠܥܣ

```
Sap     11:19    12:5
EpJr    27
2Bar    2:3 3
BelD    6     7     8     9     12     12     13     15     18
        21     31     32     32     39     42
Jdt     11:12 12 13    12:2 19
Sir     6:3 19    9:16    11:19    19:8    20:16
        22:8    24:21    30:19 25    37:30
```

ABar   20:5   21:1   29:8   48:39 43   62:4
        70:10
4Esr   4:16   5:18   7:104   9:24 26   10:4
        11:31 35   12:27 28 51   14:43
1Mc   1:6?   6:53
2Mc   2:10 10 11   6:18 20 21 21   7:1 7 8
        13:12
4Mc   1:27 27 33 34   4:26   5:2 3 6 14 19
        5:25 26 26 27   6:15   7:25   8:1 1 11
        28   9:16 27   10:1   11:13 16   13:2
1Esr   3:3   4:10   7:13   8:82   9:2 51 54
Tb   1:10 11   2:1 13   6:6   7:10 14a
        10:7a   12:19 19b

calumniare   ܐܟܠ ܩܪܨܐ
Sap   1:11   2:24
BelD   42
Sir   19:8 15
1Mc   7:6 25
2Mc   4:1 5   10:13   14:27
3Mc   6:7
4Mc   4:1
Dn   3:48
devorare   ܐܬܐܟܠ
EpJr   19
Sir   20:17
2Mc   2:11
edendum dare   ܐܟܠ ܝܗܒ
Sap   16:20
Sir   15:3   29:28
accusationes   ܐܟܠܬ ܩܪܨܐ
2Mc   3:11   14:27
cibus   ܡܐܟܘܠܬܐ
EpJr   26
BelD   11   12   14
Sir   30:18 25   31:21   36:18   37:29
1Mc   1:63
3Mc   3:3 7   6:36
4Mc   1:34
1Esr   5:53
cibus   ܡܣܒܘܠܬܐ
Sap   4:5   13:12   16:2 3 3 5 20   19:11
BelD   34
Jdt   2:17   10:12   12:9

```
Sir     13:19    36:18 19    37:28 29 30 31
ABar    29:4
4Esr    6:52     9:26 34
2Mc     9:15
3Mc     6:34
4Mc     4:26     5:3 7 19 27    6:19    7:6 25
PsS     5:11
PsAp    2:13
```

niger esse   אכבה

```
4Esr    7:125
```

nigrare   אכבדה

```
Sir     25:17
```

niger   אכבובא

```
EpJr    20
ABar    53: 1 5 5 5 6 7    56:5 7 8 9 16    58:1
        60:1     62:1 8    64:1    65:2    67:1
        69:1 5 5    70:1 1    72:1    74:4
```

operam dare   אכפ

```
Sir     41:12
4Mc     7:18
```

sedulitas   אכפונותא

```
4Mc     4:20
```

arare   אכר

```
1Esr    4:6
```

agricola   אכרא

```
4Esr    8:41 43 44    9:17
```

Augustus - September, mensis sextus   אלול

```
1Mc     14:27
```

lamentari   אלא

```
ABar    10:5
4Esr    7:65
4Mc     16:11
1Esr    1:30
Tb      10:4a 7a
```

lamentatio   אולתא

```
Sir     38:16
ABar    10:5 8    52:3
4Mc     16:11
Tb      2:6
```

deus   אלהא

```
Sap     1:3 6 13    2:13 13 16 18 22 23
        3:1 5    4:1 10 14 15 15 17    5:5    6:4
        19    7:14 15 25 25 26 27 28    8:3 3 4 21
        9:1 13    10:5 10 12    12:7 13 26 27
        13:1 6    14:8 9 11 15 22 30    15:1 8 16
```

(Sap15)19   16:18   18:13
EpJr   50   61   72
1Bar   5:9
2Bar   1:10 13 13 13 15 17 18 18 18 19 21 22
        2:5 6 7 9 10 11 12 15 19 27 31 35   3:1
        2 4 4 6 8 13 24 27 36   4:1 4 5 6 7 7 8
        9 9 12 13 22 22 23 24 25 27 28 36 37 37
        5:1 2 3 4 4 5 6 7 7 8 9 9
BelD   4   4   5   24   24   25   25   37   38
        41
Su   2   5   22   35   42   45   50   51   53b
        55   55   57b   59   59   60b   63
Jdt   3:8   4:2 12   5:8 8 9 12 13 17 18 19 20
        21   6:2 2 2 18 19 21   7:19 28 29 30
        8:8 11 12 14 14 16 16 20 23 25 31 31 31
        9:2 4 11 12 12 14   10:1 8 8   11:6 10
        11 12 13 16 17 17 17 22 23   12:4 8
        13:4 7 14 14 17 18 19 20 20   14:10 10
        16:2 12 13
Sir   1:8 13 20 20 30   2:1 6 17 18   3:6 18
        20   4:10 13 14   5:4   6:16 17 37
        7:4 5 29   9:15 16   10:7 13 19 20 22
        24   11:4 14   12:6   14:16   15:1 9 11
        14 18   16:2 4 17 26   17:1 27 29 32
        18:13 26   19:20 20   20:15   21:6 11
        23:1 4 19 23 27   24:1 2   25:1 6 11
        26:23 28   27:3 24   28:1 3 7 23   29:28
        31:13   32:5 6 13 13 16 24 24   33:1 8
        11 15 16   34:6 8 15 19 22 24   35:3 10
        10 10 13   36:1 5 17   37:12 15   38:1
        2 4 5 9 14 15   39:1 5 15 16 34   40:1
        26 26 26 27   41:4   42:15 18   44:17 21
        45:1 19 24 26   46:6 6 10 11   47:5 11
        13 18 22   48:19 20   49:3   50:17 22
        51:30
ABar   6:8   7:1   10:1   13:4   54:12   63:1
4Esr   7:19 21 78 79 112   8:19 58   9:45
1Mc   5:62   16:3
2Mc   1:2 11 17 20 24 27   2:7 17 21   3:24
        24 28 34 35 36 38   4:6 6 11   5:20
        6:1 26   7:6 14 16 18 19 28 31 33 34
        35 36 36 37 37   8:5 11 13 18 23 24 35
        36   9:5 8 12 12 17 18 20   10:16 25 28

(2Mc10)	38 11:4 9 10 13 23 12:6 11 15 16 22
	28 41 42 13:10 12 13 14 15 33 15:7 8
	16 21 27 27 28 32 35
3Mc	1:9 16 2:21 28 3:3 11 4:21 5:7 7
	13 25 28 30 35 6:1 11 18 28 29 32 33
	36 7:2 6 9 10 16 16 22
4Mc	1:12 2:21 3:16 4:9 21 5:24 25
	6:27 7:21 9:2 15 24 32 10:10 19
	20 21 12:11 12 14 18 13:3 13 15 15
	15:3 24 28 16:11 18 19 21 22 24 25 25
	17:5 5 10 11 20 22 18:24
1Esr	1:4 8 25 46 48 4:40 62 5:43 47 48
	52 52 52 54 55 64 67 68 6:1 2 30
	7:4 9 15 8:3 16 17 17 19 21 21 23 24
	27 46 49 52 53 57 60 61 63 69 76 86
	9:8 39
Tb	1:12 3:11 16 4:5 14 19 21 5:17
	6:18 7:11a 8:5 15 15a 17b 9:6b
	11:1a 13b 14a 16a 17a 17a 12:6 6 6 7a
	11a 12b 14 15b 17 18 20 22b 13:1 4 6b
	7 7b 11a 15a 18a 14:2 2b 4 5 5a 6 7a
	7a 15b
OrM	1 1 8 13
Dn	3:26 45 51 52
PsS	1:1 2:3 12 16 19 22 33 3:2 2 5 7
	4:1 1 7 8 9 24 24 25 28 28 5:1 6 7 10
	13 6:3 7:1 2 8:7 8 12 15 22 26 27
	28 29 30 31 32 36 37 39 9:2 2 3 6 11
	16 16 10:1 6 8 11:2 4 7 7 8 12:4
	14:5 15:1 2 14 15 16:3 5 6 17:1 3
	3 4 10 11 15 23 28 30 35 35 38 42 44
PsAp	1:3 2:1

Sap	12:24 27 13:2 3 10 15:15
EpJr	3 9 9 10 14 16 22 28 29
	29 31 38 39 44 44 47 49
	50 51 54 56 56 58 63 64
	68 69 70 71
2Bar	1:22
Jdt	3:3 4:1 5:7 8 8 8:18
2Mc	11:23
3Mc	3:14
PsS	17:16

divinus   ܐܠܗܣ̈ܝ
2Mc   6:23
4Mc   4:13   5:18 18   6:21   7:7 9   8:21
           9:15   10:21   11:27   13:18 21   17:16
           18:3 22

divinitas   ܐܠܗܘܬܐ
4Mc   1:16 17

cauda   ܐܠܝܬܐ
Sir   20:17

costa   ܐܠܝܐ
4Mc   6:6   11:19

docere   ܐܠܦ
Sap   6:9   7:21   8:7   12:19
Su   3   53b
Sir   2:16   4:11   6:33 37   9:1   10:1
           14:11   15:10   17:7 11   18:13 28
           21:14   22:7 8   23:9 13 15   30:3 13
           39:2 3 9   45:5   50:28
ABar   45:2   48:9   54:18   76:5 5 5
4Esr   4:4   10:38
1Mc   4:7
2Mc   7:2
4Mc   5:23 24 24 35   10:16   18:10 11 18 18
1Esr   8:7 23   9:49
PsS   17:35   18:5
PsAp   3:9

magister   ܡܠܦܢܐ
Sir   51:17
2Mc   1:10
4Mc   7:7 8   9:6

mille   ܐܠܦܐ
Jdt   2:5 5 15 15   7:2 2 17 18   14:12
Sir   6:6   16:3 10   18:10   39:11   41:12
           46:8
ABar   29:5 5 5   63:7
4Esr   6:51   10:45 46   12:38   14:48
1Mc   2:38   3:39 39 55   4:1 1 6 15 28 28 29
           34   5:13 20 20 22 34 60   6:30 30 35
           7:40 41   9:4 4 5 49   10:36 40 42 74
           77 79 85   11:44 74   12:41 47 47
           14:24   15:13 18 26   16:4 10 19
2Mc   4:19 40   5:5 21 26   8:1 10 16 19 20
           22 24 34   10:18 31   11:2 4 11   12:10
           19 20 26 28 33 43   13:2 15   15:22 27
3Mc   3:28

```
4Mc      4:17
1Esr     1:7 7 8 9    2:12 13 13    5:2 9 11 13
         14 41 41 42 42 44 44
```

navis ܐܠܘܝ݂ܐ

```
Sap      5:10    14:1 1
1Bar     8:10 11
4Esr     9:34    12:42
1Mc      8:26 28 31    11:1    13:29    14:5    15:3
         14 37
2Mc      12:6
3Mc      4:7 9 10 11
```

coangustare ܐܠܝ݂

```
Sap      5:1     10:15
Jdt      8:30            Sir     21:11
ABar     1:3     3:3     48:31
4Esr     5:21    7:4 7 12    14:14
1Mc      1:58    2:15 25    3:48    9:7 68    10:35
         46    11:53    15:14
2Mc      5:5     6:1 7 8    7:13 15 39    10:19
         11:5 14    12:21
3Mc      2:30    3:9 25    4:10 13    6:26
4Mc      11:3
1Esr     3:23    4:6
Dn       3:50
PsS      8:16
```

opprimi ܐܬܐܠܝ݂

```
BelD     30
Sir      29:19    31:21
ABar     1:3
1Mc      5:16
2Mc      6:18    7:1    9:11
3Mc      2:2 12 13
4Mc      11:11    13:26    15:22
OrM      9
PsS      1:1
```

oppressor ܐܠܨܝ

```
Jdt      16:2
Sir      4:9
3Mc      3:8 10
```

oppressus ܐܠܨܝ

```
Sir      4:9
4Esr     13:43
```

vexatio ܐܠܘܝ݂ܐ

```
Sap      5:3     19:12
2Bar     3:1
```

Su	22	24			
Jdt	4:13				
Sir	6:8	20:4	25:14 14	26:27	35:20
ABar	25:3 4	26:1	51:14	63:9	67:5
4Esr	4:42	7:5 14 18 18 96	9:45	13:19	
	14:33				
1Mc	2:53	5:16	6:11	9:27	12:13
	13:3 5				
2Mc	1:7 11	3:21	6:3 6 19 19 28 28 30		
	7:1 14 35	9:6 28	10:4	11:7	14:14
	15:2 17 3o				
3Mc	2:10 12 22	3:15 25 27	4:2 4 4 7 13		
	15	5:6	6:9 26 28	7:3 16	
4Mc	1:4 20 23 23 24 28	3:18	5:23	6:24	
	7:2 4 4	8:26	9:6 8 30	11:2 20	
	12:4	14:1 1 9	15:19	17:23	18:3
PsS	5:7	8:1	15:1	16:11 14	

mater   ܐܟܪ

Sap	7:2		Su	36	
Jdt	8:26				
Sir	1:14	3:2 4 6 9 11 16	7:27	15:2	
	22:5	23:14	24:30	40:1	46:13
	49:7 15	50:22			
ABar	3:1 2 3	10:16	54:10		
4Esr	5:35 50	10:7 8	13:55		
1Mc	13:28				
2Mc	7:1 4 5 20 25 41				
3Mc	5:50				
4Mc	1:8 10	8:2 3 19	10:2	12:6 7	
	13:18	14:12 20	15:1 2 5 6 6 10 11 13		
	16 21 22 24 26 29	16:1 4 5 7 9 11 14			
	24	17:2 4 7 13	18:7 23		
1Esr	4:21 25				
Tb	1:8	4:3 13	5:18	6:15	8:21b
	9:6b 6b	10:7 12b	11:17b	14:10	
PsS	3:11	8:10			

natio   ܐܟܪ ܐܟܡܐܪ

Sap	3:8	Sir	24:6
ABar	13:11		
4Esr	3:7		
1Mc	1:4		
PsS	17:31		

serva   ܐܟܡܬܐ ܐܟܪ

Sap	9:5
Su	43b

Jdt   7:27   8:7   10:5 5   11:5 16 17 17
        12:4 6 15 19   13:3 9   16:24
4Esr   9:43 45
3Mc   1:18
1Esr   5:1 41 41
Tb   3:7   8:12a 13a   10:10b

cubitus   ܐܡܝ̈ܐ   ܐܡܬܐ
Jdt   1:2 2 2 3 3 4 4
2Mc   13:5
1Esr   6:24 24
Dn   3:47

perseverare   ܐܬܐܡܢ
PsAp   4:4

constans   ܐܡܝܢܐ
Jdt   4:14
ABar   12:2   36:7

amen   ܐܡܝܢ
3Mc   7:23
Tb   8:8

amen amen   ܐܡܝܢ ܘܐܡܝܢ
Jdt   13:20   15:10
1Esr   9:47

constantia   ܐܡܝܢܘܬܐ
4Esr   5:51
Tb   12:8b

sollers   ܐܡܢܐ
Sap   8:6   13:1   14:2 18
EpJr   45   46
2Bar   1:9
Sir   38:27

sollertia   ܐܡܢܘܬܐ
Sap   13:11   14:4 18 19 24   15:8   17:7
Sir   38:27 31 34
ABar   54:18
2Mc   12:15   13:5 18
4Mc   9:19

                            ܐܡܢܘܬܐ ܒܪ ‹‹‹ ܐܡܢܘܬܐ
artificialis   ܐܡܢܝܐ
Sap   7:21

dicere   ܐܡܪ
Sap   2:1 13   5:3 3   6:22   7:15   8:21
        9:8   12:12
EpJr   5   43
1Bar   1:2   3:3   4:2   7:1 2 3 4 5 6   8:7

```
2Bar    1:10 15    2:20 28    3:35    4:9
BelD    4    5    6    7    8    8    9    11    14    17
        17    18    19    20    24    24    25    26
        27    28    29    34    35    37    38    41
Su      13    17    20    22    27    28    34    36
        42    46    47    48    50    50    51    52
        53b    54    54    55    56    58    58    59b
Jdt     2:1 2 4 5    3:1 5 7    4:7 8    5:3 3 5 5
        9 22    6:1 2 4 17 18    7:4 8 16 23 30
        8:8 9 9 11 11 28 28 28 30 32 33 35
        9:1 2 6    10:7 9 9 12 12 14 18 19 22
        11:1 3 5 9 9 19 20 22 23    12:2 3 4 6 11
        13 14 14 17 18    13:3 3 3 4 7 11 14 15
        17 18 20    14:1 7 13 17    15:9 10    16:1
        4 14
Sir     5:1 3 4 4    7:9    11:19    13:22 22 23 23
        15:7 11 12 20    16:17 23 25    17:14
        19:14 14    20:16 20    21:27    22:8 8 27
        23:14 18    24:8 31 32 33    31:12 31
        32:4    36:8 10 11    37:1 9    38:16
        39:10 12 15 17 17 34    44:5    47:9
        49:9
ABar    1:1    2:1 1    3:1 4 9    4:1 2    5:1 2 4
        6:5 5 6 8    7:1 1 2    8:1    10:1 2 4 5
        17 18    11:1 6    12:1 5    13:1 4 5 7 8
        14:1 1 2 5 17 18    15:1 2 3 4 7    16:1
        17:1    18:1    19:1 1    20:5 5    21:3 20
        24    22:1 8    23:1 2 5    24:3    25:1 4
        26:1    27:1 13    28:3 4    29:1    30.3
        31:1 1 3 3    32:8 8    33:1    34:1    35:1
        36:1 7    38:1    39:1    40:3    41:1
        42:2 2 3    44:1 13    46:1 4 6    47:1
        48:1 16 16 21 25 26 30 30 36 42 44
        50:1 4    51:16    52:1 4 8    54:1 8
        55:3    56:1    62:7    63:3    67:2    70:6
        9    71:3    74:3    75:1    76:1    77:1 11
        15 17 20 26
4Esr    3:4 4 15 24 28    4:2 3 3 5 5 6 6 7 7 8 9
        10 12 13 14 15 19 20 22 26 33 34 35 36
        37 38 40 41 41 44 47 50 51 52 52 52
        5:11 13 16 19 19 23 32 33 33 34 35 35
        36 38 39 40 41 42 43 44 45 45 46 46 47
        48 50 50 51 51 52 53 56    6:1 7 8 11 13
        18 25 30 33 35 38 40 47 55 55 56    7:2 2
        3 3 10 10 17 19 23 26 37 45 45 49 51 53
```

```
        14 15 17 17 18 21   6:4 5 6 7 8 11 14 16
        7:2 3 4 5 5 5 7 9 9 10 11 11 12a 15 16
        16   8:4 5 6 8 9b 10 12 14b 15 18b 19b
        20   9:1 5b 6b   10:2 4 4 6 7 7 8 9 11
        12 12   11:1b 2 4b 6 7a 9 11 11b 14 15b
        17   12:1 2 4 5 6 6b 11a 17   13:1 8a
        18a 18a   14:3 5b 11a
Dn      3:44 51
PsS     1:5   2:4 24 33   8:3 7 18
```

dici

```
1Bar    7:6
Jdt     5:1   11:8
Sir     15:10   20:17
ABar    5:5   6:9   14:1 2   42:8   43:1   48:42
        66:7   72:2
4Esr    5:40   7:27 87 98 99 101   8:59   9:8
1Mc     2:31   14:22
2Mc     3:7 7 9   14:37   15:36
1Esr    1:45   6:6   8:22 41
```

sermo

```
Sir     1:30   2:15   11:12   12:12   39:17 17
4Esr    8:22
4Mc     5:35
Dn      3:29
PsAp    2:14 15
```

agnus

```
Sap     19:9
Jdt     12:15
Sir     13:17   46:16   47:3
1Esr    1:7 8   6:28   7:7   8:14 63
Dn      3:40
PsS     8:28
```

gemere

```
Sap     5:3
Sir     25:18   30:20   47:20
ABar    6:2   35:3   51:4
4Esr    5:20   7:80 99   9:38 41
1Mc     1:26         2Mc   6:30
3Mc     4:2 12   5:49   6:34
4Mc     3:12   18:9
```

gemitus

```
Sap     11:12
2Bar    4:11
Jdt     14:16
```

```
ABar    10:15    11:2    51:6    73:2
4Esr    4:27    7:12
3Mc     4:8
4Mc     12:15
PsS     4:16
```

necessitas   ἀνάγκη   ܐܠܘܬܐ

```
Sap     17:17    19:4
EpJr    36
ABar    26:1    68:2
4Mc     8:23
Tb      3:6    4:9
```

cogere   ܐܠܒ

```
Sap     14:19
```

gemitus   ܐܬܢܚܐ

```
Sir     35:15
```

homo   ܐܢܫ

```
Sap     2:1    4:9    9:13    12:12    14:14
EpJr    49
Jdt     2:3    6:12    7:2    8:16 18    9:4    10:4
        15    13:12
Sir     1:15    4:2 3    7:11 14    8:5 6 7    9:11
        13    10:19 19    15:7    17:30    18:17
        20:24    28:10 14    33:13    37:12    39:2
        4    40:15    41:8    44:1 5 10    45:1 18
        48:3    49:16
1Mc     1:13 34    2:31 44    3:16 38    5:30    6:21
        54 58    7:1 19    9:2 25 58 73    10:9 61
        11:25    12:45    15:3 10 21
2Mc     1:15    2:6    3:31    6:20    10:20 23
        11:36 37    12:5 34    15:2
3Mc     2:31    4:1    7:3 5
4Mc     8:16
1Esr    2:23 24    4:37    6:11 28    8:10
PsS     4:23
PsAp    2:6 10
```

homines   ܐܢܫ̈ܐ

```
Su      3
Sir     9:16    26:28    27:4    41:8    44:10
        45:18
1Mc     1:11
3Mc     3:2 7    5:31    6:14
4Mc     1:10    4:3
```

homines
EpJr   31
ABar   77:19
1Mc   5:13   6:21   11:21   16:16
2Mc   10:20
3Mc   2:31
4Mc   3:21   5:3   6:13   7:20   17:1

homo
Sap   1:8   2:4 9   5:11   6:15   8:6 7 8 21
        9:6   11:16   15:3 3 16   16:15
EpJr   17   23   26   33   34   34   43   51
        57
1Bar   6:22
2Bar   1:6   4:12
Su   16   20
Sir   9:12   11:28   16:12   19:7 8   22:2 7 7
        8   26:12   29:23 23   34:2 20   40:17
        29   46:19
ABar   15:3   20:5   22:4   24:3   28:3   66:5
        77:18
4Esr   1:31   7:5 30 105 105 105 105 115   8:15
        9:18 18 29   11:17   12:49   13:20 33
        52 52   14:21 36
1Mc   1:42   3:56   4:5   5:42 48   6:54
        10:35 38 63 63   11:38 70   12:11 12 45
        14:12 44 44   15:14 19
2Mc   1:19   2:32   3:21 34 36   4:17   5:8
        6:6 6 9 9 10 12   11:31   12:22 44
        15:35
3Mc   1:13   3:27   4:11   5:36 49 49   7:8 9
        22
4Mc   1:4 5 24 31   2:3 7   3:2 3 4   4:1 23
        5:8 8 20   6:35   7:17 17 17   9:15
        17:1
1Esr   8:22
Tb   1:17 18   4:15   6:8 15   8:10b 12a 18b
        10:2a 3b   11:16b
OrM   5
PsS   4:2   17:45

unus quisque
Sap   16:21 25   18:18   19:16
2Bar   1:22
Jdt   7:4 13 32   8:13   10:19   11:1 13 18
        12:10   13:4   14:15   15:2   16:21

```
ABar    48:38    54:15 15 19
2Mc     12:40
3Mc     5:34    7:8 18
humanus                                        ܐ ܢܫܝܐ
4Mc     4:13
humanitas                                      ܐ ܢܫܝܘܬܐ
Su      26   27   33
ABar    56:6
4Mc     1:16 17    13:18
carbo              ἄνθραξ                       ܐ ܢܫܝܬܘܣ
Tb      13:17a
mulier                                          ܐ ܢܬܬܐ
EpJr    28
Su      2   29   31   46   56   63   63
Jdt     4:11    8:31    11:1 21    12:11 12    14:18
Sir     7:19 23 26    9:1 2 8 8 9    10:18    15:2
        19:2    23:22    25:1 8 13 15 16 17 19 20
        21 22 23 23 24 25 25    26:1 3 3 7 8 9 12
        14 15 16 17 22 22 23 23 24 25 26 26 26
        27   33:19    36:22 24 25 26    37:11
        40:19 23    41:9    42:13
ABar    22:4
4Esr    5:46    9:38 47    10:6 20 20 27 40 42 44
1Mc     10:54
2Mc     14:25 25
4Mc     2:5    14:11    15:17    16:1 3 5 10 14
        17:9
1Esr    4:18 20 21 25
Tb      1:9 20    2:1    3:15 17    4:12 12 13
        6:8 16 16 16    7:2 8 12a 13a 13a 15
        8:6 6a 12 19b 21    9:5b 6    10:4a
        11:1a 3 15b 15b 15b    12:3    14:12
PsS     4:4 5    16:7 8
mulieres                                        ܐ ܢܫܐ
Sap     3:12
EpJr    27   28   32   42
BelD    10   15   20   21
Su      10   31   41
Jdt     4:10 12    6:16    7:14 21 22 23 27 32
        9:4    10:19    12:15    13:18    15:12 12
Sir     7:23    42:12    47:6 19
ABar    10:13    54:11    56:12    62:4    64:2
        73:7
```

```
4Esr    5:8    10:6 16 22
1Mc     1:32   2:30 38    3:20 56    5:13 23 45
        8:10   13:45
2Mc     3:19   5:24   6:4 10   7:21   9:15
        12:3 21   15:18
3Mc     1:4 20   3:25
4Mc     4:8 25
1Esr    1:30   3:12    4:13 15 17 22 22 26 27 32
        34 37   5:1   8:89 90   9:7 9 12 17 18
        20 36 41
Tb      4:12   7:11b
PsS     8:11
```

ܐܣܝ ܒܝܬ <<< ܐܣܝ
ܐܣܘܬܐ ܐܣܪ

```
paries
Sap     13:15
Sir     14:24   22:16 17   23:18   29:10
3Mc     1:29
Tb      2:9 10 10
```

sanare   ܐܣܝ

```
Sap     13:17   16:10 12 12
Jdt     5:12
Sir     38:9   49:10
ABar    53:9
4Esr    2:17
Tb      3:17   12:3b 14
PsAp    3:17
```

sanari   ܐܬܐܣܝ

```
4Esr    7:104
Tb      6:9
```

medicus   ܐܣܝܐ

```
Sir     10:10   18:19   38:1 2 3 7 12 15
```

sanatio   ܐܣܘܬܐ

```
Sap     2:1 5   11:4   16:9
Sir     1:18   3:28   21:3   28:3   34:17
        38:13 14
ABar    29:6   73:2
4Esr    7:123
Tb      2:10
OrM     10b
```

fundamentum   ܐܣܬܐ

```
1Esr    3:8
```

intemperantia   ἀσωτία   ܐܣܘܛܘܬܐ

```
4Mc     1:3
```

stadium	στάδιον	ܐܛܘܪܗ ܒ

1Mc   1:14
2Mc   11:5   12:10 16 17   12:29

elementum	στοιχεῖον	ܐܛܘܣܘܟ

Sap   19:17
4Mc   12:13

vestis	στολή	ܐܛܠܟ

2Bar   4:2o   5:1
1Mc   10:21
2Mc   5:2
1Esr   1:2   4:17 54   5:44 57   7:9
PsS   11:8

columna		ܐܛܘܥܠ

Sir   26:18   36:24
1Mc   13:29 29   14:26   15:14

dux militum	στρατηγός	ܐܛܝܒܬܟ	ܐܛܝܒܬܟ

1Mc   8:10
3Mc   3:12   4:4 18   6:41
1Esr   3:2 14

satrapes	σατράπης	ܐܛܝܦܘ	ܐܛܥܝܘܟ

1Esr   3:14

navis	σχεδία	ܐܘܪܙ ܠ

1Esr   5:53

modus	σχῆμα	ܐܘܪܗܟ

3Mc   1:19
4Mc   1:25   4:1 24   5:14 17   6:2 5   7:3 14
            9:15 29   10:7 11:4   12:13   18:2
PsS   2:37

pudicus	εὐσχήμων	ܐܛܝܪܙ ܠ

Sir   26:24

limen		ܐܥܘܝܛܟ

Sir   6:36

commeatus		ܐܛܠ ܟ

1Mc   6:49 53   9:52   13:21 33
2Mc   13:20

cuneus	σφήν	ܐܛܙܗ ܟ

4Mc   8:12   11:10

anguis	ἀσπίς	ܐܛܙܝܘ

ABar   73:6

placenta		ܐܛܙ ܪ

BelD   27

ligare		ܐܘܝ

Jdt   4:14   6:13   8:5   16:8
ABar   10:8

```
4Esr    13:3
3Mc     4:7  9  9  10    6:19
4Mc     9:11    11:9    13:22
1Esr    1:36 38
Tb      3:17    8:3a
OrM     3
```

vinciri   ܐܬܟܪܝܘ

```
Sap     17:17
1Bar    1:4
Sir     28:19
4Mc     12:3
```

captivus   ܐܣܝܪܐ

```
Sap     17:16
Sir     21:18    22:16
OrM     9
```

ܐܣܝܪܐ ܒܝܬ   <<<   ܐܣܝܪܐ
ܐܣܝܪܘܬܐ

captivitas

```
4Mc     14:14
```

vinculum   ܐܣܘܪܐ

```
Sap     17:2
Sir     1:30    21:19    28:19 20 20    33:28
ABar    49:3    56:13
3Mc     6:27
4Mc     12:3
1Esr    1:38
OrM     1:10
```

vinctio   ܐܣܘܪܝ ܢ

```
Sap     10:14    17:14 16    18:4
1Bar    1:4
3Mc     3:25    5:6
```

duplum   ܐܥܦܐ

```
1Bar    8:4
Sir     9:5    29:20    34:18    48:12
2Mc     9:16
```

occasio   ܐܦܬܐ

```
1Esr    3:14
```

facies   ܐܦܐ   ܐܦܐ

```
Sap     5:1    6:7    8:11    11:21    13:7    14:17
        15:5    17:6    19:17
EpJr    12    20    40
2Bar    1:15 18    2:6 10
Jdt     1:11    2:6 7 19 25    4:11    5:21    6:2 5
        9 18    7:18    8:20    9:1    10:7 8 14 23
        23    11:21    12:13    13:16    14:6    16:6
        7
```

Sir   4:22   6:8   7:24   8:15   9:8   12:18
       13:25 26   16:30   17:15   18:24   19:27
       29   20:22   21:22   25:17   26:4
       31:13   34:3   35:9 13   36:22   37:23
       38:8   39:24   50:17   51:20
ABar   6:7   13:8   44:4   51:3   64:3
4Esr   4:11   5:16   6:20   7:97 98 105 125 125
       10:25   13:3
1Mc   1:22 22 22   2:36 40 40 50   3:21 43
       4:40 51 55 57   5:7 21 32 47   7:3 28 30
       33   9:10 44   10:71   13:3 3 4 6 6
       14:32   16:3
2Mc   1:8 26   3:16 32   4:11 48   6:18 24 25
       28   7:23 37   8:21   10:3 4   12:43
       13:12 14   14:18 24 30 38   15:14 17 17
       18 23 30
3Mc   1:16 23 29   2:19 32   6:15 18 22 23
       7:6
4Mc   1:8   5:32 38   6:11 22 29   7:4   8:3
       9:4 23 30 31   11:3   13:8   14:3   15:4
       12 15 29 32   16:13
1Esr   9:17
Tb   10:7b   11:4b 11b   12:16b
Dn   3:41
PsS   2:8 19 24   4:7 10 21 25   5:9 12   6:7
       9:13   12:8   15:10   17:27
versus   ܠܘܿܩ̈ܝ
2Bar   5:5
vectigal   ἐπιβολή   ܐܘܿܒܠܐ
1Esr   8:22
palatum   ܐܘܿܟ.ܠܐ
Sir   21:4   50:7
vestitus sacerdotum   ܐܘܿܣܐ
ABar   6:7
psalterium   ἐπῳδία   ܐܘܿܣܐ ܟ
Sir   40:21
                    ἀποθήκη   ܐܘܿܣܟܐܢ
1Esr   1:51
mandatum   ἐπιταγή   ܐܘܿܦܝܛܐ
1Esr   1:16
praefectus   ἐπίτροπος   ܐܘܿܦܝܛܪܘܦܐ
2Mc   11:1
stipendium   ὀψώνια   ܐܘܿܦܣܘܢ̈ܝܐ
1Esr   4:56

hyaena   ܐܦܬܐ
Sir   13:18
horreum   ܐܘܨܪܐ
Sap   7:14
2Bar   3:15
Sir   1:8 17   39:34   48:12
ABar   10:11   14:12   21:23   24:1   29:8
         30:2   44:14   54:13   59:11
4Esr   4:7 35 41   5:9 37   6:22 40   7:32 77
         80 85 95 99 101 121

fiscella   ܐܘܠܨܒܐ
Sir   11:30
armilla brachiale   κλάνιον   ܐܘܠܢܐ
Jdt   10:4
villicus   οἰκονόμος   ܐܘܩܘܢܡܐ
1Esr   4:47 49   8:64
purpur   ܐܘܪܓܘܢܐ
EpJr   11   71
Jdt   4:23   8:14   10:20 62 64   11:8 58
         14:43 44
2Mc   4:38
1Esr   3:6
instrumentum   ὄργανον   ܐܘܪܓܢܘܢ
PsAp   1:2
mensura   ἀρτάβη   ܐܘܪܒܐ
BelD   6
rana   ܐܘܪܕܥܐ
Sap   19:10
   3Mc   5:4   error interpretis ἀραρότως   ܐܘܪܕܥܝ
cedrus   ܐܪܙܐ
Sir   24:13   39:13 14
ABar   36:5 6 6 7 7 10   37:1   39:5 8
1Esr   4:48
PsS   11:6
via   ܐܘܪܚܬܐ ܐܘܪܚܐ
Sap   2:16 16   5:6 7 11 12 14   12:24   13:18
         14:3   18:3 23   19:5 7 13
EpJr   42
1Bar   8:10 13
2Bar   2:33   3:13 20 21 23 27 31 37   4:2 12
         13 26 26
Su   10   60
Jdt   5:18   9:6 10 13   12:8   13:16   14:4
         15:2

```
Sir    2:3 4 6 15    3:31    6:26 37    8:15
       9:15   10:6    11:14 20 34    13:1    14:21
       16:20    17:15    20:25    21:16    22:13
       23:19    26:12    28:1    32:17 20 20 21 24
       34:7    37:9 14 15    39:24    46:20
       48:22    49:9
ABar   14:8    22:3    32:8    44:2 3    77:26
4Esr   3:31    4:2 3 4 7 11 11 11 23    5:12 49
       7:23 48 79 80 81 82 83 84 85 86 87 87 88
       88 91 92 93 94 95 96 97 98 99 99 99 122
       129    8:56    9:9    12:4    13:45    14:22
       31
1Mc    4:55    5:4 28 46 53    6:33    8:19    9:2
       11:4    13:20    14:36    15:41
2Mc    2:6    3:19    13:26
3Mc    6:28    7:14
4Mc    14:5
1Esr   9:6
Tb     1:3 15    3:2    4:5 15 19    5:6 17 17 22
       6:2    7:11b    10:7 11b    11:1 5 15b
       12:3b
```

viator   ܐܪܚܐ

```
Sir    29:27
```

leo   ܐܪܝܘܬܐ   ܐܪܝܐ

```
Sap    11:18
BelD   31    31    32    34    42
Sir    13:19    21:2    25:16    27:10    28:23
       47:3
4Esr   11:37    12:1 31
1Mc    2:60    3:4 4
2Mc    11:11
3Mc    6:7
4Mc    16:3 21    18:13
1Esr   4:24
PsAp   4:2 2
```

longum reddere   ܐܪܝܢ

```
Sap    12:11
```

longus   ܐܪܝܟ

```
2Bar   3:24
Sir    25:20
```

longitudo   ܐܪܝܟܘܬܐ

```
Jdt    1:2    7:3
ABar   56:3 4
```

saccus   ἀρναχίς   ܬܚܘܝܬܐ

Tb   9:5a

terra   ܐܪܝܐ

Sap   1:1 14   5:23   6:1 16   7:1 3   9:16
        18   10:4 15 17   11:23   12:3 7   13:14
        15:8 8   16:19   18:15 16   19:7 10 18
        18

EpJr   19   26   52   54   59   71

1Bar   7:2 8   8:2 3

2Bar   1:8 11 19 20 20   2:2 11 15 21 23 30 32
        34 35   3:10 10 16 20 23 32 38   5:3 7

BelD   5   19   20

Jdt   1:10 11 12   2:1 2 5 6 7 7 9 11 19 20
        23   3:3 8   4:5   5:7 9 10 12 12 15 18
        21   6:2 2 4   7:4 18 28   8:22   9:12
        10:19   11:2 7 7 8 16 21 23   12:15
        13:18 18   14:2 18   16:4 14 21

Sir   1:3   10:16 16 18   16:29   23:25 27
        24:3   26:20   33:11   36:17   37:2
        38:4 8   39:23   40:1 11 11 12   43:3
        44:21 21   45:22   46:1 7 8 9 20   47:22
        49:14   50:17 22 22   51:9

ABar   3:5   6:6 8 8 8 8 10   10:9   11:4 6
        12:1   13:11   19:1 2   21:1 4 8 24
        22:5   25:1 3 4   27:15   28:7 7
        29:1 2 5   44:2   48:32 40   50:2
        51:15   53:2 3 8 9 10   54:1   55:2
        56:3 5 15   58:1   59:9   61:7 7 7
        63:8 10   66:2 2 5   70:2 10   71:1
        73:2   76:2 3   77:9

4Esr   3:4 6 9 12 18   4:19 21 21 21 29 39
        5:1 3 3 10 23 24 48   6:1 2 15 18 24 26
        38 42 53   7:32 54 62 72 116 127   8:2
        9:8 26 29 34   10:9 12 13 13 14 26 29 30
        59   11:2 5 6 7 12 13 16 18 20 29 32 34
        41 46   12:3 13 23   13:29 30 40 40 42
        52   14:16 29 31 31 33

1Mc   1:1 2 3 3 9 16 19 28 29 44 52   2:29 37
        40 56   3:9 24 29 29 31 36 37 39 40 41
        4:22 40   5:45 48 53 55 65 66 68 68   6:1
        13 46 49   7:6 7 10 20 22 24 50   8:3 4
        8 8 8 10 16   9:1 13 24 25 53 57 61 69

(1Mc9) 72 72   10:30 33 37 38 52 55 67 72
         11:34 38 52 62   12:4 25 25 32 46 52
         13:1 12 20 24 32 34   14:4 6 8 8 8 10 11
         13 17 28 29 31 36 43   15:4 9 10 15 19
         19 21 23 29 33 35   16:4 12 18

2Mc   1:1 7 21   2:22   3:15 27   4:26 42
         5:7 9 15 15 21 27   7:28   8:33   9:8 15
         21 28   13:7 21   14:2 9 10 14   15:5

3Mc   1:29   2:9 14 22   5:50   6:3 5 15 17 25

4Mc   15:15   18:5

1Esr   1:55   4:2 6   15 34 36   5:49 49 69
         6:12   7:13   8:66 67 80 80 80 82 84 88
         89   9:9 47

Tb   1:4   3:6 13 15   4:12   6:4   7:11b 17
         10:11b   11:1b   12:16b 20b   13:6
         14:4 4 5a 10b 10b

OrM   2   13

Dn   3:32 37 74 76

PsS   1:4 4   2:10 12 19 23 30 33 34 36   4:25
         5:17   8:7 8 9 16 17 18 27 29   9:1 4
         15:14   17:1 8 12 13 14 20 20 30 32 34
         39   18:3

obviam ire   ܐܪܒ݁

Sap   19:7

Su   14

1Mc   4:29   5:25   7:39   10:58 60 74   11:2
         2 6 22 61 64 68   12:25   14:40   16:5

2Mc   12:31   14:16

3Mc   7:17

Tb   11:10b 10b

PsS   8:18

receptio   ܐܘܪܒܐ

Jdt   1:6   5:4   7:15

1Mc   1:24   3:16   4:12   5:39   7:31   9:39
         10:2 59 86

1Esr   1:23

Tb   11:9b 16

PsAp   1:6

febris   ܐܫܬܐ

Sir   26:26

effundere   ܐܫܕ

Su   59

Sir   11:32   18:11   20:17   22:24   27:14
         28:11   34:21 22   36:7

```
ABar    48:37   61:2    64:2
1Mc     1:37    7:17
2Mc     1:8
Tb      4:17
OrM     13
PsS     8:23
effundi                                                ܐܬܪ̈ܙ
Sap     2:3     10:5    16:29
2Mc     8:3
4Mc     17:22
PsS     16:2
exclamatio laudatoria    ὡσαννά                        ܐܬܪܙܙܐ
1Mc     13:51
incantator                                             ܐܬܙܘܐ
Sir     12:13
ABar    66:2
signum                                          ܐܬܗܐܬܐ    ܐܬܐ
Sap     5:11 13   8:8     10:16
EpJr    6 6
2Bar    2:11
Sir     35:6    43:6 7   44:4    48:12 15
ABar    25:1 2    60:2    64:8    72:1
4Esr    4:52    5:1 8 13   6:12 20   7:26    8:63
        9:1 6 6    13:32    14:8 42
2Mc     6:13    8:23    13:15
3Mc     6:32
PsS     4:2     15:8 10
venire                                                 ܐܬܐ
Sap     1:5 9   2:6     6:16    7:7 11    8:20
        9:10    10:4    12:27    13:6    14:30
        16:27 27    17:13 14 20    18:10 15 17
        19:12 14
EpJr    48
1Bar    4:3     5:2     6:4 7 9 23
2Bar    1:3 20    2:7     4:9 22 25 36 37 37    5:5
BelD    10    12    29    40    40
Su      6    6    14    28    30    36    37    37    50
Jdt     1:11 12    2:24 25    3:4 5 8    5:4    7:1
        14    8:11    10:6 10 12 13 18    11:3 18
        12:2 11 13 14 14    13:3 10 13    14:6
        16:18 23
Sir     2:4     3:8     25:26    27:27    33:16    34:18
        38:14    42:19    48:10 10 25
```

39

```
ABar    1:5    3:1    5:1    6:2    8:2    9:1
        10:5 8      13:1 5    15:7    20:1 5 5
        21:2 8 18    23:3 6 7    24:1    28:6
        30:5    31:5    32:5 7    36:6 6 10 10
        39:3 3    43:3 3    44:1 11 12 15    46:6
        47:2    48:8 15 30 31 31 39    50:3 4
        51:4 11 16 16    54:3    55:8    57:2
        59:9    62:5 6    63:1 3    68:2 5    70:1
        2 2 7    71:3    72:2 2 3    73:6    74:4
        75:5 7 8 8 8    77:1 6 18
4Esr    3:6 22 29    4:12 14 15 16 28 29 30 45
        5:1 16 19 36 48 55    6:18 30    7:2 5
        18 20 21 21 26 26 33 35 45 46 47 69 75
        91 117 132    8:4 41 41 43    9:25 47
        10:3 10 13 13 28 28 29 29 53    11:13 14
        39 40    12:13 32 34 40 40 48 49    13:9
        20 28 29 30 34 35 37 46 58    14:17 25 35
1Mc     1:20 29    2:15 16 27 41    3:17 20 33 40
        41    4:5 12 26 29 46 60    5:11 12 14 19
        38 39 42 45 46 53 64    6:3 5 11 13 29 31
        40    7:5 10 11 14 20 27 28 29 30 45
        8:4 9 25    9:9 34 43 43 60 69    10:7 56
        57 59 67    11:9 15 22 44 61 63 73
        12:17 32 40 41 42 45 45 52 53    13:1 20
        21 22 22 22    14:2 22 31    15:11 15 17
        21 31 32 40    16:19
2Mc     1:11 12 21    2:21    3:9 11 25    4:1 18
        21 25 28 31 34 36 44    5:5 11 25    6:11
        12 17    7:38    8:11 12 14 16 20 20 25 27
        30 33    9:4 29    10:4 13 15 24 25    11:2
        22 36    12:6 7 20 31 38 39    13:1 22
        14:1 7 14 41    15:8 24 31
3Mc     1:1 2 8 9 20    2:10 26 28    3:14 20 28
        4:6 7 8 11    5:10 14 16 22 23    6:16
        7:14 17
4Mc     3:8 16    4:2 3 6 11    8:2    11:2    12:1
        20    13:6 19    16:17    17:5    18:9
1Esr    1:23    2:17    4:61    5:8 43 54 54 55 60
        63    6:8 8 19    8:6 8 43 44 60 60 63
        9:12 17
Tb      1:18 22    2:3 13    5:14 21    6:2    7:1 1
        8:11a 18b    9:2b 6    10:1a 6b 7b    11:1b
        3b 6 6 9b 10a 17a 18    12:13b 18a    13:11a
```

Dn   3:41
PsS   2:31   3:6   5:9   8:2 18   11:4   17:34
PsAp   4:1
adducere   ܐܬܝ
Sap   11:21   16:2 2 5   18:16
EpJr   61
1Bar   6:1 1   8:12
2Bar   2:2 9 13   4:9 10 14 15 18 24 27 29 29
BelD   14   14   14
Su   17   18   56b
Jdt   5:14   8:30   10:17   16:18 19
Sir   29:5 9 19   36:2   38:19   46:1   47:20
          48:2
ABar   1:4   5:5   13:4   17:3 4   21:20   29:7
          54:1 15   70:2   75:7   77:4 24
4Esr   3:1 1 9 17   13:40   14:4
1Mc   3:49   5:23   6:15   7:47   9:37 58
          12:44   14:3   15:18
2Mc   1:20 21   6:7   8:31 33 34   9:29
          12:35 41   15:30
3Mc   1:12   2:28   3:7   5:45   6:25 27
          7:5
4Mc   3:15   5:2   6:24   8:1 12 17 25   9:11
          10:1 7   11:9 18 23   12:6   18:20
1Esr   4:5 22 24   5:70   8:46   9:39 40
Tb   2:2   8:19b   9:2a 2a   11:15b 17 19b
          12:2 3 3 4b 5
Dn   3:28 28 31
PsS   8:16   17:34
adventus   ܪܕܬܐ   ܪܕܬܐ
4Esr   13:9 11
adventus   ܪܕܬܐ
1Bar   4:3   8:10
Jdt   10:18
ABar   30:1   48:2   51:11   52:3   55:6   57:1
          59:1
4Esr   8:39   13:28
1Mc   9:68   11:44   14:21
2Mc   8:12   13:10 26   14:15
3Mc   3:17
adductio   ܪܕܬܐ
PsS   2:24
pugnator   ἀθλήτης   ܐܬܝܠܕܐ
4Mc   6:10   12:11 15   17:15 16

furnus   ܐܬܘܢܐ

Sir	38:30
4Esr	4:48
3Mc	6:6
4Mc	16:3 21
Dn	3:46 47 48 49 49 50 51

locus   ܐܬܪܘܬܐ   ܐܬܪܐ

Sap	2:9 12:10 19:21
EpJr	13
1Bar	8:12 12 12
2Bar	2:24 3:15 24
BelD	39
Jdt	5:19 6:21
Sir	4:5 13 8:16 12:16 13:22 16:21
	19:27 32:4 34:8 36:13 25 25 26
	38:12 32 42:11 47:24 48:15
ABar	5:1 1 7:1 2 20:5 21:2 23:4
	28:6 29:4 35:1 4 36:2 6 6 40:2
	43:2 2 3 47:2 51:11 53:9 59:3 10
	61:7 67:5 6 76:3 77:9 22 25
4Esr	4:15 19 21 29 5:8 11 11 17 24 6:14
	22 29 7:3 4 6 36 100 124 9:3 12 17
	10:27 53 54 12:41 42 48 13:7 31 31
	33 41 45 14:48
1Mc	1:8 3:35 4:43 46 6:54 57 62 8:4
	4 9:45 65 10:13 73 11:14 28 37 42
	64 12:2 4 25 40 13:20 14:37 48
	15:4 29 30 16:14
2Mc	1:29 2:8 18 18 3:2 12 30 38 39
	4:32 36 5:9 17 19 19 20 6:2 8:6 7
	17 21 31 9:2 17 23 24 25 10:7 12:2
	18 26 13:3 11 14 23 14:5 18 22 35 36
	44 15:34 35 39
3Mc	1:1 1 9 10 23 2:9 10 14 16 21 26 3:1
	12 29 4:2 3 11 18 5:34 43 44 45
	6:30 31 7:20 20
4Mc	1:11 4:1 5 20 6:35 17:18 21 18:4
1Esr	4:20 21 28 50 5:45 6:8 22 24 8:13
Tb	1:3 4 8:3b

aether   αἰθήρ   ܐܬܪ

1Esr	9:11

ܒ

puteus   ܪܝܒ   ܪܐܪܒ
1Mc   7:19
2Mc   1:19
male se gerere   ܐܪܒܕܢܐ
BelD   28
Sir   26:28
2Mc   4:36 48
3Mc   3:20   7:6
male se agere   ܐܪܒܐ
Sap   19:15
EpJr   52   63
2Bar   4:31 32
Jdt   11:1
Sir   3:26   18:15   19:28 28   31:10 10
         37:12 12 29   38:21
ABar   77:7
4Esr   7:115   8:30   11:42   12:41
1Mc   5:48   6:18 18   7:14
2Mc   3:39   5:22 23
4Mc   4:1
1Esr   6:32
pauper   ܒܝܐܒ
EpJr   27   36
2Mc   4:47
3Mc   5:5 47
Tb   4:7
PsS   5:13
PsAp   2:18
malus   ܒܝܒ   ܪܒܝܒ
Sap   1:3 4   2:19   3:2 12 14   4:6 11 12 13
         14   5:13   7:30   10:5   12:2 9 10 20
         14:22 27 29 30   15:6 8 8 12 18   16:8
         14 15 29   17:8 11 12 12 19 19   18:9
         17 19 19   19:12
EpJr   33   48   49
1Bar   1:5 5   4:3   6:9 9
2Bar   1:20 22 22   2:2 7 8 9 33   4:18 29
         5:1

43

```
Su     22   22   52   57   59   61   62
Jdt    2:2    7:15   8:8 9    9:13
Sir    3:24 28    4:20    5:14    6:1 11    7:1 1
       2 12    8:15    9:1   11:10 14 14 14 27 31
       33 33    12:1 3 5 6 7 8 9 17    13:21 21
       21 24 25    14:3 5 6 6 6 7 10    15:7 13
       17:7    18:12 27    19:5 13 17 22 27
       20:9 15 24    22:11 11    25:13 16 17 19
       21 22 23 25 25    26:7   27:27 27    28:21
       29:12 24    30:17    31:6 13 22    33:1 14
       27   34:22    35:3 19    37:2 4 8 18 18 27
       38:19    39:4 17 25 27 34    41:1    42:11
       46:7    47:25    48:15
ABar   1:2 4    3:1 3    13:5    14:3 14    15:1
       16:1    32:5    36:7 7    39:5 6    44:9
       51:2 16    55:8    60:1    67:1    70:2
       73:5    74:3
4Esr   3:20 21 22 22 26    4:4 28 29 30 31 33
       6:27 34    7:14 27 48 92 118 122 124 129
       10:15 20 43 48    11:45 45 45    12:43
       13:37    14:15 15 16
1Mc    1:9 11 15 36 52    2:30 43    3:42 59
       5:4    6:12 13    7:15 23 25    8:31    9:61
       71    10:5 46 61    11:8    15:3 19 20
       16:17 17
2Mc    1:5 25    2:18    3:1    4:1 1 2 3 4 6 11
       16 47    5:8 20 22    6:3    7:31    8:33
       10:10 12    12:5    13:4 6 8 9    14:9 9 23
3Mc    1:16 22 25 27    2:25    3:2 7 8 8 22 22
       4:12  5:8 13 17 47    7:5 5
4Mc    1:4 25    4:15    6:14 19    12:15    18:15
1Esr   1:37 42 45    2:17    4:39    8:83 83
Tb     3:8 17    6:8    12:7
OrM    7    10    13
Dn     3:32 44
PsS    2:9 17    3:13    4:5 6 12    6:4    9:7
       10:1   13:3 5    14:14    15:6    16:7 7
       17:19 29
PsAp   2:17    3:7 13
male                                    ᴧᴜᴋᴇᴇᴝ
4Esr   7:120 121    8:28
1Mc    7:42
2Mc    1:14    6:27
```

malignitas   ܟܘܒ݂ܬܐ

Sap	2:21	10:7	12:10	17:11		
2Bar	2:26					
Sir	18:8	25:13 17 19	29:7	31:3	42:13	
1Mc	7:42	13:46				
2Mc	4:41 50					
3Mc	2:5	6:24				
4Mc	2:12					
1Esr	1:40 49	2:24				

peccatum   ܟܘܒܠܬܐ

4Esr	12:32
OrM	10

clamare   ܟܐ

4Mc	3:12	9:21

explorare   ܒܚܒ

Sap	8:8	11:10		
Sir	1:9	4:17	42:18	44:4
ABar	48:5			
3Mc	3:28			

detegere   ܒܚܒ

Sir	6:27	35:17

detegi   ܐܬܒܚܒ

Su	64
Sir	14:19

spargere   ܒܕܪ   ܒܕܪ

2Bar	2:4 13 19				
Jdt	7:32				
Sir	28:14	36:25			
ABar	1:4	8:1			
4Esr	5:28				
1Mc	3:9	4:4	5:3	7:6	11:55
2Mc	2:21	14:13			
4Mc	2:9				
Tb	3:4	11:11a	13:3a		
Dn	3:37				
PsS	4:13 23				
PsAp	2:8				

dissipari   ܐܬܒܕܪ

Sap	17:3 5		
1Bar	1:7	7:2	
2Bar	4:26 26		
Jdt	5:19	15:2	16:10 11
Sir	48:5		
ABar	67:5		
4Esr	5:36	10:22	

1Mc	6:54	9:7	10:83	11:47
2Mc	2:14 22			
Tb	13:5	14:4		
PsS	4:21	12:4	17:34	

dispersio   ܒܘܪܐ

2Mc	1:27		
PsS	8:34	9:2	17:20

hippopotamus   ܒܥܝܪܐ

ABar	29:4
4Esr	6:49 51

splendere   ܐܒܗܪ

2Mc	5:2

luminis radius   ܒܗܪܐ

4Esr	7:42

gloriari   ܐܫܬܒܚܪ

Sap	2:16			
1Bar	3:3			
ABar	5:1	7:1	63:4	67:2 7
4Esr	7:98	8:50	9:11	
2Mc	5:17 21	7:34		
3Mc	2:17 21	3:11	6:5	
PsS	17:1 15 28			

gloria   ܫܘܒܚܪܐ

1Bar	5:9				
Jdt	6:19	9:9	12:14	15:9	
ABar	56:6				
4Esr	8:50	10:22			
1Mc	1:21	7:47			
2Mc	1:28	3:28	5:21	6:29	9:8 10
	14:8	15:6 32			
3Mc	1:27	3:18 19	4:16	5:12 13 42	6:4
	5 20				
PsS	2:1 29	17:8 26			
PsAp	2:9				

glorians   ܫܘܒܚ ܠܐ

1Bar	6:16		
Sir	4:29		
ABar	35:5		
1Mc	2:47		
3Mc	2:2 6	3:4	5:12 13 20
PsS	2:35		

superbia   ܫܘܒܚܘܬܐ

Sap	5:8 8 9
1Bar	6:13
Sir	47:4

1Mc	1:24	2:49	7:34			
4Mc	2:15	8:18				
PsS	2:2	17:46				

pudet aliquem   ܟܣܝ

Sap	2:10	6:7	13:17			
EpJr	25	38				
1Bar	8:9					
2Bar	4:15					
Su	14	27				
Sir	4:20	22	26	13:7	15:4	20:29	22:25
	26:24	25	35:20	51:29		
4Esr	7:98					
1Mc	3:31					
2Mc	4:34	12:25				
3Mc	4:5					
4Mc	5:35	9:2	12:13	13:17		
1Esr	8:71					
Dn	3:40	40	42	44	44	
PsAp	3:20					

pudefacere   ܟܣܝܐ

Jdt	16:5		
Sir	3:13	22:5	42:11

pudefactus   ܐܬܟܣܝ

2Mc	9:2

dedecus   ܐܬܬܟܣ

EpJr	25					
1Bar	6:13	13				
2Bar	1:15	2:6				
Su	22	41				
Jdt	9:2	12:12	13:16	14:18		
Sir	4:21	21	5:14	20:22	23 25 26	22:3
	25:22	26:25	29:14			
4Esr	7:87					
1Mc	1:28					
2Mc	5:7	8	6:19	8:35	9:1	11:12
3Mc	1:19	4:6	6:34	34		
1Esr	8:74					
Dn	3:33					
PsS	9:13					
PsAp	3:20					

pudicus   ܟܣܬܬܐ

Sir	26:15

pupilla   ܒܒܬܐ

Sir	3:25	17:22
4Mc	18:21	

animus   ܟܠܐ

Sir   6:32   29:9

4Mc   8:18 26

concilium   βουλή

1Esr   2:16

                    ܟܠܒܐ ܒܝܬ <<< ܟܠܒܐ

byssus   ܟܘܥܐ

ABar   10:19

byssinus   ܟܘܥܝܐ

1Esr   3:6

vastari   ܟܪ

Sap   4:19   10:7

stupefieri   ܐܬܟܪܝܝ

4Mc   3:11

noctem peragere   ܟܬ

1Mc   11:6   16:4

4Esr   9:2

Tb   4:14   5:6   6:2 10

PsS   17:29

efficere ut noctem perageret   ܐܟܬ

Sir   2:8

rapere   ܟܒ

1Bar   3:3

Jdt   2:27

4Esr   11:42

1Mc   1:61   5:68   6:3   8:10 11   11:61

2Mc   8:27   9:16   11:6

4Mc   4:10 23

1Esr   4:5

diripi   ܐܬܟܒ ܝ

Jdt   8:21

1Mc   6:24

2Mc   12:21

3Mc   7:22

praeda   ܟܒܬܐ

Jdt   2:7 11   4:12   7:26   8:19   9:4 4

          15:7   16:4

1Mc   1:3 19 31 35   2:10   3:12   4:17 18 23

         5:3 22 28 35 51   6:6   7:47   9:40

         10:84 87   11:48 51   12:31   13:27

2Mc   8:28 30 31

1Esr   8:74

illudere   ܟܠܝ

1Mc   7:34   9:26

3Mc	1:21	5:12 42			
vacans					ܩܛܠܐ
Sap	15:15				
2Mc	2:29	5:25			
4Mc	5:13				
1Esr	2:25				
sedulo					ܩܛܝܠܐܝܬ
Sap	12:18				
1Bar	10:1				
2Mc	4:12				
1Esr	8:24				
diligentia					ܩܛܝܠܘܬܐ
1Bar	9:1				
1Mc	3:4				
2Mc	2:25	4:14	15:39		
3Mc	5:27				
4Mc	9:24	13:18	17:22		
otium					ܩܛܠܐ
Sir	33:27				
inanis					ܩܛܠܐ
Sir	23:15				
frustra					ܩܛܠܐܝܬ
Sir	42:24				
gravida					ܩܛܝܢܐ
ABar	22:8				
graviditas					ܩܛܝܢܐ
4Mc	15:6	16:7			
consolari					ܢܚܡ
Sap	11:10	19:12			
1Bar	3:7				
2Bar	4:30				
Jdt	6:20				
ABar	54:4				
4Esr	10:2 41 49	12:8	14:13		
1Mc	5:53	12:50	13:3		
2Mc	13:12	15:8			
solatio affici					ܐܬܢܚܡ
1Bar	1:5	4:3			
2Bar	4:5 27 30				
Sir	38:17 23				
ABar	22:3				
4Esr	10:20				
2Mc	7:6 6	15:17			

consolatio ܒܥܐܐ

Sap   3:18
1Bar   4:1
ABar   43:1   44:7
1Mc   12:9
2Mc   15:11

tribunal ܒܝܡ ܒܐܡ

2Mc   13:26
1Esr   9:42

singulatim   καθ' ἕνα   ܒܝܚܘܕܝ ܘ ܒܝܚ

4Mc   15:11

solum   κατ' ἰδίαν   ܒܝܚ ܒܚܘ ܠܚܘܕ

2Mc   6:21

inter emptorem et venditorem   ܒܝܬ ܙܒܢܐ ܠܡܙܒܢܐ

Sir   27:2

intelligentia ܒܝܢܐ

4Esr   5:22   8:14   14:25 40
4Mc   3:11   6:14   13:5

intelligere ܐܬܒܝܢ

2Bar   5:9
Sir   1:20   2:10   16:20   38:33
4Esr   9:4
2Mc   4:5

forma contracta vocis ܒܝܬܐ ܒܝܪ

Sir   11:30 30   29:24 24

domus ܒܝܬܐ

Sap   3:14   8:16
EpJr   12   16   17   19   20   54   58
1Bar   3:3 3
2Bar   1:8   2:26
BelD   10   14   29
Su   4   6
Jdt   2:1 18   6:21   7:32   8:4 5 36   9:1
        10:2   11:23   12:13   14:5 18   16:23
Sir   4:30   11:29   14:24   21:8 22 23
        22:16   23:11 18   25:16 26   26:16 17
        18   28:14 14   29:21 23   32:11
        33:28   37:6   42:11   47:13   50:1
ABar   8:2 4   10:18 18   22:8 8
4Esr   3:11 24   9:24   10:51   12:46 49
        14:13
1Mc   1:31 55 61   3:56 56   4:46 48   7:35 37
        9:55   10:41 45   11:4   12:45 49
        13:47 48

```
2Mc     2:5 29 29    3:2 18     5:9 12 16    8:33
3Mc     2:10     3:27     4:18     5:21     6:27 37
        7:18
4Mc     14:15
1Esr    1:2 3 4 5 8 52    2:4 5 7     3:1     4:55
        5:1 5 43 56 59 60 67    6:2 4 8 8 10 13
        15 16 19 21 23 24 25 25 25 26 27 32
        7:5    8:1 25 45 55 58 61 76
Tb      1:4 5    2:1 4    3:17    7:1 1    8:11a
        11:3 15b    14:4b 5 5 13b
PsS     3:7 7 8 10    4:6 11 13 15 19 19 23
        6:7    7:9    8:20    9:10 20    10:9
        12:3 4 5    15:13    17:47
PsAp    1:1
```

domus patris   ܒܝܬ ܐܒܐ

```
1Mc     13:3    14:26    16:2
4Mc     18:7
```

carcer   ܒܝܬ ܐܣܘܪܐ

```
Sir     21:18
1Mc     14:3 7
4Mc     18:11
```

concilium   βουλευτήριον   ܒܝܬ ܒܠܐ

```
1Mc     8:15 19    12:3    14:22
```

locus flentium   ܒܝܬ ܒܟܐ

```
Sir     7:34    22:6 12 12
```

refugium   ܒܝܬ ܓܘܣܐ

```
PsS     15:2
```

thesaurus   γαζοφυλάκιον   ܒܝܬ ܓܙܐ

```
2Bar    3:15
Sir     29:12
1Mc     3:28 29    10:40    14:23 49
2Mc     3:24 28 40    4:1 42    5:18 18    8:10
4Mc     4:3 6 7
1Esr    8:18 19 44 45 58    9:1
```

locus oraculi   ܒܝܬ ܓܠܝܢܐ

```
1Esr    3:14
```

thalamus   ܒܝܬ ܓܢܘܢܐ

```
Tb      6:17
```

tribunal   ܒܝܬ ܕܝܢܐ   ܒܝܬ ܕܝܢܐ

```
Su      49a    50
Sir     23:9
```

carcer   ܒܝܬ ܐܣܘܪܐ

```
1Mc     6:21
2Mc     10:32
```

domus soceri	ܒܝܬ ܚܡܐ
Tb 14:13b	
nativitas	ܒܝܬ ܝܠܕܐ
2Mc 6:7	
schola	ܒܝܬ ܝܘܠܦܢܐ
Sir 51:23	
locus conventus	ܒܝܬ ܟܢܘܫܝܐ
4Mc 15:25	
cellaria	ܒܝܬ ܡܐܢܐ
Jdt 8:10	
hades	ܒܝܬ ܡܝܬܐ
PsS 4:13	
domus regis	ܒܝܬ ܡܠܟܐ
4Esr 1:4	
1Mc 13:15 15:8	
2Mc 3:13	
regnum	ܒܝܬ ܡܠܟܘܬܐ
1Mc 7:2	
castellum	ܒܝܬ ܡܥܪܐ
1Mc 3:45 4:2 6:32 9:52 11:21	
13:50 51 53 14:7	
2Mc 5:5 15:35	
domus domini	ܒܝܬ ܡܪܝܐ
PsS 12:6	
bibliotheca	ܒܝܬ ܢܛܘܪܬ ܟܬܒܐ
4Esr 6:20 22	
gynaeceum	ܒܝܬ ܢܫܐ
Tb 2:11	
domicilium	ܒܝܬ ܥܡܪܐ
Sir 1:18	
habitatio	ܒܝܬ ܥܡܘܪܝ
Jdt 3:3	
1Mc 1:25 38	
2Mc 9:4 14 11:2	
1Esr 9:12 37	
asylum	ܒܝܬ ܓܘܣܐ
1Mc 1:53 10:14	
PsS 5:2	
templum	ܒܝܬ ܨܠܘܬܐ
1Mc 1:47 5:43 44 6:2 10:84	
2Mc 9:2 10:2 11:3	
3Mc 2:18 4:16	
1Esr 2:9	

oratorium   ܒܝܬ ܨܠܘܬܐ
1Mc   3:46   7:37
3Mc   7:20

templum   ܒܝܬ ܡܩܕܫܐ
Jdt   5:19   9:13   16:20
ABar   10:18   59:4   61:2 2   64:2 6
4Esr   7:108   12:48
1Mc   1:21 36 37 37 39 45 46   2:7 12   3:45
       51 58   4:36 38 41 43 48   5:1   6:7 18
       26 51 53 54   7:33 42   9:54   10:39 42
       43 44   13:3 6   14:15 29 31 36 36 42 43
       48   15:7
2Mc   2:22   4:34   15:17
3Mc   2:18
PsS   2:3

sanctuarium   ܒܝܬ ܩܕܫܐ
Jdt   4:13
1Mc   1:46
2Mc   5:16
1Esr   1:5
PsS   8:12

sanctissimum   ܒܝܬ ܩܕܘܣ ܩܘܕܫܐ
ABar   6:7   34:1

pascuum   ܒܝܬ ܪܥܝܐ
Jdt   16:21

argentum regale   ܒܝܬ ܣܡܐ
3Mc   3:28

cubile   ܒܝܬ ܡܕܡܟܐ
Jdt   3:3

pascuum   ܒܝܬ ܪܥܝܐ
2Mc   12:11

locus castrorum   ܒܝܬ ܡܫܪܝܐ
Sir   4:13 14
ABar   48:9
1Mc   3:45
Tb   1:4

convivium   ܒܝܬ ܡܫܬܝܐ
1Mc   16:16

bovile   ܒܝܬ ܬܘܪ̈ܐ
Tb   8:19b

vestibulum   ܒܝܬ ܬܪܥܐ
1Esr   1:15

flere   ܒܟܐ
Sap   7:3
2Bar   1:5

```
BelD    40
Su      33
ABar    5:6    9:1    35:1    48:41    52:2
4Esr    5:20    6:35    9:38  40 41    12:45
1Mc     7:36    9:20    13:26
2Mc     4:37
3Mc     4:2 4 12    5:25 49 49    6:8 22 23
4Mc     15:19
iEsr    8:88    9:50
Tb      3:1    5:18    7:7 8 16    10:4b    11:9a
        14a
```

ܟܒܐ <<< ܒܟܐ ܒܝ ܒܟܐ
ܒܝܐ

```
fletus
3Mc     4:6
1Esr    5:60 62    8:88
Tb      6:1
```

fletus   ܒܟܬܐ

```
2Bar    4:11 23
Jdt     7:29    14:16
2Mc     5:10    11:6    13:12
3Mc     1:18    4:8    6:14
Tb      2:11
```

primogenitus   ܒܘܟܪܐ

```
Sap     18:13
Sir     36:12    44:23
ABar    44:1
4Esr    6:58
3Mc     6:1
4Mc     15:18
Tb      1:6    5:14
PsS     13:8    18:4
```

nere   ܒܟܬ

```
Tb      2:11
```

senescere   ܒܠܐ

```
2Bar    3:10
Sir     14:17 17
```

corrumpere   ܒܠܥ

```
Sir     26:24    30:24
```

perturbare   ܒܠܒܠ

```
PsAp    4:2
```

confusio   ܒܘܠܒܠܐ

```
ABar    27:13
```

obstupefactio   ܒܘܠܗܝܐ

```
Sap     18:14
```

quercus   ܒܠܘܛܐ
ABar   6:1   77:18
4Esr   14:1
obmutescere   ܐܟܪܙܡ
4Mc   1:35
ballista   βαλλίστης   ܒܠܛܩܘܣ
1Mc   6:51
devorare   ܒܠܥ
Sap   19:16 16
BelD   27
ABar   6:10
1Mc   9:55   16:9
4Mc   6:10
Tb   6:3
PsS   8:36
devorari   ܐܬܒܠܥ
3Mc   6:8
scintilla   ܒܠܩܘܩܬܐ
Sap   2:2   3:7   11:19 19
aedificare   ܒܢܐ
Sap   9:8
Jdt   1:2
Sir   21:8   34:23   38:30   45:24   47:13
         49:12
ABar   4:3   22:8   74:1
4Esr   3:24   7:6   10:46   13:36
1Mc   1:14 33 47 54 54   3:56   4:47 48 60
         9:50   10:11 12 45   12:35 37   13:27 33
         48   15:7 39 41   16:9 15 23
2Mc   1:18 34   2:29   4:9   9:14   14:33
3Mc   1:6
1Esr   1:3   2:4 5 7 17 24 25   4:8 8 43 45 47
         48 53 63   5:57 64 65 67 68 69 70 70
         6:2 4 8 10 13 16 26 27
Tb   14:5 5a
aedificari   ܐܬܒܢܝ
Sir   50:1 2
ABar   32:2   57:2   68:5
4Esr   5:25   8:52   9:24   10:27 42 44 51
1Mc   5:1   6:7   10:41
2Mc   10:2
1Esr   2:5 18 20   4:51 55   5:52   6:18 19 23
Tb   1:4   13:10a 16a   14:5

aedificare	ܒܢܐ
Sir 48:17 49:13	
1Mc 9:62 10:10	
architectus	ܒܢܝܐ
1Esr 5:57 6:4	
aedificium	ܒܢܝܢܐ
Sir 40:19	
ABar 4:3 32:2 3 61:2	
4Esr 10:53 55	
1Mc 16:23	
2Mc 2:29	
3Mc 1:10	
1Esr 2:25 4:51 5:60 70 6:6 21	
Tb 14:5a	
contemnere	ܒܣܐ
Sap 3:10 14:30	
Jdt 10:19	
Sir 38:4 16	
4Esr 7:24	
2Mc 4:14 15 6:4	
Tb 4:18	
contemni	ܐܬܒܣܝ
4Esr 7:20	
4Mc 6:21	
negligere	ܐܬܒܣܝ
4Mc 13:4	
contemptio	ܒܣܝܘܬܐ
ABar 48:35	
lacerare	ܒܣܒܣ
Sir 28:23	
dilacerari	ܐܬܒܣܒܣ
4Mc 6:6	
suavis fieri	ܒܣܡ
Sap 14:28	
EpJr 9	
Tb 8:1b	
gaudio afficere	ܒܣܡ
Sir 26:2 40:21 30	
ABar 55:8	
4Esr 7:28 13:34	
1Mc 3:7	
2Mc 2:27 15:39 39	

delectari
Sap   2:6   7:12
2Bar   3:34
Jdt   1:16   12:13
Sir   50:17
ABar   10:14   18:2   29:6
4Esr   7:60 65   8:39   9:45
1Mc   7:48   12:12   14:11   16:16
2Mc   4:14   14:14   15:11 27
3Mc   4:16   6:40   7:18 20
4Mc   5:8
1Esr   9:54
Tb   13:14
PsS   5:21
suavem facere   ܐܡܣܐ
Sir   24:15   39:13
suavitas   ܒܣܝܡܘܬܐ
4Esr   9:47
2Mc   6:4
3Mc   6:30 31 35   7:15
odor   ܒܣܡܝܪܐ   ܒܣܡܝܪܐ   ܒܣܡܐ
Sap   2:7
EpJr   42
2Bar   5:8
Jdt   9:1   16:7
Sir   24:15   39:13   45:16   49:1 1
ABar   29:7   35:4   67:6
1Mc   4:49
2Mc   2:5   10:3
3Mc   4:6   7:16
Tb   6:17   8:2
Dn   3:38
PsAp   2:11
jucunditas   ܒܘܣܡܐ
Sap   8:16 18
1Bar   6:15
2Bar   4:23
ABar   61:5   68:4   73:1
4Esr   7:36 47
1Mc   3:2   4:56 58 59   5:23 54   7:48
        10:66   13:52   14:11
2Mc   2:28   3:30   13:16
3Mc   4:1 8   5:3 17
1Esr   3:19
PsS   10:7   12:3   14:6   15:5   17:40

ܒܣܡ

ܒܣܡ

ܒܣܝܡ

myropola
Sap   2:9 9
Sir   38:8
3Mc   6:33

ܒܣܝܡ

suavis
Sap   2:12   15:1   16:20
Sir   6:5   23:17 27   36:18
ABar   35:4
1Mc   6:11
2Mc   1:24   4:37   9:19   14:37   15:12 39
PsS   2:40   5:2 14   10:8   11:7

ܒܣܝܡܐܝܬ

suaviter
Sap   8:1
Sir   31:20

ܒܣܝܡܘܬܐ

exsultatio
2Bar   2:27
1Esr   1:11   5:58
OrM   7   11

ܒܣܪ   ܒܣܪ

contemnere
Sir   14:2   31:22   41:7
ABar   55:2
4Esr   5:28   9:9
4Mc   3:18   5:9   6:9   8:27   9:6   13:1
        14:1   16:2

ܐܬܒܣܪ

contemni
2Mc   7:24

ܒܣܪܐ

caro
Sap   7:2   12:5   19:20
2Bar   2:3 3
BelD   5
Jdt   10:13   14:10   16:17
Sir   1:10   7:24   13:15 15   14:18   15:20
        17:4 31   18:13   19:1   23:6 15 16 17 17
        25:26   29:28   30:14   31:1   33:20
        38:28   39:13 19   40:8   44:18 20
        46:19   48:12   50:12   51:2
4Esr   9:24
1Mc   7:17
2Mc   6:18 21 21   7:1   8:18   9:9
4Mc   5:2 7 14 26   6:6 15   9:17 20 28
        10:8   15:15 15 20 20
PsS   4:21   8:13   13:3   16:14   17:2

ܒܣܪ

appetere
Sap   1:2   6:12 13   8:2 2 6 18 21   12:20
        13:6 17 18 18 19   14:1   16:3   19:16

```
EpJr    40
1Bar    4:2     7:10    8:2
2Bar    1:13    2:8 19      3:23 23     4:28
BelD    42
Jdt     8:31    12:8 16
Sir     3:21    4:11    6:2 27 36      7:4 6      11:10
        12:12 17    18:19 19 21     19:8    24:7
        26:20   27:8    28:3    29:4    32:13
        33:20 21 35     34:1    37:8 11     39:1 5 5
        40:26   45:23   51:13 26
ABar    1:5     21:18   34:1    41:2    46:3
        48:48   49:1 1      54:1 7 7 20     56:1 6
        65:1    75:8    77:25
4Esr    4:22 51     5:13 34 37 46 56     6:10 31
        7:102 105 106 111 112     8:6 17 45 51 55
        9:13 25 44      10:37   12:6 48     13:6 13
        54      14:23 36
1Mc     2:29    6:3     7:12 13 15     9:26 35 71
        11:29 62 66     12:34 40    13:45 50
        15:19
2Mc     1:8     2:3 8 24    3:15 18 20 22 31 31 35
        37      4:19 34     5:4 11 18    6:12 21     7:5
        21 24 27 28 30 37    8:2 11 16    9:5 13
        20 26    10:4 16 26    11:6 14 15 17 36
        12:7 24 42 42    13:3 12 12 14     14:25 34
        41 46    15:14 22 39
3Mc     1:4 16 21 25 27 28     3:8     5:7 13 25
        6:1 14      7:10
4Mc     4:9     8:4 16      10:1 16     12:6    14:19
        16:13   18:9
1Esr    1:26    4:46    7:13    8:10 16 50 52 82
Tb      4:18 19     5:3 4 12 14    6:3     8:4b
        10:6b 9b    11:10b 11b    12:21b    13:6a
OrM     11      13
Dn      3:40 41
PsS     2:24    6:7
PsAp    3:5     4:3
```
quaeri   ܐܝܟܢܐ
```
Sap     13:16   16:3
Sir     8:9     10:28   20:17   35:20   38:1 27
        39:26
ABar    14:7    19:5    32:4 5      44:11   50:3
```

4Esr   5:10   9:12   10:8
1Mc   12:11   16:14
2Mc   2:15 29 30   3:13   4:23   11:18
3Mc   1:12 15
4Mc   5:13   15:18
Tb   1:18 19

investigatio   ܟܬܐ

4Mc   1:13

petitio   ܟܬܐ

Sap   12:20   18:1
1Bar   8:12 12
2Bar   2:14   4:20
Jdt   9:12
Sir   4:4   35:14
ABar   21:8   48:11   63:5   64:8   71:3
4Esr   5:22   7:46   8:25   10:28   12:7
        13:14
1Mc   7:37   10:24   11:49
2Mc   1:5   9:18   10:27   14:38   15:26
3Mc   1:24   2:10 21   5:9
PsS   5:7   6:8
PsAp   3:4

calcare   ܟܒܫ

4Mc   6:8

dominus   ܟܠܐ

Su   4   7   8   22   28   28
Jdt   8:2 7   10:4   16:22 23 23 24
Sir   4:10   6:6   23:22 23   25:8 17 18 22 23
        26:1 2 24 26 26   37:11   42:9 10
Tb   8:14b

adversarius   ܟܠܕܒܒܐ

Sap   10:12   11:5   12:20 24   16:22   18:4
        5 7 8 10
1Bar   3:1 2 3 3   5:2
2Bar   3:10   4:6 18 21 25 26   5:6
BelD   42
Jdt   5:18   7:19   8:11 15 19 33 35   9:2
        13:11 14 17 18   15:4 5
Sir   12:9   23:3   25:14   30:6   34:16
        36:7   37:5
ABar   5:3   7:1   8:2   10:19   68:3   77:10
4Esr   3:27   6:24

```
1Mc     2:7 9    4:18 30 36    8:23 26    9:6 8 29
        46 51    10:26    11:2 38 40    12:15 28
        13:51    14:13 26 29 31 34    15:33
        16:7
2Mc     3:38    4:16    8:18    10:21 26 29 30
        11:7 11    12:22 28    13:21    14:26 27
        15:16 21
3Mc     1:27    2:13 33    3:24 24    4:4    6:6 10
        15 19 26    7:21
4Mc     2:13    3:11 12 13    9:15    11:23
        17:2o 24    18:4
1Esr    5:63    8:60
Dn      3:32
PsS     17:15
```

inimicitia   ܒܥܠܕܒܒܘܬܐ

```
Sir     25:15    28:6 9
1Mc     7:26    13:6 17
2Mc     4:3    6:29    12:3    14:11
3Mc     7:4
4Mc     2:13
1Esr    5:40
```

adversarius   ܒܥܠܕܪܐ

```
4Mc     3:5    17:14
```

perlustrare   ܒܩܪ

```
4Mc     2:9
```

perlustrari   ܐܬܒܩܪ

```
Sir     36:25
```

racemator   ܒܨܪ ܠܐ

```
Sir     33:16
```

jumentum   ܒܥܝܪܐ

```
Sap     7:20
2Bar    3:32
Jdt     3:3    5:9    8:7    11:7 12    15:11
Sir     7:22
4Esr    6:53    7:65    8:29
1Mc     1:32 47    2:30 38    10:33
2Mc     11:9
1Esr    2:6 8    5:1    8:5    9:4
Tb      10:10a
```

ferus   ܒܥܝܪ ܝܪ

```
4Mc     16:3
```

perquirere   ܒܥܝ

```
1Bar    6:3 3
Jdt     8:34
```

ܒܨܝ   ܐܒܘܗܝ

```
Sir    34:9
ABar   48:5    75:2
4Esr   13:52
2Mc    2:30    7:23    15:39
perquirere
Sap    6:4 8
Sir    6:27
4Mc    3:13
minuere
4Esr   5:53    12:5    14:16
1Mc    8:30
1Esr   8:7
deminui
2Bar   2:29
Jdt    8:16
Sir    11:6    26:28
1Mc    3:29    13:19    15:19
2Mc    9:11
3Mc    4:13
PsS    17:42
parvus
Sap    14:30    17:13
EpJr   35
1Bar   1:5    8:10
Jdt    9:11    16:16
ABar   70:3
4Esr   5:52 54 55
2Mc    8:35    15:18
PsS    2:30
minus
2Mc    15:38
paucitas
Jdt    8:9
Sir    26:14 15
Tb     4:13
putridus
Sap    14:1 1
explorare
Sap    1:3    2:19    3:5 6
Sir    4:17 17    7:22    11:7 28    13:1    21:7
       31:25    34:9
2Mc    1:34
PsS    15:48
probari
Sap    11:9    19:4
```

ܒܨܝ

ܒܨܪ ܒܨܪ

ܐܬܒܨܪ

ܒܨܝܪܐ

ܒܨܝܪ ܐܝܬ

ܒܨܝܪܘܬܐ

ܒܣܝܣܐ

ܒܩܐ

ܐܬܒܩܝ

BelD	19				
Sir	2:5	9:5 8	18:1		
4Mc	14:13	16:15			
1Esr	8:41				

perquirere   ܒܩܪ

Sap   6:3

examinatio   ܒܩܪܐ

Sap   3:7

grex bovum   ܒܩܪܐ

Jdt   2:27

exterior   ܒܪ

3Mc   4:3

filius   ܒܪ

Sap	2:13 18 7:1 9:5 10:5 14:15
	18:5 13
2Bar	1:12 2:3
Sir	1:28 2:1 3:12 17 4:1 10 6:18 23
	32 10:28 29 11:10 10 20 14:10
	18:15 30 21:2 22:3 25:12 26:19
	27:3 30:1 2 3 8 9 13 31:12 22
	33:19 34:20 37:27 38:9 16 40:26
	28 41:6 42:11 44:23 47:23
	50:28
ABar	44:1 46:7 57:1 1 1
4Esr	7:28 29 104 104 9:45 10:1 8 16 43
	46 48 13:32 37 52 14:9
1Mc	3:1 33 38 6:15 17 55 11:31 13:54
	14:29 15:1
2Mc	2:20 6:24 7:25 27 27 28 9:25 26
	29 29 10:10
4Mc	4:15 9:21 16:20
1Esr	1:3 4 32 41 5:5 11 41
Tb	1:9 15 20 21 21 22 2:1 2 3:9 15 15
	17 4:2 3 4 5 12 12 13 14 21 5:12 15
	18 19 6:15 8:21b 9:6b 10:1b 2b
	4b 5b 6b 7 7a 11:5a 6 9 9 10 10b 10b
	11b 11b 13 14b 15a 15a 17b 18b 12:1 1
	14:1b 2 3 3 4a 8a 11a 11a 14
Dn	3:88^y
PsS	8:10 13:8 18:4 4

qui ejusdem artis est   ܒܪ ܐܘܡܢܘܬܐ

Sap   14:24

familiaris, servus   ܒܪ ܒܝܬܐ

1Esr	3:18 4:59
Tb	8:18

ܒܪ ܙܘܓܐ   ܒܪ ܡܠܟܐ

maritus   ܒܪ ܙܘܓܐ

2Mc	11:1	
1Esr	3:7	4:42

liber   ܒܪ ܚܐܪܐ

Sir	26:28		
1Mc	10:33	11:7	12:30
1Esr	3:18		

dux militaris   ܒܪ ܚܝܠܐ

Sir   46:1

consilarius   ܒܪ ܡܠܟܬܐ

Sap	8:4
4Mc	17:17

alienigena   ܒܪ ܢܘܟܪܝܐ

Sap   12:15

filius legis   ܒܪ ܢܡܘܣܐ

ABar   46:4

consiliorum conscius   ܒܪ ܐܪܙܐ

Sap   8:4

aequalis ejus   ܒܪ ܫܘܬܐ

4Mc	11:14
1Esr	1:32 37 41
Tb	14:1b 2 11 14

statim   ܒܪ ܫܥܬܗ

Sap	5:12					
ABar	14:17	21:7				
4Esr	3:7	6:43				
1Mc	11:22	13:7				
2Mc	3:8 24 31	4:10 34 48	6:28	7:10		
	8:9 11	9:5	11:9	14:11 12 16 41 44		
3Mc	2:33	3:1	7:10			
4Mc	2:8	10:7				

filia   ܒܪܬܐ

Sap	8:4 4					
2Bar	2:3					
Su	2	29	48	63		
Jdt	8:1 1 1	10:12	13:18	16:23		
Sir	7:25	26:24	42:9 11			
1Mc	9:37	10:54 56 57 58	11:9 10 12			
1Esr	4:29					
Tb	3:7 9	6:11	7:8 10 11 12a 15b 17 17a			
	8:20b	9:5b	10:10 12 12 12a	11:15b		
	17 17b					
PsS	8:10					

vox   ܒܪܬ ܩܠܐ

Sap   17:19

```
filii
Sap    3:12 16    4:1    5:5    9:7    10:5    12:5
       6 12 19 19 21    13:17    14:23    16:10
       21 26    18:4 5 10
EpJr   32
1Bar   7:9
2Bar   3:4 21 23    4:10 12 14 19 20 25 27 32 32
       37    5:5
BelD   10    15    21
Su     26    48
Jdt    1:12    2:23 23 23 26    4:1 8    5:1 2 3
       5 15 23    6:2 2 10 14 16    7:1 4 6 14
       17 17 17 18 18 18 18 19 20 24 27
       8:9 32    9:4 13    10:8 10 10 11 13 19
       11:9 13 22    14:2 12    15:3 5 5 7 13
       16:6 6
Sir    3:1 2    4:11    7:23    15:20    16:1 1 3
       3    23:7 25    33:21 23    38:25    39:9
       40:8    41:7 9    44:11 11 12 12    46:1
       12    47:20 20 22    48:10    50:13 16
ABar   10:14 14 16 16    13:9    32:9    56:6
       58:1    77:2
4Esr   3:12    6:21    7:103 103    9:45    10:2 49
1Mc    1:9 11 14 32 38 48 60 61    2:1 2 14 17
       18 18 20 28 30 38 49 50 64 70    3:15 20
       36 41 45    5:3 4 6 13 23 45 65    6:24
       7:9 13 23    8:1 10 15 27 28 29    9:29
       36 37 53 61 66    10:12 89    11:14 25 46
       61 62 62    12:3 16    13:6 16 45 45 53
       14:25 30 32 49    16:2 13 14 16 16
2Mc    1:20    4:2 5 9 10 39 48 50    5:6 6 9 13
       22 23    6:10 10 20 21    8:1 2    9:15 19
       19 24    12:3 3 4 5 7 21 24 30    13:3 14
       14:8 9 25 30    15:18 30 30 31 31
3Mc    1:4 11 17 22    2:27 30    3:21 21 25
       4:12    5:31 39 44    6:3 28    7:2 6 17
4Mc    2:10 12 19    6:17 22    9:6 18    12:6
       14:13 18 18 19 20    15:1 1 2 4 5 6 9 11
       15 20 20 20 21 22 23 24 25 25 26 27 32
       16:1 3 3 6 9 10 10 11 13 15 15 16 24
       17:2 3 5 6 7 9 17    18:1 1 5 6 9 9 20 23
1Esr   1:5 7 11 12 13 14 17 54    4:53    5:1 5
       9 9 10 11 12 12 12 12 13 13 14 14 14 46
       56 56 56 56 56 56 57    7:6 10 11 12 13
```

```
(1Esr)   8:5 21 29 29 29 31 32 32 33 34 35 37 38
         39 40 46 46 47 47 50 67 81 81 82 89 90
         92   9:19 21 21 22 26 26 27 28 29 31 32
         33 34 34 35 36 37
Tb       1:7 7 21   4:12 12 13   5:14   6:18
         7:3   8:7b 9b 11b 18 19b   10:11 11b 12a
         13:3 9a 9a 13a   14:3 6b 11a 12
PsS      2:6 8 13   8:20 24 39   11:3   15:12
         17:13 17 23 30 34
PsAp     1:7b
```

familiares, servi   ܒ̈ܢܝ ܒܝܬܐ

```
Tb       8:9b 11b 18
```

libri   ܒ̈ܢܝ ܚ̈ܐܪܐ

```
4Esr     10:22
3Mc      7:7
```

duces militares   ܒ̈ܢܝ ܚܝܠܐ

```
1Mc      3:57
```

filii domini   ܒ̈ܢܝ ܡܪܝܐ

```
Tb       10:11
```

vituli   ܒ̈ܢܝ ܬܘ̈ܪܐ

```
PsAp     2:11
```

filiae   ܒ̈ܢܬܐ

```
Sap      9:7
2Bar     4:10 14 16
Su       48   57
Jdt      7:27   9:4   12:13   16:24
Sir      7:24
1Mc      5:8 65
2Mc      5:13
1Esr     5:1   8:67 81 81   9:25
Tb       4:13
PsS      2:6 14   8:24
```

homo   ܒܪ ܐ̈ܢܫܐ

```
Sap      1:6   2:23   7:1   9:2 18   12:19
         13:13   14:15 17 20   15:16 16   16:26
EpJr     35
1Bar     6:3
Jdt      8:16
Sir      1:20 20 20   2:5 12   8:19   10:11
         11:2 2 4 27 28 29 32   13:15 15 25
         15:12   17:31   18:9 13   19:30   20:26
         21:24   23:10 20   26:27   28:3 3 5 9
         29:21   30:22 22   31:27   32:17 18
         35:7   37:14   48:12
```

```
ABar    14:18    15:5    19:6 7    48:13    56:5
4Esr    6:1 9 9 39 46    7:8 29 78 127    8:6 34
        44    10:14 54    11:37    13:3 3 5 12
3Mc     7:9
4Mc     2:21    12:13
1Esr    4:20 23 25    5:48    9:40
Tb      4:14    5:2 3 4 17    6:8 9 13 13    7:7
        8:6    11:6a    12:1a
PsS     2:11 32    5:4 6 15 18 19    6:1    9:6 10
        15:4    17:2
```

homines

```
Sap     1:6    3:4    4:1    7:14 20 23    8:7
        9:6 18    11:24    12:5 8    13:1 10    14:5
        11 11 21    15:4
EpJr    10    25    38    50    52    63
2Bar    3:17 37
BelD    5
Jdt     8:12 14    11:7    13:19
Sir     1:29    3:24    5:13    7:17    10:7 12 17
        18    11:4    14:17    15:14 17 19 20
        16:4 16 17    17:20 22 22 30 32    18:7 8
        20:15    21:2    23:19    25:1    27:6
        31:31    33:10    37:16    38:6 17 17 21
        39:26 32    40:1    41:4    42:18    45:1 4
        50:22
ABar    3:8    10:16    14:11    15:1    21:10 15
        23:3    51:15    54:9    70:5 6    73:2 5 6
        75:6    77:17
4Esr    3:36    5:38    6:26    7:65 138    8:59
        9:6    13:5 13 41    14:9 14 22
1Mc     2:38    12:53
2Mc     5:10    6:26    7:14 16 23 28 34    9:8
        11:9    12:15    14:9
3Mc     1:29    2:15    3:5 29 29
4Mc     1:11    4:12    11:4    12:13    14:14
        18:3
1Esr    3:17    4:1 14 17 17 17 37
Tb      8:6    12:6b
OrM     7
Dn      3:82
PsS     4:8 22    9:8    10:5    14:5
PsAp    3:16
```

creare

```
Sap     1:4    13:3 5    14:3 6
1Bar    1:3
```

```
Jdt     13:18
Sir     3:16    4:20 21    7:29    11:33    15:14
        16:26   17:1 6     19:23    29:15    31:13
        33:13   34:22    37:18    38:1 4    39:28
        40:1   42:24    45:19    46:13    47:8
        50:1?
ABar    10:19   21:24    23:5    29:4    46:7
        54:9 13
4Esr    5:49    6:41 49 54 54 55    8:8 44
        13:55
3Mc     2:3
4Mc     2:21
1Esr    6:12
```
creari   ܐܬܒܪ ܝ
```
Sap     10:1    13:5    19:6
Sir     1:14    5:14    11:14    23:14    24:9
        31:27   33:10 14 14 14    37:2    39:16 25
        28 29 32 33    42:15    49:14 16
ABar    56:6 11    66:7
4Esr    4:11    5:26 26 45    7:139    8:3 60
        9:19
PsS     8:7
```
creator   ܒܪܘܝܐ
```
Jdt     9:12
4Esr    5:44
2Mc     1:24    7:23    13:14    15:2
4Mc     11:5
```
creatio   ܒܪܝܬܐ
```
Sap     2:6    5:17    6:22    9:2 3    14:11
        16:17 24    17:19
1Bar    8:10
Jdt     9:6 12    16:14
Sir     7:33    16:16 26    42:15
ABar    13:11    14:17    23:5    24:1    29:4
        32:1 6    48:9 45    54:13 18    56:2
4Esr    5:44 45 45 55 56    6:38 59    7:62 75
        8:8 13 45 47    11:6    13:26    14:48
3Mc     1:20    2:7    6:2
4Mc     15:31    16:18
Tb      8:5a 15a
```
prando   ܒܪܐ
```
Sap     5:22    16:15 22 22
Sir     39:29    46:5
4Esr    7:41
```

benedicere
Sap   2:16   14:7
EpJr   65
Jdt   15:9
Sir   4:13   16:29   31:23   32:13   33:9 12
        34:24   39:34   45:26   50:10   51:12
1Mc   2:69   4:55   13:47
2Mc   1:17   3:30   10:37   11:9   12:41
        15:29 34
3Mc   6:29 32
1Esr   4:36 40 58 60 62   5:57 58   8:25
        9:46
Tb   3:11 11 11   4:19   7:7 12a   8:5a 5a
        15a 15a 15a 15a 16a 17a   9:5b 6a
        10:5b 7a 11a   11:1a 1a 14a 14a 14a 16a
        17a 17a 17a   12:6a 6a 17a 18a   13:1a
        6a 10a 12a 13a 15a 18a   14:7a
Dn   3:26 51 52 52 53 54 55 56 57 59 60 62
        64 66 69 71 73 74 78 79 80 83 84 86 88
        88^W 88^X 88^y
PsS   2:37   3:1   9:15   17:40
PsAp   5:1

benedici   ܐܬܒܪܟ
Sap   18:1
Sir   1:13   2:18   40:17 23 27   44:21
Tb   4:12

genu   ܒܘܪܟܐ
Sir   25:23
3Mc   2:1
4Mc   10:6   11:10 10
1Esr   8:70
OrM   11
PsS   8:5

benedictio   ܒܘܪܟܬܐ
Sap   15:19
Sir   3:8 9   7:32   34:17   39:22   44:23
        45:1 2 5
1Mc   3:7
2Mc   7:20
Tb   8:7b 15a
PsS   17:43   18:6

benedictus   ܒܪܝܟ
Jdt   13:17 18 18   14:7   15:10
Sir   51:30

ܒ ܩ ܠܐ   ܒܬܘܠܘܬܐ

1Mc   4:30
3Mc   7:23
Tb   8:5b 5b 15b   9:6b 6b 6b   11:14b 17b
        17b 17b 17b   13:1b
PSS   2:41   5:22   6:9   8:40
PsAp   2:18
beryllus   βήρυλλος   ܒܩܠܐ
Tb   13:17a
fulgere facere   ܐܒܪܩ
EpJr   23   60
2Mc   11:8
4Mc   4:10
fulmen   ܒܪܩܐ
Sap   5:21   11:19 19   16:22
EpJr   60
ABar   53:1 8 9 11   59:11
4Esr   6:2   7:40   10:25
Dn   3:73
maturescere   ܒܫܠ
BelD   27   33
ABar   70:2
4Mc   6:15
1Esr   1:11
cibus coctus   ܒܫܠܐ
BelD   33
virgo   ܒܬܘܠܬܐ
EpJr   8
Jdt   9:2   16:4
Sir   9:5   20:4   30:20   42:10
ABar   10:13 19
4Esr   10:22
1Mc   1:26
2Mc   3:19   5:13
3Mc   1:18
4Mc   18:7
1Esr   1:50
virginitas   ܒܬܘܠܘܬܐ
4Mc   18:7 8

71

```
se jactare                              ܐܬܕܠܪ
Sap     6:2
Jdt     1:16    8:16
Sir     10:10   20:8
superbus                                ܪܠ ܪܠ
Sir     11:30   25:2
magnificentia                           ܪܚܐܠܪܠ
1Bar    6:14
2Bar    5:1
Sir     10:7 8 12 13 18    16:8    26:26
superbus                                ܪܠ ܐ ܐܪܠ
Sir     10:6 14 15 16
sagitta                                 ܐ ܐ ܐܪܠ
Sap     5:12 21
Sir     19:10 12    26:12
1Mc     6:51    10:80
2Mc     10:30   12:27
fossa                                   ܪܐܐ
Sap     10:13
1Bar    8:10
BelD    31      32      34      35      36      40      40      42
        42
Jdt     7:20    8:31
Sir     21:10 14
1Mc     9:33
2Mc     10:37
3Mc     6:7
4Mc     18:13
colligere                               ܪܠ
Sap     7:10    8:9     9:7     11:10
2Bar    3:27
Jdt     10:17   15:12
Sir     15:17   45:4 7 16
ABar    40:2    48:20   51:16 16    54:15
4Esr    3:13 16     5:23 24 25     6:54     7:129
1Mc     1:63    3:38    4:42    7:8 37    8:17
        9:25    10:74   11:23 38    12:1 16 45
        13:34   16:4
2Mc     1:25    5:19    12:43   14:35
```

73

3Mc	2:9	3:5	6:3		
4Mc	1:15	15:3 27			
1Esr	2:23	9:16 23			
PsS	9:17	17:5			

colligi   ܐܬܝܠܟ
3Mc   2:14
1Esr   5:1
Tb   1:4

colligere   ܟܢܫ

1Mc	4:28	6:35	9:5	12:41	15:26
	16:4				
2Mc	13:15				

beneficium   ܟܢܫܬܐ
Sir   20:15 15
2Mc   11:3

electus   ܟܢܝܐ

Sap	2:7	3:9 14	4:15	14:6	
2Bar	3:30				
Jdt	2:15 19	3:6			
1Mc	4:1	8:8			
Tb	8:15a				
PsAp	3:21	4:4	5:2		

electio   ܟܢܝܬܐ
PsS   9:7   18:6

formare   ܟܢ

Sap	15:7 8 11 16	
Sir	33:13	50:26
ABar	17:4	
4Esr	3:4	8:8
2Mc	7:23	

coagulari   ܟܢܬܠܟ
Sap   7:2
4Esr   6:5 46   7:92   8:11 14 44
4Mc   13:19

creator   ܟܢܘܠܐ
ABar   14:15   44:4
4Esr   7:94

creatura   ܟܢܘܬܐ
Sap   2:23   11:23
4Esr   3:5   8:7 8 24 38 39

supercilium   ܟܢܝܐ
Sir   26:9

caseus   ܟܠܩܐ ܩܬܘܝܐ
Jdt   10:5

ܢܒܪ

ܐܒܪ

animare
4Mc   15:23
PsS   3:10
vir fieri

ܐܬܒܪܝ

Sir   31:25   39:17 34
vir

ܒܪܐ

Sap   7:2   9:5   16:14   18:21
EpJr   13   36   72
2Bar   1:15   2:1 3 3
BelD   20
Su   1   22   24   46b   52
Jdt   1:11 16   2:5 15   3:6   4:7 11   6:1
       3 11 12   7:2 5 7 11 12   9:10   10:17
       19   12:3   14:2 2 6 11 13   15:3 5
       16:22
Sir   3:11 17   7:25   8:1 3 15 16   9:9 18
       10:25   12:9 14 17   13:6 17   14:1 2 3
       20   16:23   17:14   18:23 27   19:12
       29 30   20:7 7 9 27 31 31   21:6 9 20
       22 23   22:15   23:11 15 15 16 17 18
       25:1 7 9 9 20 20   26:3 22 23 28
       27:18   28:1 19 19   29:14 28   31:12
       16 19 20   34:9   36:20 26   38:4 31
       40:6 29 29   41:1 1 2 2   42:10 12
       44:23   46:1 1 11 11   50:28
ABar   64:2
4Esr   5:11   9:43 45   10:17 18   13:25 32 34
       51   14:24 37 41
1Mc   2:8 18 23 25 40 41   62 65   3:24 32 43
       4:8 15 28 29 34 41   5:17 20 20 22 32
       34 59 60 62   6:35 37 42   7:5 7 14 16
       24 28 32 38 40   8:15 16 16   9:5 6 23
       29 49 61 69   10:16 18 32 61 74 85
       11:21 43 44 74   12:1 8 41 47   13:10
       34 44 48   14:23 32 33 37   15:13 26
       16:4 10 15 19 22
2Mc   3:11 17 25 32   4:35 37 40 40 44 48
       5:5   6:1 18 24   7:21   8:1 9 16 22 32
       12:19 23 35 35   13:15   14:28 37 37
       15:12 13 17
3Mc   1:2 2 3 4 19   4:6   6:1   7:15
4Mc   4:1 15   6:30   7:16   8:9 9 18 25
       14:11   16:2 14   18:8
1Esr   1:3   3:17 23   4:2 12 14 32 34   5:4

(1Esr) 8:27 30 31 32 32 33 34 35 36 37 38 39 40
      47 54 54 58   9:16 17 41
Tb   1:9   3:8 8 9 14   6:14   7:11   8:6b
      9:2b 5b 6b   12:1b
PsS   4:27   5:4   10:1   12:1 2 6   17:9 29

potentia   ܚܝܠܐ
Sir   15:18   17:8   18:1   31:9   38:6
     39:15   42:17
2Mc   15:9 17 21

vir fortis   ܚܝܠܐ
Sap   8:15   14:6
2Bar 3:26
Jdt   16:6 13
Sir   1:20   2:14   8:15   15:18   47:4 5
     51:10
ABar 70:4
1Mc   3:3   4:30   9:21   13:54
2Mc   12:42
3Mc   2:4 4
4Mc   2:23   3:12   7:23   15:10 30   16:2 16

forte   ܕܚܝܠܐ
1Mc   4:35   6:31   9:10
2Mc   2:21   6:27   7:5 11   8:21   10:17 35
     13:14   14:43
3Mc   1:4   2:32
4Mc   6:22

fortitudo   ܚܝܠܐ
Sap   8:7   14:25
EpJr 58
Sir   16:7 27   17:3 8   35:18   36:3   42:17
     20   45:23   48:24
ABar 54:5
1Mc   5:56   8:2   9:22   10:15
2Mc   6:28 31   7:12 21   8:7   13:18   14:18
4Mc   1:4 6 11   5:23 31   6:11   7:8 23
Dn   3:44

rota   ܓܝܓܠܐ
Sir   33:5   38:29
2Mc   13:5
4Mc   5:3 32   8:12   9:12 17 19 20   10:7
     11:18   15:22

guttur   ܓܓܪܬܐ
Sir   26:14   31:12
gulosus   ܓܪܓܪܢܐ
Sir   31:16

adolescens   ܥܠܝܡܐ
Jdt   7:22   16:4 4
Sir   36:26
hoedus   ܓܕܝܐ
Sir   47:3
1Esr   1:8
Tb   2:12 13
corona   ܟܠܝܠܐ
4Mc   14:16
cincinnus   ܩܘܨܐ
Jdt   16:8
turris   ܡܓܕܠܐ
Jdt   1:2 3 14   7:5 32
Sir   26:22
1Mc   1:27   4:60   5:5 5 65   6:20 37 51
        13:33 43 43 44   16:10
2Mc   10:36   13:5
3Mc   2:27
4Mc   13:6 7
PsS   8:21
convallis   ܦܩܥܬܐ
Sir   40:16
blasphemare   ܓܕܦ
BelD   9   12
Sir   3:16   48:18
1Mc   7:41
2Mc   4:35 35   8:4   10:34   12:14
maledictio   ܓܘܕܦܐ
1Mc   2:8   7:38
2Mc   8:4   10:35   15:24
3Mc   2:26   4:16   6:5
blasphemus   ܡܓܕܦܢܐ
Sap   1:6
2Mc   9:28   10:4 36   15:32
accidit   ܓܕܫ
Sap   11:14   19:4
1Bar   1:5   2:1 3 3   7:5 5   8:8
Su   26   35
Jdt   6:16   15:4
Sir   14:7
ABar   10:3 7   11:3 5   13:3   14:3   15:1
        21:21   24:4   28:5   29:1   44:5
        54:1   64:4   67:1   69:2   73:3   75:8
        76:1 4   77:8
4Esr   9:42   10:6 15 49   11:19   12:43   13:20

ܐܥܩܝ (Syriac word, top right)

1Mc   4:26   5:25   8:27
2Mc   3:2   4:1 20 30   5:2   6:12   7:1   9:1
        7 22 24 25   10:4 5 13   11:13   12:42
        15:37
3Mc   1:3 5 17   3:24   4:1 12   5:24   7:8
4Mc   4:14 25
1Esr   1:23   2:16 21   8:83
Tb   3:7
effugere   ܐܥܩܝ
4Mc   9:16
inclinatus   ܥܩܝ
Sir   38:30
Gehenna   ܥܩܝܢ
1Bar   8:13
ABar   59:10
4Esr   7:36
hebes esse   ܥܩܝ
Sir   3:25
2Mc   10:30
pars interna   ܥܩܐ
Sir   31:19 21
1Mc   4:48
4Mc   1:24   3:21   11:19
interior   ܥܩܐ
4Esr   13:41
1Mc   9:54
4Mc   5:30
uter   ܥܩܐ
Sir   18:10
4Mc   8:3   13:8
evanescere   ܩܝ
4Esr   7:120
aestuare   ܩܝ
4Mc   14:13
color   ܩܝܢ
Sir   25:17
ABar   53:1
3Mc   5:33
colorate   ܩܝܢ
Tb   5:14   9:6a
confugere   ܐܩܝ
1Mc   10:43 84
                        ܩܝܢ ܕܒ <<< ܩܝܢ
moechari   ܝ
Sir   37:11

78

ܐܝܠ (header, Syriac top right)

PsS   8:11
adulterium
Sap   14:26
Sir   9:7   23:23
adulter
Sap   3:16
adultera
Sir   26:12 22
tondere
EpJr   30
thesaurus
2Mc   3:6 7 7
1Esr   2:10

orbare
2Bar   2:18
orbari
4Mc   12:6
orbitas
4Mc   18:9
incendere
2Mc   14:11
3Mc   5:46
4Mc   5:32   8:8
inflammari
Sap   16:17 19 22
4Esr   6:37
2Mc   9:7   10:35   14:45
3Mc   6:20
flamma
Sir   8:10
minari
4Mc   9:26
circumcidere
Sap   18:23
EpJr   30
1Bar   1:5
Sir   16:9
4Esr   3:7   7:104   13:6
1Mc   1:48 60 61   2:46
2Mc   6:10
4Mc   4:25
1Esr   6:8
circumcidi
ABar   19:8   23:4

79

ܪܚܝܠ

ܪܠܝ ܪܠܠܝ

4Esr   13:7 36
decretum   ܪܚܝܠ
Sir   14:12
grex   ܪܝܠ
2Bar   4:26
Jdt   2:27
Sir   18:13
4Mc   5:4
PsAp   4:3
judicium   ܪܠ ܂ ܝܠ
1Bar   8:13
ABar   33:2   64:5
4Esr   5:34   7:78   8:18   10:16
1Mc   1:57
praeda   ܪܝܠ
4Mc   8:1
insula   ܪܚܝܠ
Sir   47:16
1Mc   6:29   8:11   11:38   15:1
PsS   11:4
ridere   ܢܘܠ
Sap   4:18
BelD   7   19
Jdt   12:12
Sir   7:11   8:6   11:4   21:15 20   27:16
        30:10
4Mc   5:28 29
1Esr   4:31 31
Tb   2:8
deridere   ܢܘܠ
1Esr   1:49
risus   ܪܘܘܠ
Sap   5:3   12:25 26   15:12   17:8
Sir   21:20   27:13
2Mc   3:18   6:25
4Mc   1:5   3:1   6:20 35
PsS   2:13   4:8
unda   ܪܠܝ ܪܠܠܝ
Sap   5:10 10   14:1 3 5
1Bar   5:8
Sir   29:18
ABar   36:4
4Esr   4:15 17 19 21   9:16   13:2 10 10
2Mc   9:8
4Mc   7:2   13:6   PsS   2:31

80

ܪܠܚ

detegere

ܪܠܚ

Sap   7;21
1Bar   4:3
Su   10   14   32   42   60
Jdt   2:2   8:34   9:2 6
Sir   4:18   8:19   12:11   17:15 19   19:25
        22:22 26   23:3 20   27:16 17 21   36:25
        42:12 18 19 19
ABar   48:3   54:4 5 6 7 20   55:7   56:1
        70:7
4Esr   6:31 33   9:5   10:38 38   12:9 39
        13:15 21   14:6
2Mc   2:8   3:9   13:21
3Mc   3:19
Tb   11:15b   12:11b
PsS   2:18   4:8   8:8   14:5
PsAp   3:6

                                        ܪܠܚܬ ܗܘ   <<< ܪܠܚ
                                                   ܦܢܝ.
denudare   ܦܢܝ
Sir   47:24   48:15
denudari   ܐܬܦܢܝܬ
Sap   1:2   2:1   6:13
2Bar   3:38
Jdt   9:1   11:19
Sir   1:6   3:20   12:15   17:23   42:16
ABar   4:3   20:6   24:1   29:3 4   39:7 7
        73:1
4Esr   4:43   7:26 28 33 36   9:29 29   12:39
        13:32 36 53   14:3 3 35
1Mc   7:31   9:23 60   11:12
2Mc   1:33   2:4 8   10:21   12:22   13:10
3Mc   2:5   6:13
1Esr   8:76
revelatio   ܪܓܠܝܬ
Sir   16:18
ABar   76:1
4Esr   10:59
2Mc   3:24 30   5:4
3Mc   2:9
1Esr   5:40

                                    ܪܓܠܝܬ ܗܘ   <<< ܪܓܠܝܬ
apertus   ܪܓܠܚ
EpJr   30
1Bar   6:3
ABar   55:8

81

```
4Esr   14:26 45
1Mc    11:37
2Mc    6:30   12:41
4Mc    2:7    4:1    6:31   16:1
aperte                                    ܣܠܩ ܡܢ
Sap    6:22   13:5   16:21
EpJr   50
ABar   48:38
2Mc    2:21   3:28   9:8   14:15
3Mc    5:8
PsS    17:32
deportare                                 ܥܠܝ
1Esr   5:7
frigus                          ܩܪܝܪܘܬܐ ܩܪܝܪܐ
Sap    16:22 29
2Bar   2:25
Sir    3:15
4Esr   7:41
spoliare                                  ܫܠܚ
Sir    22:20   34:22   40:14
3Mc    2:33
4Mc    8:22
elabi                                     ܐܬܓܠܚ
ABar   4:3
2Mc    3:12
3Mc    1:12 12
deficientia                               ܓܡܘܪܬܐ
ABar   22:4
praedo                                    ܓܝܣܐ
Sir    16:13   41:12
sculpere                                  ܓܠܦ
Sap    13:11 11
1Mc    13:29
sculptura                                 ܓܠܦܐ
Sir    22:17   38:27
idolum                                    ܓܠܝܦܐ
Sap    14:16   15:13   18:24
EpJr   7
2Bar   4:34
BelD   5
1Mc    5:68   13:27 29
camelus                                   ܓܡܠܐ
Jdt    2:17           1Esr   5:42
Tb     9:2b 5b 5b     10:10b
```

gymnasium	γυμνάσιον				ܓܘܡܢܐܣܝܘܢ
2Mc	4:9 12				
4Mc	4:20				
fovea					ܐܘܡܨܐ
Sir	27:26				
perficere					ܓܡܪ
Sap	7:14	8:18	11:7	12:23	
Jdt	12:3				
Sir	20:22	22:8	24:28	33:23	40:14
	43:7	44:10			
1Mc	3:45				
2Mc	1:32	15:17			
3Mc	4:20	6:24			
4Mc	7:15	13:18			
se perficere					ܐܬܓܡܪ
1Mc	6:57	14:13			
perficere					ܓܡܪ
Sap	12:8				
Jdt	12:4				
Sir	10:17	47:22			
1Mc	3:35	5:15	8:9	9:54	12:53	13:6
	14:31 36				
1Esr	1:53				
PsS	2:26	7:4			
delere					ܐܓܡܪ
Sir	38:26				
calefacere					ܐܓܡܪ ܒܢܘܪܐ
2Mc	10:3				
perfectus					ܓܡܝܪ
Sap	15:10				
Sir	8:10	10:13			
4Esr	7:87				
absolute					ܓܡܝܪ ܐܝܬ
ABar	13:5				
4Esr	7:89				
perfectio					ܓܡܝܪܘ
2Bar	2:23		Sir	23:20	
carbo					ܓܘܡܪܐ ܓܘܡܪܐ
Sir	21:18		4Esr	13:10	
4Mc	8:12	9:20			
mustela					ܓܘܡܪܐ
EpJr	21				
hortus					ܓܢܬ ܐܒܝܐ
EpJr	70				
Sir	24:30 31				

thalamus   ܩܠܝܬܐ
4Esr   10:1 48
1Mc   1:27
3Mc   1:19   4:6

                    ܩܠܝܬܐ ܕܒܝܬ <<<   ܩܠܝܬܐ
scutum   ܣܟܪܐ
1Mc   4:6 57   6:39   14:24   15:18 20
2Mc   5:3   13:2

habitare facere   ܐܓܢ
Sap   19:8
Jdt   8:15
Sir   23:18   34:16
ABar   29:2   40:2   48:18   71:1
4Esr   7:122   13:49
3Mc   6:9
4Mc   4:9

se subducere   ܐܬܟܠܝ
4Mc   3:13

reprehendere   ܟܠܝ
Sir   11:2

furari   ܓܢܒ
EpJr   17
Su   14
Sir   20:25   26:10
2Mc   4:32
1Esr   4:23 24
Tb   1:18   2:13 13

fraudari   ܐܬܓܢܒ
2Mc   3:12

latus   ܓܒܐ
Su   22
Jdt   5:5
Sir   10:10   21:15
4Esr   4:47   9:38   11:12 20 24 35   12:29
        14:14
1Mc   6:38   9:12 14 15 16 16   13:27
2Mc   3:26   10:28
3Mc   4:10
4Mc   3:8   8:3   9:11 20
1Esr   4:42

fur   ܓܢܒܐ
EpJr   56

furtum   ܓܢܒܘܬܐ
Sap   14:25 (Lag)

84

obstupefactio						ܪܘܚ
ABar	27:7					
genus		γένος				ܓܢܣ
Sap	7:20					
Sir	13:15 15	25:2	27:9	40:1	49:8	
ABar	17:4	46:4				
4Esr	3:19	6:44 44	8:34			
1Mc	3:32	11:31				
2Mc	3:5	5:22	8:9	11:1		
3Mc	5:39 44					
4Mc	5:4					
1Esr	1:30	5:5	8:66 67 80 89 90		9:7 9	
	12 17 18 36					
Tb	1:10 17	2:3	5:12	6:11 12 16		

ܓܢܣ ܒܪ   <<<   ܓܢܣ ܐܦ

jacere		
1Esr	4:10	
evomere		ܪܥܐ
4Esr	14:40	
clamare		ܪܢܐ
2Bar	3:1	4:20 21
Su	42	
Jdt	2:21	4:9 12 15 5:12 7:19 23 29
	9:1	10:1 14:6
4Esr	11:37	12:31
1Mc	3:50 54	4:10 40 5:33 9:46 11:49
	13:45	
2Mc	3:15 20 22	8:29 10:16 12:6 15 28
	36	13:10 12 12 14:15 15:21 27 34
3Mc	1:16 21 28 29	4:2 5:7 25 51 6:17
1Esr	5:59	
Tb	6:18	
PsS	1:1	5:3
clamor		ܪܢܬܐ
Sap	11:14	
Jdt	14:16	
Sir	4:6	
1Mc	5:31	
2Mc	10:25	
3Mc	1:16 23	3:10 5:51 6:17 17 23
commendare		ܐܓܥܠ
ABar	6:8	
2Mc	9:25	
4Mc	13:13	
Tb	4:1 20	10:12

ܩܘܒܠܐ   ܩܕܡ

depositum   ܩܘܒܠܐ
Sir   41:12
4Mc   4:7
Tb   1:14   10:12a
increpare   ܩܕܪ
ABar   21:23
ala   ܩܕܐ
Sap   5:11 11   17:18
4Esr   11:1 2 3 3 5 7 11 12 13 18 19 20 22 22
            23 24 24 25 31 32 33 45 45   12:2 16 19
            19 29
vitis   ܩܕܡܐ ܕܟܪܡ
Sir   24:17
ABar   10:10   29:5   36:3 6 7   37:1   39:7 8
4Esr   5:23
1Mc   14:12
incitare   ܩܕܝ
4Mc   6:2
incitatio   ܩܕܝܐ ܠ
Sap   17:9
1Mc   3:4
incitator   ܡܩܕܝܐ ܠ
Sir   31:26
lepra   ܩܕܪܐ
PsAp   3:13
leprosus   ܩܕܪܐ
Jdt   7:21   16:6 13
PsS   11:4
incitare   ܩܕܝ
Sap   8:5
1Mc   15:40
2Mc   11:7   14:6
3Mc   5:17
4Mc   4:21   5:14   12:6 7   14:1   15:12
      17:24
se invicem incitare   ܐܬܩܕܝܘ
ABar   70:3
2Mc   4:3
se humiliare   ܐܬܩܕܝܘ
ABar   35:4
os ossis   ܩܕܠܐ
2Bar   2:24 24
Sir   28:17   46:12   49:10
ABar   66:3
1Mc   13:25

4Mc	6:26	9:21	18:17			
PsS	4:21	8:6	12:4	13:3		

tondere   ܢܬܦ

EpJr   30

inundare   ܢܬܦ

Jdt   2:8

abripi   ܐܬܢܬܦ

Sir   40:13

tangere   ܢܩ

Jdt	7:7	16:12
1Mc	5:38	

explorator   ܢܩܘܫܐ

1Mc   12:26

corpus   ܢܩܘܪܐ

EpJr	20			
Sir	21:25	29:14		
4Mc	6:7	13:13	14:10	17:1	18:3

tangere   ܢܓܕ

1Esr   4:28

ܕ

lupus   ܕܐܒܐ
Sir   13:17   47:3
4Esr   5:18
ursus   ܕܒܐ
Sap   11:18
musca   ܕܒܒܐ
Sap   16:9   17:2 9
mactare   ܕܒܚ
2Mc   6:21
4Mc   5:2
1Esr   1:1 6   6:23   7:12
Tb   7:9
sacrificare   ܕܒܚ
2Bar   4:7
4Esr   10:21
1Mc   1:43 51 55 59   2:15 23 25   4:50 56
2Mc   6:7
3Mc   1:9   2:38   3:10
1Esr   5:66
Tb   1:4 5
sacrificium   ܕܒܚܐ
Sap   3:6
EpJr   28
Jdt   16:18
Sir   45:16
ABar   4:4
1Mc   1:22 45   4:56
2Mc   1:21 21 31 33   2:9 10 10 13   3:6
        4:14   9:16   10:3
1Esr   1:6 11 16   5:49 50 51 52   8:15 63 63
Dn   3:38
PsS   8:13
sacrificium   ܕܒܚܬܐ
EpJr   27
2Mc   4:19 19
1Esr   1:16   6:28   8:69
Dn   3:38

ara						ܡܚܒܕܐ
Sap	9:8					
2Bar	1:10					
Jdt	4:3 12	8:24	9:8			
Sir	45:24	47:9	48:3	49:12	50:14 15	
ABar	64:2	66:2				
1Mc	1:21 54 59	4:38 44 45 47 49 50 53 56 59				
	5:1	6:7				
2Mc	1:18 19 32	2:5 19	4:14	6:5	10:3	
	26	13:8	14:3 33	15:31		
3Mc	2:1					
1Esr	1:16	4:52	5:47 49	8:15		
Tb	1:7					
Dn	3:38					
PsS	2:1					
PsAp	2:11					

placenta ficaria		ܕܒܠܬܐ ܕܒܠܐ
Jdt	10:5	

conglutinari		ܕܒܩ
2Bar	3:4	
Sir	13:1	
1Esr	4:20	

adhaerere					ܐܬܕܒܩ
Sir	2:3	4:13	11:34	26:22	51:20

agglutinare		ܕܒܩ
Sir	22:7	

conglutinari				ܐܬܕܒܩ
Sir	6:34	13:15	19:2	31:10

adhaerens		ܕܒܝܩ
1Mac	5:23	6:35
Tb	6:18	

ducere				ܕܒܪ	ܕܒܪ
Sap	7:12	8:14	9:3 11	10:4 10 17 18	
	11:9 18	12:15 18	17:15 19		
2Bar	4:16				
BelD	31				
Jdt	2:5 17 22	3:6	6:21	11:18	
Sir	25:8	38:25	47:23	50:22	
ABar	5:5	21:6 7	42:7	54:13 22	
4Esr	7:48 91	8:11	13:55 58	14:24 37	
1Mc	3:37	4:1	8:15		
2Mc	4:22 46	6:21 28	9:4	13:15 26	
3Mc	1:1 2	5:47	6:2		
4Mc	4:18	8:23			
Tb	9:2b 2b	10:10b	14:3b 12b		

ܐܬܕܒܪ ܐܬܕܒܪ

ܐܬܕܒܪ ܐܬܕܒܪ

duci
Sap   7:24   8:1   17:8
1Bar   5:7
2Bar   5:6
Sir   26:27
ABar   38:1
4Esr   14:48
1Mc   3:48   10:37
2Mc   6:1   11:25 29
3Mc   3:5   4:5 7 8
4Mc   2:8 23   4:23

ܕܒܪܐ

campus
EpJr   67
Jdt   11:7
4Esr   5:8   7:65   9:26   12:51
Dn   3:81
PsS   5:11 11

ܡܕܒܪܐ

desertum
Sap   11:2   18:20
1Bar   7:3
Jdt   2:23   5:14
Sir   13:19   45:18
ABar   10:8   39:5   77:14
4Esr   7:106   9:29 29   14:4
1Mc   1:39   2:29 31   5:24 28   9:33 62
2Mc   5:27   8:3   14:33
3Mc   3:29   5:43
4Mc   18:8
PsS   8:2   17:19

ad desertum habitans   ܡܕܒܪ ܒ

1Mc   13:21

vespa   ܕܒܘܪܐ

Sap   12:8

apis   ܕܒܘܪܬܐ

Sir   11:3
4Mc   14:19

dux   ܡܕܒܪ ܒ

Sap   7:15   12:14
1Bar   6:7
2Bar   4:8
ABar   40:1   61:6   70:2 7
4Esr   6:54   9:4
1Mc   2:65 66   3:55   4:2   5:6 11 18
       6:37 57   7:5   9:30 31 35   10:37
       13:7 42 54   14:35 41 42 47   16:11

```
2Mc      3:5    4:4    5:15    8:8 9 22 23    9:19
         10:11 14 21 28 32    11:8    12:2 11 19 32
         13:24    14:12    15:30
3Mc      3:12    5:1 4
4Mc      1:30
1Esr     5:9
Dn       3:38
institutio                                   ܡܕܒܪ ܢܘܬܐ
Sap      14:6
2Mc      13:14
3Mc      5:28
rectio                                       ܕܘܒܪܐ
Sap      14:27
ABar     14:1    20:6    48:2    56:2    59:4    69:3 4
2Mc      14:38
4Mc      3:20    4:1 19 23    5:6 16 22    7:15
         8:6 7    13:26    17:9
mel                                          ܕܒܫܐ
2Bar     1:20
Sir      24:20    39:26    46:8    49:1
mentiri                                      ܕܓܠ
Sap      12:24    14:28
Sir      16:21    19:7 8 25    20:25    23:10 23
         26:11    37:11    40:12
1Mc      11:53    13:19    15:27
4Mc      5:34    13:17
1Esr     1:46
PsS      4:4
fallere                                      ܐܬܕܓܠ
Sap      8:18
mrndax                                       ܕܓܠܐ
Sap      1:11    10:14
Su       55    59b
Jdt      5:5    11:4
Sir      20:26
ABar     10:18    66:4
4Esr     11:42
4Mc      13:6
Tb       3:6
PsS      12:3
mendacium                                    ܕܓܠܘܬܐ
Sap      7:17    14:28
EpJr     47    50    58
Su       43    49
Sir      20:24    21:2
```

92

4Esr   14:17
2Mc   5:5
PsS   12:1

percuti   ܐܬܬ݂ܒ݂ܪ
2Mc   12:22

aurum   ܕܗܒܐ
Sap   3:6   7:9   13:10   15:9
EpJr   3   7   8   9   10   23   29   38   50
        56   57   69   70
2Bar   3:17 30
Jdt   2:18   5:9   8:7   10:21
Sir   2:5   7:18   8:2   21:21   26:18   28:24
        30:15   32:5 6   40:25   47:18   50:9
        51:28
ABar   10:19   62:1
4Esr   7:55 56   8:2
1Mc   1:21 22 22 23   2:18   3:41   4:23 57
        5:31   6:1 2 12 39   8:3   10:20 60 89
        11:24 58 58   13:37   14:24 43 44
        15:18 26 32   16:11 19
2Mc   2:2   3:11 25   4:32 39   5:2 3   10:29
        11:8   12:40   14:4 4   15:15
3Mc   1:4
4Mc   3:20
1Esr   1:34   2:6 8 12 12 13   3:6 6 6   4:18
        19   5:44   6:17 25   8:13 14 16 55 56
        56 57 59 61
Tb   10:10b   12:8a   13:16a
PsS   17:37 48

pinguem facere   ܕܗܢ
PsAp   2:11

debilitare   ܐܬܬ݂ܗܝ
4Esr   8:50   10:22

afflictus   ܕܘܝܐ
Sap   3:11   13:10   15:14
4Esr   5:39
2Mc   14:9
3Mc   2:2   5:37
4Mc   8:16   12:4   16:6 7
Tb   13:10a

debilitas   ܕܘܝܘܬܐ
4Esr   8:50

miseria   ܕܘܘܢܐ
Sir   30:21 23   41:8
2Mc   6:9   3Mc   4:12

ܗ ܢܒܕ

iffluere facere
Sir   31:1

ܗ ܕܢ

judicare

Sap   2:22   3:8   6:4   7:29   9:3 11   12:10
       13 18 21 22
EpJr   53   63
1Bar   6:1 1   7:11
2Bar   2:1
Su   48   51   53
Jdt   7:24
Sir   4:15   8:14   16:12   17:32   23:20
       35:17 19   39:23   45:26
ABar   15:1   19:3
4Esr   4:20 20   12:41
1Mc   7:42   9:73
4Mc   15:26
1Esr   3:9   6:20   8:10 23
Tb   3:2
PsS   2:24 36   4:7 14   8:3 17 29 32   17:28
       31
PsAp   3:8   4:6

judicari   ܐܬܬܕܝܢ   ܐܬܕܝܢ

Sap   11:16   12:22   16:18
1Bar   1:6   Su   6
ABar   41:6
4Esr   7:87
1Esr   6:21   8:90

judicium   ܗ ܒܝܬ

Sap   1:8   4:15   5:18   6:5   8:11   9:3 5
       12:12 22 25 26 27   13:8   16:18   17:1
       18:11
EpJr   53   63
1Bar   1:5   5:2   6:7 18 20   7:1   8:9 13
2Bar   4:13
Su   6   48b   49   50   53   64
Jdt   16:17
Sir   3:2   4:9   7:6 7   8:14   14:1   17:12
       18:14   19:25   20:4   25:4   28:9 10 11
       29:19 19 24   32:16   35:13 17 19
       38:33 33   39:29   43:10   45:5 17
       46:10
ABar   5:2   13:8   14:8   15:3 5   20:4   33:2
       44:6   48:17 27 32   50:4   54:14   55:5
       57:2   59:6 8   61:6   64:2 5   67:4
       73:4

```
4Esr   5:34 40 42 43    6:20     7:33 34 38 39 44
       60 66 69 70 70 73 78 102 104 113 115 115
       8:18 38 61    10:16     11:46     12:33 34
       14:35
1Mc    1:57   2:24 29 37    6:22     7:18 18 24
       8:32   15:21 33
2Mc    4:36 43 44 47 48    6:12    7:35 36    8:11
       13   9:5 18    11:4    12:41    14:18 38
       15:20
3Mc    2:2 22    4:2    7:5 11
4Mc    2:17   4:13 21    6:28    8:21    9:9 15 32
       11:4    12:12    15:26    18:22
1Esr   2:16    4:40    8:7    9:4
Tb     3:2 5    7:11a 13a
Dn     3:27 28 31
PsS    2:11 12 14 16 18 36 37    3:3    4:2 9
       5:1 6    8:7 7 8 18 27 31 38 40    9:9 10
       10:6    15:9 13 14    17:4 12 21    18:3
PsAp   3:9
```

ܕ ܕܝܢܐ   ܝܢ   <<<   ܕ ܠܝ‎
ܕܝܢ‎

```
judex
Sap    1:1    6:1    9:7
EpJr   13
2Bar   2:1
Su     5   5    41
Sir    8:14    9:17    10:1 2 24    21:5    23:9
       46:13
ABar   5:3    11:3    48:39    60:2
4Esr   4:18    7:139    14:32
1Mc    2:55
2Mc    12:6
4Mc    8:13
1Esr   8:7 23    9:4 13
PsS    2:19 37    4:28    9:4    17:22
PsAp   2:19    3:7
```

ܩܪܝܬܐ‎

```
urbs
Sap    9:8    10:6
1Bar   3:1    8:10
2Bar   2:23    4:31 32
Jdt    1:1 9 14    2:24 27    3:4 6 6 7    4:12
       5:2 3 18    6:7 11 12 12 14 14 14 16
       7:3 7 8 13 13 22 23 26 32    8:1 3 9 10
       11 18 33    10:6 6 9 10 10    11:9    13:10
       12 12 12    14:2 9    15:7
```

Sir   4:7   7:7   9:7 17   10:2   23:21   28:14
       36:26 26   38:32   39:4   45:23   46:2
       48:15 17
ABar   1:4   2:1 2   3:5   4:1 2   6:1 4   9:1
       13:4   21:21   61:7   67:6
4Esr   3:1 24 25 27   5:25   7:6 6 9 26   8:52
       9:45   10:2 4 17 18 27 42 44 46 54
       12:40 50   13:31
1Mc   1:19 30 31 33 51 51 51 54 58   2:7 15 17
       27 28 31   3:8 37   5:26 27 28   5:31 36
       44 50 50 51 59 68   6:1 3 3 7 49 63 63
       7:1 32   9:50 52 65 67   10:63 71 75 76
       84 86   11:2 3 8 45 45 46 46 47 47 48
       49 49 50 60 61 66   12:36 36 36 37 48
       13:25 43 43 44 44 45 47   14:10 17 20 33
       33 36 37   15:4 14 19 28 30 31   16:14
       18
2Mc   1:12   2:22   3:1 4 8 9 14   4:1 2 5 12
       22 32 36 38 39 48 48 50   5:2 5 5 5 6 8
       8 8 11 16 17 23 26 26   6:8 10   8:3 6
       11 17   9:2 2 4 14 19   10:1 36   11:2
       12:4 7 13 16 27 28 30 38   13:3 13 14
       14:37   15:14 17 19 30 37
3Mc   1:6 17   2:9 30 30 31   3:8 16 21   4:3
       4 11   5:24 41 44 45 46 48   6:5 30 41
       7:16 17 20
4Mc   7:4   17:24   18:8
1Esr   2:17 18 19 19 19 20 22 34   4:48 53 56
       5:8   6:8 8
Tb   13:8b 9a   14:4b
Dn   3:28
PsS   8:4   17:16
exsultare   ה. כל
Sap   19:9
2Mc   15:27
3Mc   6:32
saltatio   ה. כלא
2Bar   2:23   4:34
Sir   1:12
2Mc   10:6
3Mc   4:1 8   6:30 31 35 36   7:16 19
PsS   5:1
videre   אר. הב
BelD   18   40
Su   26

Sir   14:23   16:29   21:23   51:21
1Mc   4:19   9:23
2Mc   3:19   3Mc   6:21

observator   ܗܘܡܪܐ
Sir   11:30

aetas   ܗܪܐ
Sap   7:27
1Bar   8:1
Sir   2:10   4:16   14:17 18 18   16:27   24:32
        39:9 9   44:1 2 7 14 14 17   45:26
        51:29 29
ABar   24:2 2   48:3 13
4Esr   6:48   13:54
1Mc   2:51 61 61
2Mc   4:14
3Mc   2:5   6:8
Tb   1:4   5:14   13:10a 11a 11a   14:5a

domus   ܗܪܐ ܗܬܐ
EpJr   17
Jdt   10:22   14:14
1Mc   4:38   9:54   11:45
2Mc   3:27   14:43
3Mc   2:27   5:10 23 46
1Esr   9:1
Tb   2:9

mansio   ܐܒܝܬܐ
Sir   3:9   14:27   21:4   33:12
4Esr   8:20
PsAp   3:2

habitare   ܗܒܝ
4Mc   17:18   18:27

calcare   ܗܫ
Sir   6:36   18:22
ABar   13:11   67:2
4Esr   5:29   6:57   8:57
1Mc   4:60   12:25
3Mc   2:18
PsS   2:2   7:2   8:13   17:25

conculcari   ܐܬܗܫ ܒ
ABar   67:2
4Esr   5:3
1Mc   3:45 51
2Mc   8:2
3Mc   2:18

concalcatio   ܗ ܣܒܐ

Jdt   5:18
3Mc   5:42

impellere   ܗ ܣܥ

3Mc   3:22

propelli   ܐ ܣܬܗܬ

Sir   13:21 21

timere   ܗ ܣܠ

Sap   15:6
EpJr   4   14   22   28   64   68
2Bar   4:31 32
BelD   4   5
Su   2   41
Jdt   1:11   2:28   4:2   5:23   8:8 31   10:16
       11:1   16:6
Sir   1:8 10 13 20 20 20   2:7 8 9 15 16 17 18
       4:20 30   6:16 17   7:6 29   9:13 15 18
       10:5 19 20 24   11:17 33   12:11   15:1
       4   18:27   21:6 11   22:22   26:3 5 23
       25   29:7   32:16   33:1   34:13 15
       37:12   39:1   41:3   48:4
ABar   14:4   54:4
4Esr   6:33   7:79   8:23   10:25 27 38 55
       12:5   13:8
1Mc   2:62   3:22 30   4:8 21   5:41   9:6
       10:8 76   12:28 40 42 52   14:12
2Mc   1:3   6:11 12   7:12 29   8:13 16   9:29
       15:8 19
3Mc   2:23 23   5:33
4Mc   4:13   8:13 17 21   13:14 15   14:4
       16:11
1Esr   4:28
Tb   1:19   2:7   4:8 21 21   6:15 15 18
       12:16 17   14:2a 6
OrM   4
Dn   3:33
PsS   2:37 37   3:16   4:24 26   5:21   12:4
       13:11   15:15

terreri   ܠܝܗܬܬܐ

Sap   17:3

timor   ܗ ܣܠܐ

Sap   5:2
4Mc   14:8

timor   ܕܚܠܬܐ

Sap	10:12 15:17 17:4 8 12 18 18:17
EpJr	3
2Bar	3:7 5:4
BelD	27
Su	57b
Jdt	2:28 3:8 11:17 14:3 15:2
Sir	1:11 12 14 16 18 20 28 30 2:1 4:17
	6:37 7:6 9:13 16 10:22 16:2
	17:3 4 8 19:20 20 22:16 23:14 27
	25:6 11 12 26:28 27:1 3 28:23
	32:12 40:5 5 26 26 26 27 50:28
ABar	14:12 13 44:7 46:5 48:8 53:12
	62:2
4Esr	7:87 8:21 28 12:3 5
1Mc	3:5 25 4:32 7:18 10:8 12:52
2Mc	6:30 8:5 11:25 12:22
3Mc	1:7 13 27 2:23 30 3:23 5:33 34
	6:11 13 19
4Mc	1:4 23 4:10 5:6 13 8:11 12:14
1Esr	1:21
PsS	6:8 17:38 44

timor dei   ܕܚܠܬ ܐ ܕܐܠܗܐ

3Mc	2:31 6:1
4Mc	1:1 7 8 10 29 2:7 5:18 24 31 38
	6:2 31 7:1 3 6 16 18 24 13:7 8 25
	14:6 15:8 17 23 16:1 4 17 23 17:15
	18:2

timendus   ܕܚܝܠܐ

Sap	6:5 10:16 18
Sir	48:4
4Esr	3:3 10:26 37 12:13
2Mc	1:24 3:25 6:18
4Mc	8:14
OrM	3

timidus   ܕܚܘܠܐ

1Mc	13:2 16:6

timide   ܕܚܘܠܐܝܬ

Sap	6:5

timidus   ܕܚܘܬܠܐ

1Mc	3:56
4Mc	8:15

miraculum   ܕܚܠܬܐ

Sir	45:2

depellere   ܗ ܣܥܡ

1Bar   7:4
Sir   31:2
ABar   55:2
1Mc   14:26
2Mc   1:12
PsS   7:2

satelles   ܗ ܐܥܣ
2Bar   1:9

daemon   ܗ ܢܥܣ
4Mc   9:24   18:22

mandatum   διάταγμα   ܗ ܢܘܩܦܬܐ
1Esr   4:18   8:36

meus   ܗ ܠܝ
Jdt   9:9
ABar   1:5
4Esr   6:1 6   7:34   9:22 22   10:12   13:54
2Mc   6:25   7:36   9:16
4Mc   9:23 30   16:11
1Esr   4:42   8:27 68 68 68
Tb   1:3 3 4 4 5 8 10 11 12 16 17 17 20 20
       22   2:1 1 1 5 9 10 10 11   3:3 5 6 10
       11 12 15 15 15   4:2   5:7 14 15   6:15
       15   7:2 5 10 11   8:3b 7a 21a   10:7a
       9a 12a 12a   11:15a   12:3a 18a   13:6a
       7a
OrM   8
PsAp   1:3b

tuus   ܗ ܠܟ
Sap   11:27   14:6   15:2
Sir   9:8   31:15
ABar   21:7   36:8 8   42:8   54:13 22 22
      75:3 4
4Esr   3:24 32   5:29 30   6:40 43 48   7:118
      8:9 45   9:32
1Esr   2:16 18   4:43 46 59 59   8:16 16 17 17
      23 24 71 75 76 79 79 84
Tb   2:14   3:2 2 4 5 5 6 11 11   4:3 6 7 12
      12 13 13 13 13 14 14 15 16 17 19 19
      5:12 12 13 14   6:11 16 16   7:12a
      8:5a 5a 15a 15a 15a 16a   10:8a   11:2a
      3a 6a 7a 14a 14a   12:12a 13a 14a
      14:3a 10a
OrM   3b   5b   15b

Dn	3:34
PsS	5:16 9:16

tuus

Tb	3:8 9 5:21 7:17a 10:12a 12a
	11:17a 13:9a 14a 14a 14a 14a 16a

suus

1Bar	8:9
Sir	47:18
ABar	42:7 48:27
1Mc	14:32
2Mc	3:3 10:4
3Mc	7:18
4Mc	1:6 2:4 10:5
1Esr	1:1 4 4 7 15 21 23 26 28 28 29 29 31 32
	35 36 39 40 41 46 48 48 49 49 49 50 54
	2:2 5 6 9 10 3:1 5 7 8 9 4:9 11 20
	20 21 28 30 34 39 40 40 61 63 5:6 8
	43 45 47 49 56 56 58 6:17 31 32 32
	8:3b 4 21 25 26 45 46 55 9:9 18 19
Tb	1:9 13 15 15 18 21 21 3:17 4:5
	5:17 17 18 22 6:18 7:2 12a 13a 15a
	8:3b 6a 12a 9:6a 10:1a 10a 12a
	11:1a 1a 6a 8a 11a 11a 12a 13a 15a 16a
	17a 18a 12:1a 21a 13:1a 2a 4a 6a 6a
	7a 10a 14:3a 7a 11a 12a 12a 12a 13a 13a
PsS	6:4

suus

Sap	7:10
ABar	71:1
2Mc	2:27
4Mc	15:25
1Esr	1:52 53 55 55 2:17
Tb	1:21 3:7 17 6:12 13 7:11a 16a
	1o:7a 11:5a 9a 12:6a 13:18a

noster

2Bar	1:15 2:6
ABar	11:7 45:1
4Esr	3:34 4:39 6:55 7:118 125 8:31
1Mc	13:40 15:33
2Mc	2:26
3Mc	6:28
4Mc	6:28 13:21

1Esr	5:67 68 6:8 14 21 8:10 45 46 49 52
	53 55 58 60 61 72 72 72 73 74 74 74 74
	76 76 78 83 83 83 85 87 90 9:8 12
Tb	1:9 2:2 3 6 4:5 12 5:14 18 18 19
	7:4 8:5a 10:5a 12:18a 13:4a 4a 5a
	14:4a
PsS	9:3 17:9

vester   ܕ ܠܘܩܒ

1Mc	13:40
2Mc	9:21
1Esr	1:4 4 4 5 5 6 2:5 5:66 66 8:57 81
	81 82
Tb	2:6 5:6 17 8:21b 12:12a 13:6a 6a

suus   ܕ ܠܩܣ

Jdt	5:18
Sir	32:2
ABar	42:7 44:13 70:6
4Esr	7:74 8:33 9:13
1Esr	1:12 13 14 15 19 48 50 50 2:8 16
	3:15 4:3 26 37 37 49 53 62 5:1 1 1 1
	3 4 8 9 43 45 46 54 60 6:9 30 7:12
	8:13 15 28 47 54 66 67 67 80 81 81 9:4
	16 17 20 37 40
Tb	4:12 12 6:15 7:8 8:17a 11:17a
	12:10a 14:6a 7a 13a

suus   ܕ ܠܡܣ

ABar	27:15 15

testamentum   διαθήκη   ܕ ܠܬܐ

1Bar	7:8
ABar	19:1
4Esr	3:32 4:23 5:29 10:22
1Mc	1:15 63 2:20 27 50 54 4:10
Dn	3:34
PsS	17:17

locus   ܕܠܩܒܐ ܕܠܩܒܬܐ

Sap	5:12 13:15
2Bar	3:34
Sir	12:12
ABar	59:10 67:6
4Esr	5:8 11:8 13 24 12:37 13:6
1Mc	5:49 10:13 11:38 12:37
2Mc	1:19 31 33 34 2:6 7 4:38 10:14 19
	12:38 14:33 15:20
3Mc	5:6

4Mc	4:9 25	5:1	12:3	13:1	15:32	
1Esr	2:6 6 15	4:34	5:43 49	6:18 22 26		
	26	8:44 45 75	9:13			
Tb	3:6	5:5				
Dn	3:38					

purgare   ܕܟܪ

Sir	38:10				
ABar	66:2				
1Mc	4:41 43	13:47 50			
2Mc	2:18	10:3 7			
4Mc	1:11 29				
Tb	12:9a				
PsS	3:10	9:12	17:25 33 41	18:6	

se purgare   ܐܬܕܟܪ

Jdt	16:18	
2Mc	10:5	14:36
4Mc	17:21	
1Esr	7:10 11 11	
PsS	10:1 2	

puritas   ܕܟܝܘܬܐ

Sap	7:24	
Jdt	12:9	
Sir	51:20	
4Mc	7:6	18:23

purgatio   ܕܘܟܝܐ

2Mc	1:18 36	2:16 19
4Mc	6:29	

purus   ܕܟܝܐ

Sap	7:23	14:24	15:7 7
Sir	40:21		
ABar	9:1		
2Mc	15:34		
4Mc	5:37	7:6 15	18:7
Tb	3:14	8:15a	13:6b 16a
Dn	3:40		
PsS	3:13		

pure   ܕܟܝܐܝܬ

2Mc	7:40

mas   ܕܟܪܐ

BelD	3	32		
1Mc	5:28 35 51			
4Mc	15:30			
1Esr	6:28	7:7	8:14	9:20
Tb	7:9	8:19b		

recordari   ܐܬܕܟܪ

Sap   2:4   12:22   14:26   16:6 11
            18:22 (Leid)   19:4 10

1Bar   1:7   5:8   6:5   7:2 10   9:3 3

2Bar   2:32 33   3:5 5   4:14

Be1D   38

Su   9

Jdt   8:26   13:19

Sir   3:15   7:16 28   8:5 6 7   9:12   14:12
            16:17   18:22 24   23:14 24   28:6 7
            38:21 22   41:3   42:15   51:8 11

ABar   3:5 33   19:7   25:4   43:2   48:29 38
            75:7   77:23

4Esr   8:28

1Mc   4:9 10   5:4   7:38   9:38   10:5
            12:11 11

2Mc   1:2   8:4   11:4

3Mc   5:50

4Mc   13:12   15:28   16:18

Tb   2:6   3:3   4:1 4 12   8:2b   14:6b

PsS   3:3 14   4:24   5:18   6:2   8:7   10:1
            4   14:5

PsAp   3:11

commemorare   ܐܬܕܟܪ

Sap   2:12   18:22 (Lag)

2Mc   8:19   15:8 9

PsAp   3:12

memor   ܕܟܝܪ

Sir   7:36   18:25

memoria   ܕܘܟܪܢܐ

Sap   4:1 19   5:14   8:13   10:8   11:12
            18:22

2Bar   4:1 5 27   5:5

Su   15

Sir   10:16 17   23:26   24:9   35:7   38:23
            39:9   44:9 13   45:1   46:11   47:23
            49:1 13

ABar   44:9

4Esr   12:47

1Mc   3:7 35   12:53   14:23

2Mc   6:31   7:20

Tb   12:12a

PsS   2:19   13:10   16:6 9

הַ גֵ

filum texere
PsAp   4:6
facilis
4Mc   1:12   2:9
facile
Sap   6:12
platanus orientalis
Sir   24:14
turbare
Sap   18:17
Jdt   16:25
ABar   55:4
4Mc   3:21
turbari
Jdt   4:2   7:4   14:7 19
ABar   48:31
turbatus
2Mc   1:21 33
perturbatus
Sap   17:19
ardere
ABar   6:5
4Esr   7:61   14:25
2Mc   1:22 23 32
sanguis
Sap   7:2   11:6   14:25
Su   46   59   61
Jdt   6:4   8:21   9:4
Sir   8:16   9:9   11:32   12:16   14:18
        17:31   22:24   23:31   27:14   28:11
        34:21 22
ABar   48:37   56:6   61:2   64:2   73:4
4Esr   5:5
1Mc   1:37   6:34   7:17   9:42
2Mc   1:8   8:3   12:16   14:18 45 46
4Mc   3:15   6:6 29   7:8   9:20   10:8 17
        13:19   17:22
PsS   8:13 23
similis esse
Sap   2:15
EpJr   38   62   70
1Bar   5:3
Sir   13:15   36:26   48:1
ABar   2:1   13:5   21:24   55:3   57:1   59:1
        66:7   73:4

```
4Esr    4:36 41    5:42 52    6:44 56 56    7:4
        8:47 51 62    10:12    14:9 39 48
1Mc     9:29
4Mc     14:4    16:5
Tb      7:2    8:6
```

assimulare   ܗܡܪ

```
Sap     7:9    13:13 14    15:9
ABar    39:7
4Esr    13:10
```

assimilari   ܐܬܗܕܡܪ

```
Sap     4:2
EpJr    4
1Bar    5:4
ABar    14:10    18:1    51:10    54:12    75:1
4Esr    7:61 97    8:29 44    13:37 38 38
1Mc     3:4
2Mc     4:16
4Mc     9:23    13:9    17:23
```

pretium   ܗܡܬܪܐ

```
Sap     7:9
EpJr    24
Sir     6:15    26:14
1Mc     10:29
```

imago   ܗܡܘܬܐ

```
Sap     2:23    9:8    12:5    13:10    15:4    17:20
        18:1    19:12 17
EpJr    62
Sir     3:21    26:22    34:3
ABar    4:5    49:2    51:1 2 3 5 9    53:1 4    59:4
        4 11    76:3
4Esr    5:37 37    6:44    8:6    10:25 49    13:3 13
        14:39
1Mc     3:48
2Mc     2:14    6:31    7:22    10:6 9
3Mc     4:13
4Mc     8:3    11:10    15:4    17:24
1Esr    5:66    6:29    8:20
Tb      12:3
```

dormire   ܗܡܟ

```
Sap     7:10
Sir     22:7
4Esr    7:32    10:2
3Mc     5:12
1Esr    3:3 6    4:10
Tb      2:9    8:9 13    10:7b
```

```
PsS     2:35    3:1
PsAp    3:18
locus dormiendi                                    ܡܕܡܟܐ
Sap     3:16    4:6     7:2
domus                   δόμος                      ܕܘܡܩܐ
1Esr    6:24 24
flere                                          ܕܡܥ ܒܟܐ
Sir     31:13
3Mc     5:49
4Mc     15:20
lacrima                                    ܕܡܥܬܐ ܕܡܥܬܐ
Sir     12:16   22:19   31:13   38:16
ABar    35:2    52:3
2Mc     11:6
3Mc     1:4 16 18    5:7 25    6:14
4Mc     4:11
Tb      7:16a
admirari                                       ܐܬܕܡܪ
Jdt     10:19 23   11:20   15:1
Sir     11:21   12:12
ABar    13:3    15:1    55:2
4Esr    3:3     4:26    9:9
2Mc     7:12
3Mc     5:27
4Mc     17:16
Tb      11:16b
admiratio                                      ܕܘܡܪܐ
4Mc     2:1     14:11
miraculum                         ܬܕܡܪܬܐ ܬܕܡܘܪܬܐ
Sap     10:16   19:8
2Bar    2:11
Sir     43:2
ABar    29:6    54:11 12    63:8
4Esr    13:44 50 56 57    14:5
2Mc     2:21    3:24    7:18    15:21
3Mc     2:5     6:32 39
Tb      11:14b   13:4b
Dn      3:43
                          ܒܝܬ ܡܕܡܪܐ <<<    ܕܡܟ
                                               ܗ ܠܚ
oriri                                          
Sap     5:6
Sir     17:19   26:16   42:16   50:7
ABar    10:12   48:37
4Esr    7:114   12:32
```

107

1Mc   6:39

2Mc   1:22   10:28

3Mc   4:15

oriri facere   ܐܕ̇ܚ

EpJr   66

Sir   39:17

3Mc   6:4

ortus   ܕܚܠ̈ܐ

Sap   16:28

oriens   ܡܕܢܚܐ

2Bar   4:36 37   5:5 5

Jdt   7:18

1Mc   12:37

1Esr   5:46   9:38

PsS   11:3

exstingui   ܕܥܟ

Sap   2:3   17:5

Sir   28:12 23

ABar   14:11   67:6   77:13

4Esr   6:27   10:22   14:25

3Mc   6:34

4Mc   16:4   18:20

Dn   3:49

exstinguere   ܕܥ̇ܟ

Sap   19:19

Sir   3:30

4Esr   7:61   8:53

deleri   ܐܬܕܥ̇ܟ

4Mc   9:20

exstinguere   ܐܕܒܥ

Sap   16:16

ABar   10:12

sudor   ܕܘܥܬܐ

2Mc   2:26

4Mc   7:8

sudore manans   ܕܝܥܬܐ

4Mc   3:8   6:11

transtra   τὰ ζυγὰ τῶν πλοίων   ܕܐܠܦ̈ܐ ܕܩܒ

3Mc   4:10

latus   ܕܩܒ ܕܦܘܬܐ

Jdt   6:6

comminuere   ܕܩ

Jdt   10:10

tenuis   ܕܩܝܩܐ

Sir   26:26

                                                  ܗܩܠܐ

phoenix dactylifera

Jdt	15:12	
2Mc	10:7	14:4

                                                  ܗܩܠܐ

barba

EpJr	30	
4Mc	9:28	15:15
1Esr	8:68	

                                                  ܗܡܪ

tundere

3Mc	5:14
PsS	16:4

                                                  ܗܪܐ

spargere

Sap	5:14	23	11:21
4Esr	5:28		

                                                  ܗܪܘ

gredi

2Bar	4:14	25			
Sir	3:26	11:10	15:8	24:28	51:15
ABar	75:3				
4Esr	5:34				
1Mc	6:27				

                                                  ܐܬܗܪܘ

apprehendi

Jdt	8:14				
ABar	14:9	75:1			
4Esr	3:31	33	4:2	11	8:21

                                                  ܐܬܗܪܘ

consequi

Sap	9:15	
2Bar	3:23	
Jdt	8:14	11:11
ABar	14:8	54:12
1Mc	2:32	12:30
2Mc	4:16	8:11	9:18
3Mc	2:23	
4Mc	3:8	
1Esr	6:8	
PsS	15:9	

                                                  ܗܪܒܟܬܐ

concubina

2Mc	4:30
1Esr	4:29

                                                  ܗܪܒܐ

brachium

Sap	5:16	11:22	16:16
2Bar	2:11		
Jdt	9:7		
Sir	36:6	38:30	
2Mc	15:24		
3Mc	5:13		

ܪܘܩܠܐ   ܪܩܝܐ

4Mc   9:11   10:6
PsS   13:2
draco   δράκων   ܪܘܩܠܐ
ABar   73:6
calcare   ܪܝܫ
1Esr   4:4
Sir   8:8
erudiri   ܪܬܝܫ
Sap   19:7
4Mc   5:23
calcatio   ܪܝܫܐ
Sap   8:18
eruditus   ܪܝܫܐ
Sap   5:7   11:2
eruditio   ܪܝܘܫܐ
4Mc   11:20   13:21

ܗ

flos	ܗܒܒܐ

Sap   2:8
ABar   37:1
4Esr   5:24 24 36   6:3 44   9:17 24 24 24 26
       12:51
3Mc   7:16

vanitas	ܗܒܠܐ

Sap   7:25
1Bar   5:3
ABar   14:10 11
4Esr   4:24   7:61

meditari	ܐܬܗܓܝ

1Bar   9:2
Sir   14:20
2Mc   15:39

evertere	ܗܓܡ

1Bar   3:1
1Mc   13:43
2Mc   11:9

dux	ἡγεμών	ܗܓܡܘܢܐ

1Esr   6:26

praefectus	ܗܓܡܘܢܠܝܬܗ

2Mc   13:24

membrum	ܗܕܡܐ

1Bar   6:3
Sir   50:12
ABar   49:3   54:7 8
4Esr   8:8 10
2Mc   7:4 5   8:24   9:7   12:22
4Mc   7:13   9:14 17   10:8 20   11:10 18

ornatus	ܗܕܪܐ

Sir   24:17
ABar   54:8

splendidus	ܗܕܝܪܐ

EpJr   60
Sir   50:10
4Mc   17:5

materia   ὕλη   ܗܘ‍ܠ‍ܐ
Sap   11:18   15:13
fovea   ܗܘ‍ܬ‍ܐ
PsAp   4:6   5:3
est   ܗܘ‍ܐ
Sap   1:9   2:3 14   4:8 10 14   5:3 12   7:30
       11:15 15 20 26 26   12:6 9 11 15   13:1
       12 13 13   14:6 13 15 21 22 25 31   15:9
       9   16:5 5 7 7 26   17:4 6 20 20   18:3
       4 6 11 12 12 14 14 20 20 24 25   19:3 10
       12 12 12 14 18
1Bar   1:3   3:7   5:2   7:3 5   8:1 2 2   10:1
2Bar   1:6   2:19   3:27 28 28   4:6 28
BelD   1:2 2 2 3 3 4 4 4 4 13 13 15 18 18 21 21
       23 24 28 28 31 32 33 33 39
Su   1   1   1   4   4   4   6   7   13   15
       15   16   26   26   28   34   35   37
       39   40   48   64   64
Jdt   1:16   2:1 2 4 4 20   3:8   4:3 7 15
       5:10 10 18 19 22   7:3 10 19 22   8:3
       7 8 11 16 18 18 26 26 27 29   9:1 11
       10:1 14 18 21   12:10 11 16   13:1 1 2
       2 6 12 15   14:5 13 14 14   15:1 14
       16:6 18 25
Sir   2:10   3:10   5:4   12:1   15:9   17:30
       20:21   24:11 31 29:7   31:10 10
       34:15   37:28   44:7 17   46:4   47:8 9
       48:8   49:7 11   50:25   51:17
ABar   1:1 1   4:3   5:3   6:1 5 7   8:4
       10:1 1   11:1   12:2   13:1   14:7 16
       18 19   15:5   19:2 3 8 8   21:3 4 11
       13 17 17 26   22:1   23:7   24:2   28:3
       31:1 5 5   32:8   33:3   35:4 4   36:2 3
       4 5 6 7   37:1   42:8   44:8   48:1 8 14
       29 33 37 40   51:3 7   53:1 1 3 3 4 7 9
       10   54:19   55:1   56:4 4 6 7 10 10 11
       57:2 2   59:3 5   61:2 3 4 6   63:2 2 3
       3 5 5 7 7   64:1 7 9 9   65:1 1   66:1 3
       4   73:5   75:7   76:2   77:18 18 23 24
       25 25 25
4Esr   3:4 5 5 10 12 13 16 29   4:12 35 48
       5:14 16 21 30 31 35 44   6:17 29 29 29
       35 36 36 39 45 46   7:1 1 48 54 63 63 69
       70 73 74 84 100 111 112 116 129 138 139
       8:9 14 41 41   9:4 5 11 12 12 13 18 18

112

(4Esr) 27 27 27 35 35 38 45   10:1 25 25 25 27
28 29 30 42 45 46 46 47 52 54   11:1 1 4
4 6 6 10 14 19 29 39   12:1 1 3 17 17
31 40 44 45 51   13:1 3 3 3 4 9 10 10 11
11 12 28 44   14:1 3 22 22 38 39 39 40
40 45

1Mc   1:1 10 25 57 57 59 64   2:2 8 25 28 31
52 53 55   3:12 19 30 31 32 34 37 45
4:4 5 5 6 6 9 20 20 20 25 27 27 27 35 54
58 61   5:1 3 6 30 53 53 61 63 66   6:1
2 2 3 8 8 8 9 17 25 30 36 37 43 45 49 53
55 56 57   7:2 2 5 5 8 8 17 21 26 30 47
8:4 6 6 7 13 16 16   9:5 7 12 15 23 24
26 27 27 32 36 72   10:6 10 12 44 47 69
75 77 77 77 77 81   11:2 3 3 8 11 14 15 18
27 35 39 39 39 42 42 51 53 53 55 60 65
12:8 8 9 19 25 36 40   13:12 15 15 20
20 22 39 44 47 53   14:7 12 17 30 33 34
35 35   15:2 8 14 14 15 15 27 27 33 34
39 41   16:5 9 11 12 13 14 14 14 15 22
24

2Mc   1:13 14 19 35 35   2:3 3 4 4 7 9 9 9 11
13 13   3:1 3 3 4 4 4 5 6 7 8 8 9 11 13
14 14 16 17 23 23 24 25 25 25 25 28 28
28 29 29 30 30 31 32 33 36 37 37 40
4:1 1 1 1 2 2 4 5 5 6 6 11 11 11 14 18
21 23 25 25 25 26 27 27 28 28 28 29 31
31 33 33 34 34 35 35 36 36 36 38 39 40
40 41 45 45 47 48 50 50 50 50   5:1 4 5
5 5 6 6 6 8 8 8 9 11 12 13 15 15 16 16
17 17 18 18 19 19 20 20 21 21 21 21 22
22 23 23   6:3 4 5 5 6 6 7 9 12 14 18 18
31   7:2 4 5 22 22 24 24 24 24 24 24 24
25 25 28   8:2 5 5 6 6 6 6 7 8 9 10 11
14 16 17 17 17 18 18 19 19 20 20 20 23
23 24 26 27 27 32 34 35 35 36 36   9:2
2 2 3 4 4 7 7 7 8 8 8 8 9 9 9 9 9 10
10 11 13 13 15 18 18 21 23 23 29   10:1
5 9 11 12 12 12 12 13 13 13 14 14 19 23
24 24 24 29 32 32 32 32 35 36 37   11:1
2 2 4 4 5 6 8 9 13 14 14 18 18   12:3 5
7 7 9 11 11 16 18 20 23 23 24 24 25 26
27 35 35 37 42 42 44 45   13:1 3 3 4 5 5
5 8 9 9 17 18 20 23 23 25 25   14:2 3 3
3 4 5 11 12 14 15 17 18 18 23 23 24 24

(2Mc) 26 28 28 29 29 34 37 37 37 37 38 38 39
       39 40 42 45 45 45 46   15:6 6 6 7 8 8 8
       9 9 10 11 12 12 12 12 13 19 19 21 22 27
       29 30 32 35

3Mc   1:1 1 2 2 3 3 3 11 12 13 20 22 23 24 25
       26 26 26 26 27 29 29   2:21 22 22 24 31
       3:1 1 2 7 8 8 11 11 11 11 14 14 18 20 21
       23   4:1 2 4 15 16 16 16 16 16 17 18
       5:1 1 4 4 12 15 15 16 17 17 18 18 26 27
       27 27 28 28 33 34 35 45 45 46 46 47 48
       6:1 1 1 4 16 22 23 28 30 31 31 33 34 36
       40 41   7:9 13 14 16 18 22 22 22

4Mc   1:4 6 6 11 27 27 33   2:4 9 20 20   3:1
       5 8 8 10 10 11 11 15 15 20   4:1 1 2 5 7
       8 10 11 11 12 12 13 13 20 22 24 25 26
       5:4 4 4 14 14 18 18 21 27 31 33   6:2 4
       5 5 6 6 6 7 7 7 7 8 9 10 10 10 11 16 26
       35   7:1 4 6 10 11 11 12 13 17   8:4 11
       11 15   9:13 14 15 15 20 20 22 22 26 26
       26 28 28 29   10:7 8 9 12 12 14 21   11:8
       9 10 11 18 20 20 25 27   12:1 1 3 6
       13:3 11 12 17 20 24 25 26   14:1 1 9 10
       15:14 15 15 18 19 20   16:2 3 3 3 13 20
       17:6 7 8 9 11 11 13 14 14 20 22 22   18:2
       3 9 10 10 11 11 12 12 13 14 15 16 17 18
       18 20 21 21 21 22

1Esr   1:11 15 18 20 20 26 26 32 37 41 44 48
       2:1 9 9 12 21 23 25   3:3 16   4:1 16 16
       31 31 31 44 44   5:7 50 52 62 66   6:3 9
       13 16 17 17 19 21 23 25   8:1 1 3 6 7 48
       50 61 70 88 88   9:6 41 45 46

Tb   1:2 6 15 17 18 18 21 21 22 22   2:9 10
       10   3:8 17   4:1   5:4 4 18 18   8:2a
       5b 6a 7b 10b 16a   10:1a 1a 3a 4b 6b 6b
       7b 10a   11:1 1a 10 10b 11b 12a 15b 16b
       16b 17   12:18b   13:1   14:1b 2 2 2 3b
       10b 11a 11a 15 15

OrM   8a

Dn   3:33

PsS   2:13 13 27   9:2   17:17 20 21
est

Sap   6:22   7:5   8:10   9:9   10:17   11:14
       16:9 17 21 27   17:6   19:4 6 8 18 19 19

1Bar   3:7

BelD   40

```
Su      2   2   7   8   31   31   31
Jdt     4:7    7:29    8:1 4 5 6 7 7 8    9:1 6
        10:2 2 3 4 18 21    12:7 7 8 8 9 9 9
        13:13    14:17    15:14    16:21 23 23
Sir     7:13    15:9    19:10    44:17    45:15
ABar    19:6    36:6 7    38:4    53:1 1 3 4 6 7
        56:4 6    57:2    61:4 6 7 7    64:8    67:2
        77:25
4Esr    3:25    4:16    5:14 45    6:8 37 37 39 50
        7:30 118    9:20 26 38 38    10:27 28 41
        43 45 45 54    12:3    13:27 45    14:39 40
1Mc     1:33 36 36 38 38    2:11    3:44 45 45 46
        5:44    6:41 49 53    8:18 19    9:60 68
        10:14    11:28    14:8
2Mc     1:24    2:8 26 27    3:1 17 21 32    4:3 13
        13 19 27 30    5:5 7 11    6:3 24    7:20
        21 21 21 27 27 28 30 30    8:3 7    9:5 7
        11:5 27    12:16 18 21 21 44    13:26
        14:38    15:12 12 13 21 30
3Mc     1:1 4 4 29    2:25    4:21    5:9 13 24 24
        28 49    7:3 4 4
4Mc     3:8 11    4:22    6:26    7:4    8:2    9:20
        11:8 11    13:5    14:10 20    15:6 7 9 12
        14 15 16 16 18 22 24 25 28 31    16:3 5 5
        5 5 5 12 13 13    17:1 12 12 12 15    18:6
1Esr    2:19 19    4:30 30 30 31    6:5    9:3
Tb      2:1 11    3:8    6:18 18    7:17b    8:20b
        10:4b 4b 7 7 7 7a 8b    11:5 15b 17 19a
Dn      3:48
PsS     16:2    17:19 19
```

```
Sap     11:18 21 25 25    17:15
Su      52   53   53   53   53   53   53b 53b
        53b
Sir     5:10 11 11    6:13 34 35 37    7:34 36
        8:8    9:14    13:9 13    18:25    21:2
        31:22    32:22    33:22    37:12 15
        47:14
ABar    11:1    13:12    36:8 8 8 8
4Esr    4:8 18 18 18    5:16    7:19    9:18
        10:57    11:39
3Mc     5:32         4Mc    7:10
Tb      4:14    7:9    10:5b    12:12 13a
```

```
ABar    11:1
```

```
4Mc     15:17 19 20 20 32    16:15 15 15    17:3 3
Tb      10:12b
sum
```
```
Sap     7:12    8:19
1Bar    4:2
2Bar    3:13
Jdt     11:2    12:18
ABar    6:2    7:2    13:1    21:1    53:1 8    55:2
        3   63:8 8
4Esr    3:1 1 1    4:7    5:20 43    6:29    9:10 27
        38 39 43 43 44    10:3 5 25 29 35 52
        12:51    13:57    14:1 40 43 43
1Mc     6:11    10:42 70    13:5
2Mc     9:14 15 16 21 25
3Mc     5:31
4Mc     2:6    6:32    16:6    18:7 7 8
1Esr    4:29    8:27 68 69 69 70
Tb      1:3 44 6 7 7 7 7 7 8 9 12 13 14 17 17 17
        18 18 19    2:10 14 14 14    5:14    8:16a
        12:12a 13a 19 19b
PsS     1:3 7    16:1
PsAp    1:1 1    5:4
```
```
Sap     10:14    11:14 14    12:3 5 5 9 24    13:2
        7   14:13 17 21    16:1 3 3 9 9 9 10 11
        17:2 2 2 3 3 5 6    18:1 1 2 2 2 9 10 12
        18 18 23    19:3 10 12 13 13 14 16 19
EpJr    14    22    23    23    28    49    50    51
        64 71
1Bar    1:1 1    6:2    8:2 2
2Bar    1:5    2:1    3:26
BelD    1:3 10 13 13 13 13 15 15 21 23 32 42
Su      3    4    5    5    6    6    8    11    12    15
        18    33    33    61b    62
Jdt     1:11    2:4    4:3 3 13 14 15    5:7 11 17
        6:15    7:5 18 21 32    9:5    10:18 19 22
        13:1    15:3 5 5 11 13 13    16:14 20
Sir     11:5    31:6    41:7    44:1
ABar    1:3    6:4    14:5    21:13    36:2    39:2
        48:37 38 38 46    49:3    50:3    51:13 13
        15    53:4 5 5 5 6 7 7 7 11 11 11
        56:9 15    57:2    58:1 1    59:2    60:1 1
        2    61:5 7    62:2 4 5 7    63:10    66:3
        4    69:1 1 1 3    70:4    77:13 15 24
```

```
4Esr   3:8 26     5:43    6:47 48 48    7:12 48 70
       8:3 30 35    9:16 29 29 32 32 38     10:3 9
       10   11:1 3 4 11 20 20 21 21 22 23 25 28
       29 29 31 32    12:24    13:4 4 8 8 13 13
       40 41 42 43 45    14:28 42 42 42 43

1Mc    1:4 55 58 58 59 60 60 61    2:12 15 29 43
       46    3:1 2 2 24 26 45 48 48 58 58    4:2
       2 6 7 16 19 20 24 45 50 53 54    5:3 4 4
       9 13 16 16 30 55 61 62 64 65    6:18 18
       18 36 37 37 37 39 40 41 45 48 49 53 53
       7:13 13 22 45 46 49    8:4 5 6 6 7 11 11
       11 12 12 12 12 13 13 15 15 16 16    9:11
       12 12 22 26 26 33 60 68 69    10:12 47 64
       85    11:2 2 14 18 25 41 45 49 63 73 73
       12:27 29 30 34 34 36    13:11 34 49 52
       14:8 9 9 29 34 36 36 36 43 43    15:41
       16:3 5 7 22

2Mc    1:19 20 23 23 30 33 35    2:13 14 14 20
       21 21 21 22 22    3:1 15 16 16 18 18 22 26
       26 31    4:9 14 14 15 15 16 16 16 18 19
       30 35 35 36 36 39 44 47 47    5:2 2 3 3
       3 5 8 11 12 18 18 22 25 27 27    6:2 4 4
       5 7 7 8 10 11 21 21 21 29 29    7:1 5 5
       7 10 13 15    8:1 1 1 2 6 14 14 19 19 20
       25 25 27 30 30 31 31 32 33 33    9:2
       10:2 2 4 6 6 6 6 7 7 13 15 15 15 15 15
       15 17 17 20 20 22 25 26 27 27 30 30 30
       34 34 34 34 35 35 35 36 36 36 38    11:6 7
       8 10 17    12:2 2 4 10 11 13 14 14 14 16
       19 21 22 22 22 22 24 27 30 30 30 36
       13:12 12 20 25 25 25    14:13 14 14 14 15
       17 21 22 22 23 32 34 34 41    15:2 2 8 9
       18 19 20 25 27 27 28 34

3Mc    1:2 16 16 17 21 25 27 27 28 28 29    2:4
       5 23 25 33 33 33 33 33 33    3:3 4 4 4 5
       5 7 8 8 8 8 8 10 10 10 10 10 10 22
       4:1 2 2 2 4 4 4 5 5 5 8 8 8 8 9 9 10 12
       12 12 15 19 20 20 20    5:3 5 5 5 6 7 8
       13 17 22 25 25 31 35 39 42 49 49 49 50
       6:15 16 18 21 23 26 31 31 31 32 32 34
       34 34 38 38 40 40    7:3 4 5 14 14 16 20

4Mc    1:11    3:7 10 12 12 20 20    4:9 10 26
       5:1 1 4    6:3 6 8 11 11 12 13 13 13 24
       25 26 32    7:2 4 24    8:2 3 15 15 26 27
```

117

```
(4Mc)   9:12 14 16 21 26    10:6 6 7 7 8    11:10
        13 19 19 19 19    12:10 13    13:13 17 22
        23    14:1 2 5 8 8 9 9 9 9 12    15:10 10
        10 10 10 20 21 22 22    16:3 3 7 7    17:1
        7 13 17 24

1Esr    1:13 14 30 49 54    2:11 15 23 25    4:26
        32 54 63    5:4 41 43 43 46 49 49 52 53
        57 69 69 70 70    6:2 2 7 14 25    7:2 2
        3 3 11    8:28 62 67 67 69 75    9:6 10 17
        48 48 48 49 50 53 54 55 55

Tb      1:7 10 18    2:8 10    4:12    6:2 2 6
        7:11 11    11:1a 15b 16 16b 17b    12:6b
        12b 21 22b    14:5b 15b

Dn      3:46 46 46 51

PsS     1:7    2:2 3 12 14    8:9 10 11 12 13 24
        26    11:6    17:17 18
```

sunt   ، ܐ݇ܡ

```
Sap     14:24    19:17

1Bar    3:1    6:22    7:4    8:5

Su      15    57

Jdt     4:5    5:17

Sir     49:9

ABar    19:4    39:5    70:6    75:8

4Esr    3:1    4:35    5:21    6:6 44    10:25
        11:2 2    12:13    14:25 42

1Mc     5:14    12:8    13:29    15:35

2Mc     2:21 23    3:19 19 19 20 20    4:11 23
        5:3 11 16 16    6:5    9:9    10:10 12
        11:16    12:1 6    13:5    14:45    15:17
        37

3Mc     1:4 18 18 19 19 20    3:21 30    4:3 6 6 6
        6    5:25

4Mc     3:10    4:25 25    6:11    8:15    10:8 8
        11:18    15:2 11 11 15 32    17:8

1Esr    1:10    2:21    6:22

Tb      1:5 15 20    2:10    8:21a    11:11b 11b
        15a    12:18b

PsS     13:3 3    17:19
```

estis   ܩܒܠ ܗܡ

```
Sap     6:4

1Bar    2:1    3:7 7    7:3 8 10    8:1    9:2 3

Su      57

Jdt     8:12

ABar    13:12    31:4

1Mc     2:65    13:39
```

2Mc   11:33
3Mc   7:9
4Mc   16:18   18:9
Tb   12:6b 17b 19 20b
sumus
Sap   2:2 2   5:6   12:22
1Bar   2:2   8:2 2
2Bar   1:19   2:5
Su   38
2Mc   7:18   3Mc   3:21
4Mc   5:18   13:2
1Esr   6:10 11   8:76
Tb   5:14 14   10:12b
erit
Sap   1:14   2:9 11 20   3:7 18   6:5   8:8
        9:6   14:18   17:5
1Bar   1:2   7:7
2Bar   4:27   5:7
BelD   1:9
Su   42b
Jdt   5:21   7:9 16 31   8:23   9:2   11:11
        15 18 22 23   12:2 14   14:2
Sir   2:6   8:11 16   14:20 22 23 25 27   19:5
        27:22   28:13   29:9   31:4   33:30
        36:16   37:2   44:17   46:11   47:23
        50:23
ABar   11:3   14:1   19:6 7 7   21:17   24:2 4
        25:4 4   29:3 3 8   30:1 2   31:5   39:7
        44:8   46:2   48:32 38   50:4   51:1
        56:7   63:4   67:4   68:4 7   70:2 6 8
        9   73:1 7   74:1
4Esr   4:51   5:12   6:14 18 24 25 34   7:3 3
        4 5 7 26 29 31 43 63 111   8:10 37 40
        47   9:7   12:2 30 33   13:32 49 56
1Mc   2:65 66   3:7   4:45 46 61   6:15   7:5
        37   8:23 30   9:31 35   10:4 6 55
        11:58   13:39 40   14:37 41 42 43 43 44
        44 45 47   16:3
2Mc   3:6 18   4:5 6 19   5:4   8:23   9:19
        27   10:12 16 26   11:14 20 25 28
        12:36   14:6 8 10 22 38   15:36 39
3Mc   2:28   3:10 24 26 29   5:5 37   7:4
4Mc   1:31   2:9   4:18
1Esr   2:5 24   4:50 53   8:21 23

Tb   5:19   8:6 10b   11:1b   12:17a   14:4
        4a 9a
Dn   3:40
PsS   4:19
1Bar   7:7
2Bar   2:23   4:1 34
Jdt   11:17
Sir   5:10   9:16   11:27   26:21   40:15
        45:24   51:24
ABar   40:3   48:35   51:12   68:7   73:2
4Esr   5:1 3 8   6:1   7:131   12:2 13 30
1Mc   7:28   8:22   10:22 31   12:36
2Mc   2:4   6:22   7:14   8:3   11:23
3Mc   4:10
4Mc   2:11   15:7
1Esr   2:17   8:90
Tb   5:21   6:16 16   10:6a   12:8b   14:4
PsS   4:16
Sir   1:20 29   3:25   4:10 29 30 31   5:9
        6:1 32   7:5   8:10   13:4   18:22 23 32
        33   23:9   31:16   37:11   4028   42:11
ABar   12:3   13:3   77:21
4Esr   4:9 26   12:2 30   14:9
1Mc   2:18   9:30   10:18 20   11:57
4Mc   12:5 15
1Esr   1:25
Jdt   11:23   12:13   15:10
Sap   9:12
2Bar   2:35
ABar   5:1
4Esr   10:4 4
1Mc   10:54
2Mc   6:25   9:17   11:19
Tb   3:6   5:15   11:1b
PsS   2:33
Sap   1:16   4:19 19   6:15   9:12   11:16
        14:17   16:22 28   18:6
EpJr   47   71
1Bar   3:3
2Bar   1:11   2:35

```
Jdt     5:24    11:22
Sir     6:6     9:15 16     17:2 8 10     25:1     49:10
ABar    29:4    48:6 33 34     54:8     69:3     72:1
4Esr    4:24    6:38 52     7:42     9:9 18     14:34
1Mc     1:42    3:28     4:59     5:18     6:50     8:2
        10:23 24 34 37 38 43     11:2     12:4 43
        45     13:38     15:7 7 19
2Mc     6:9     7:36     9:15 24     10:8     11:26 31
3Mc     2:28 29     3:24     4:10     5:44     6:34 36
        7:18 19
4Mc     2:14    17:23 24     18:9
1Esr    8:23
Tb      3:8     6:18     13:12a     14:6b 6b 6b 6b
PsS     4:17 29     7:5     13:11     14:5     15:15
        16:15
```

erunt

```
1Bar    8:7
Su      42a
Sir     6:29    35:9
ABar    11:6    28:7     29:5     74:1
4Esr    6:42    7:52     13:32
1Mc     14:23 46 49
2Mc     11:15
3Mc     5:14
1Esr    6:8 31
Tb      4:6 19     14:8a
```

eritis   ܬܗܘܘܢ

```
EpJr    2
1Bar    1:5     5:2     7:7
ABar    46:5    77:16
2Mc     1:9 18     2:16     9:26     11:29
3Mc     7:9
4Mc     8:5
```

erimus   ܢܗܘܐ

```
Sap     4:7     12:22 22 22
Jdt     7:27    8:23
ABar    46:2    77:11
4Mc     6:19    8:23
```

part.act.sg.m.   ܗܘܐ

```
Sap     14:14
Su      42b
Jdt     1:2 2
Sir     3:10    6:11     17:31     19:15     23:20
        37:30
```

121

```
ABar    3:5     14:11    21:16    26:1     27:2
        39:5    41:5   44:8 9 15
4Esr    7:62    8:2 2    10:10
1Mc     6:39    10:30    11:10 13 35
2Mc     3:4 11    4:21    11:10 13    15:20
4Mc     5:21    8:10
1Esr    8:52
Tb      3:10
PsS     16:1
PsAp    5:4
```

part.act.sg.fem.

```
Sap     8:9    14:11 29    15:9
Jdt     5:20    10:2
Sir     7:17    9:11    11:19    16:3
ABar    11:1    25:2    42:2 2    54:21
4Esr    7:131
1Mc     2:62    3:19
2Mc     4:19    15:8
4Mc     9:4
1Esr    2:20
Tb      9:4b
```

part.act.pl.m.

```
Sap     4:1
2Bar    1:19
BelD    1:10
Sir     12:9    16:3
ABar    10:26    27:14 15    51:10    77:13
4Esr    5:43 45 55    6:54    7:69 118    8:6
        12:20
1Mc     2:6    4:59
2Mc     2:1 2    4:3    7:18 29    8:16
3Mc     1:27    3:8    5:2    6:34    7:2
4Mc     5:24
1Esr    6:9    8:51
PsS     17:50    18:7
```

part.act.pl.fem.

```
Sir     26:21
ABar    27:14 15    28:2    35:2    41:1    42:2
        74:3
4Esr    5:44    7:80 96 126    12:18    14:15
1Esr    8:83
```

esto

```
Sir     4:10    8:12 13    12:11    22:13    32:1
        40:28
```

ABar	36:10
Tb	7:10 11 14:9a

esse   ܗܘܐ

Su	10 11 14
Jdt	12:16
Sir	7:6 46:1
4Mc	7:8
1Esr	1:16 30 4:17 6:33 7:8

part.act.sg.m., 3.sg.m.perf.   ܗܘܐ ܗܘܐ

ABar	19:8 21:17 63:7
4Esr	9:35
1Mc	10:30 11:35
2Mc	3:4 5:15 8:20 10:32 14:3
3Mc	1:4 2:33 4:1

part.act.sg.fem., 3.sg.fem.perf.   ܗܘܬ ܗܘܬ

2Mc	4:19

part.act.pl.m., 3.pl.m.perf.   ܗܘܘ ܗܘܘ

4Esr	11:11
1Mc	6:18 36 7:29 11:35
2Mc	4:3 8:16
3Mc	3:8 5:2

part.act.pl.fem., 3pl.fem.perf.   ܗܘܝ ܗܘܝ

1Bar	60:2
4Esr	5:44
3Mc	4:6 7:19

mens   ܗܘܢ

2Mc	11:13
3Mc	2:24
4Mc	1:5 6 15 30 3:1
1Esr	2:8 9:41

intelligentia praeditus   ܗܘܢ

Sir	22:16

intelligentia   ܗܘܢܘܬ

4Mc	1:18 19 2:2

rhamnus   ܗܛܛܗ

EpJr	70
Sir	28:24

templum   ܗܝܟܠܐ

Sap	9:8
1Bar	3:3
2Bar	1:8
BelD	1:22
Su	5
Jdt	3:8 4:2 11 5:18 8:24
Sir	36:14 49:12 50:1 4

```
ABar    8:1    10:5
4Esr    10:21
1Mc     1:22    2:8    4:49 50 57    6:2    10:42 43
        13:53    15:9    16:20 22
2Mc     1:13 15 18 18 34    2:9 19 22    3:6 12 18
        30    4:14 32 42    5:15 20 21    6:2 4 5
        8:2    9:16    10:1 3 5    11:3 25    13:6
        11 14 23    14:4 13 31 33 33 33 35
        15:17 18 32 33
3Mc     1:7 10 10 13 16 20 29    2:28    3:17
        5:43
4Mc     4:8 11 12 20
1Esr    1:39 47 50    2:6 18 24 25    4:45 51 63
        5:43 43 52 54 55 56 64    6:17 17 18 18
        7:7    8:13 17 17 22 59 64 78 88    9:1 6
Tb      1:4    14:4a
Dn      3:53
PsS     1:8    8:13
credere
```

```
Sap     10:7    12:2 17    13:11    16:18    17:10
        18:6 13
1Bar    6:8
Su      41    59
Jdt     14:10
Sir     2:6 8 10    4:15 16    7:26    12:10
        13:11    15:15    16:3    19:15 17    34:2 5
        36:26    37:13
ABar    42:2    54:16
4Esr    3:32    5:29    7:24 83    9:7
1Mc     1:30    2:59    7:7 16    10:46    12:46
2Mc     3:12 22    7:24    10:13
3Mc     2:7 11    3:21
4Mc     5:25    7:21    8:6
1Esr    4:27
Tb      10:6b
Dn      3:27
PsS     14:1
credi
```

```
Sap     14:5
EpJr    56
Su      43b
Sir     34:8    36:16
4Esr    5:17    7:94
2Mc     3:22    12:40    15:11
4Mc     7:9
```

ܗܝܡܢܘܬܐ

fides

Sap	3:14	14:25			
Sir	1:14	2:13	19:4	25:11	27:16 17
	37:13	45:4			
ABar	51:7	54:1 1	57:2	59:10	
4Esr	5:1	6:5 28	7:34	9:7	13:23
1Mc	14:35				
4Mc	9:29	15:24	16:22	17:2	
PsS	8:35	17:45			

fidus   ܡܗܝܡܢܐ

Sap	1:2	3:9 14	16:26	
Su	23			
Jdt	12:11			
Sir	20:4	30:20	31:23	44:20
ABar	54:21	59:2		
4Esr	8:22			
1Mc	2:52	3:13	7:8	10:37 14:41
2Mc	1:2 13	11:10		
3Mc	5:31			
4Mc	7:21			
Tb	2:14	5:9	10:6b	14:4b
PsS	17:12			

laudare   ܗܠܠ

3Mc	7:13
PsAp	5:1

laudatio   ܗܠܠܐ

ABar	54:7

Halleluja   ܗܠܠܘ ܝܗ

Tb	13:13a
PsS	3:16

redire   ܗܠܟ

Sap	4:4	5:7	6:4 23	10:18	11:2
2Bar	1:18 22	3:13	4:2 13		

ambulare   ܡ ܗܠܟ

Sap	5:11	13:18	19:18 20	
EpJr	25			
2Bar	2:10 18	4:13 26	5:7 9	
Su	8	36		
Jdt	7:7	13:20		
Sir	3:17	4:17	5:14 14	6:1 9:13
	10:6 6 10	12:11	13:13	15:1 7
	24:5	39:4 4	48:22	
ABar	73:2			
4Esr	13:57			

```
1Mc     3:8 37   6:1 23 59    7:24    11:62
        13:30   15:41
2Mc     8:36   11:25 31
1Esr    4:4 24   9:51
Tb      2:2    3:5 9
PsS     13:2   14:1
```

gressus   ܗܠܟܬܐ

```
Sap     15:15
Sir     43:5
1Mc     6:41
PsS     16:9
```

evertere   ܐܗܡܝ

```
Sir     13:3   27:1
4Esr    9:9 12
2Mc     5:17   7:24
3Mc     1:27   6:15
Tb      4:3
PsS     3:4   16:1
```

neglegi   ܐܬܗܡܝ

```
1Esr    2:18
```

pignus   ὅμηρος   ܗܡܝܪܐ

```
1Mc     1:10   8:7   9:53   10:6 9   11:62
        13:16
```

utilitatem percipere   ܗܢܝ

```
Sir     34:23 25 26    37:14
ABar    17:2 3   21:14
```

jucundus   ܗܢܝܐܐ

```
4Mc     5:8   9:29   10:20
```

jucunde   ܗܢܝܐܝܬ

```
Tb      7:10 11a
```

utilitas   ܗܢܝܐ

```
Sir     15:12   17:27   20:30   30:19   38:12
4Esr    7:117
```

utilitas   ܗܢܝܐܘܬܐ ܗܢܝܢܘܬܐ

```
4Mc     1:20 22 24 25 28   2:2
```

consul   ὕπατος   ܗܘܦܛܣ ܗܘܦܛܘܣ

```
1Mc     15:15
```

vertere   ܗܦܟ

```
Sap     2:2   15:8   16:14   19:2
1Bar    6:10 11 11 12 12 13 13 14 15 16 17 18 18
        19 20 21
2Bar    1:8 13   2:8 29
Su      47   49   50
Jdt     1:16   6:4 6   7:7   15:7   16:21
```

```
Sir     4:18 19    6:12     11:31 34    26:28
        27:25    31:19    33:1 12 21    34:25 26
        39:23    40:11   46:11    51:18
ABar    3:7    6:9    10:4    14:11    21:14 14 14
        30:1    34:1    48:12 35    54:17
4Esr    7:30
1Mc     1:20    2:63    3:33 56    4:16 23 24 58
        5:8 19 28 54 68    6:4 56 62 63    7:25 35
        9:9 9 16 31 42 43 48 50 57 72    10:52 55
        66 68 87    11:7 51 54 72 74    12:24 26
        31 35 45 51    13:24    15:36    16:10
2Mc     3:35    4:46    5:18    6:9 24    7:24
        8:25 27    9:1 2    12:7    13:16 23
        15:28
3Mc     1:16 25 27    2:10    3:2    5:40    6:21
4Mc     15:19
1Esr    2:25    3:3 3    4:34    5:8    8:84
Tb      2:5    3:6 17    4:7    5:16 22    6:13
        14:5 5
PsS     5:9
```

evertere   ܢܗܦܟ

```
Sir     35:18
```

se vertere   ܢܗܦܟܝܢ ܢܗܦܟܝܢ

```
Sap     7:24    13:7    16:3 25    19:18
2Bar    3:38
BelD    1:28
Su      9
Sir     12:12    39:27
ABar    38:4    51:3
4Esr    6:26    7:82 93 121    8:28    11:31
1Mc     1:39 40    9:41
2Mc     4:16    6:29    8:5
3Mc     6:22        4Mc    11:6
Tb      2:6    4:7    14:4a
OrM     11:10b
```

vertere   ܢܗܦܟ

```
Sap     2:5    15:8    18:21 23
2Bar    2:13 20 34    3:7
Su      49b    56    62
Jdt     1:11 11 13    8:20 22
Sir     17:1 1    18:13 16    35:18 19    46:7
        48:10    51:20
ABar    44:12    66:2    68:5
1Mc     3:8    7:46    13:20
```

2Mc   4:10
3Mc   1:27   6:15
4Mc   1:33   5:8   6:3   7:3
1Esr   1:26 33
PsS   2:8   5:7   8:33   18:5
PsAp   3:7 13
perversus   ܗܘܦܟܐ
PsS   4:25   12:1
conversio   ܗܦܟܐ
Sap   7:24   8:8 16   13:2
4Esr   7:93   9:20
Tb   4:14
PsS   4:4   12:2
contrarie   ܗܦܟܐ ܝܬ
Sir   4:17
eversio   ܗܦܟܢܘܬܐ
ABar   62:1
praefectus   ὕπαρχος   ܗܦܪܟܐ   ܗܦܪܟܐ
2Mc   4:28
1Esr   6:3 7 17 26 26 28   7:1   8:64
offendere   ܗܡܝ
Sir   17:24   29:4   31:31
4Esr   11:42
1Mc   10:63   12:14
Tb   10:12b
litigatio   ܗܪܬܐ
Sir   28:8   29:7

ܩ

calamitas   ܩ ܠ
ABar   52:1
decet   ܩ ܠ ̇ܐ
Sap   12:15 19
EpJr   5:49
Jdt   10:19
Sir   20:2 6   33:28   38:16
4Mc   7:8   8:16   16:25
decus   ܩ ܠ ܬܐ ̇ܐ
Sir   31:27 28   39:17
4Mc   6:33
convenire   ܐܬܩ̇ܒܠ
Jdt   2:16   5:1
rosa   ῥόδος   ܩ̇ܒܪܐ
Sap   2:8
3Mc   7:17

                       ܩܒܪܐ ܪܒܬ   ≪≪≪   ܩܒܪܐ

ܐܒܕ

ܙܒܢ

ܐܙܒܢ

ܐܙܕܒܢ

ܙܒܘܢܐ

ܙܒܝܢܬܐ

ܡܙܒܢܢܐ

ܙܒܢܐ

ܙܒܢܐ

```
Jdt     13:5 8
Sir     8:9    13:9    16:10    18:20 22 24    19:15
        26:19    27:3    29:3 5    30:24    32:20
        33:8 23    35:20    36:8    38:13    39:33
        34    43:6 6    44:17    46:19    48:3
1Bar    1:4 5 5    4:1 1    5:2 3    6:8 9 9    12:4
        13:3 5 7 11    14:1 2 14    17:1 3    19:1
        2 5 8 8    20:1 2 6    21:8 11 19 19    22:5
        6 7    23:6    24:2    25:1 4    26:1    27:1
        14 15    28:1    29:2 4 8 8    30:1 2 3 3
        32:1 2 3 3    36:9 10    39:3 4 4 5 5 7
        40:3    41:1 5 6    42:4 5 6 6 6 8    44:7
        9 9 11 13 13    48:2 12 12 13 19 30 31 33
        36 38 38 38 50    51:7 8 9 16 16 16
        53:6    54:1 1 15    56:2 6 11    57:2
        59:2 3 4 11    61:1 2 3 7    62:3 5    63:8
        64:7    65:1    66:1 6    67:2    68:2 4 5
        70:2    71:1    72:2    73:3    74:2    76:2
        5 5    77:23 25
4Esr    3:14 23    4:37 45 46    5:12 37    6:7 21
        24 34 34    7:73 74 75 77 84 89 100 119
        8:5 11 41 43 63    9:2 6 18    10:34
        11:13 16 17 20 39 40 44    12:9 15 18 21
        21 21 23    13:20 23 26 46 52 58 58
        14:5 9 10 14 32
1Mc     2:25 49 53    4:54 59 60    6:36    8:11
        25 27    9:1 7 10 31 55 56    10:72
        11:14    12:1 10    13:5    15:34
2Mc     1:5 19    3:5    4:10 17    5:1 1 17    6:1
        13 19 21 25 26    7:9 33    8:19    9:1 23
        10:6    11:1    13:11    14:3 36    15:37
3Mc     1:11 19    4:15 17    5:40 42
4Mc     1:10    5:6    12:4    13:18 20    14:19
        15:2 8 27    18:8
1Esr    1:17 18 22 40 55    2:15    5:49 70    6:3
        8:73 76 82    9:12
Tb      1:6    3:17    4:19    14:4a 4a 5a
Dn      3:38
PsS     7:9    15:15    17:2 23
semper
Sap     11:22    19:21
1Bar    1:7    4:3    7:10    8:7    9:3
Su      64
Jdt     16:16
```

Sir   13:9   27:11   51:11
ABar   12:2 3   13:12 12   14:5   19:2   36:8
        38/1 3 4   48:23   53:6   54:8 18   62:7
1Mc   1:36   12:11
2Mc   10:13 14   13:10   14:15 15 24 30 34
3Mc   3:11 16 19 22 23 26   6:26 28
4Mc   10:1
Tb   12:6b   14:6b
OrM   15
PsS   2:40   3:3 4 8   14:5   16:4
semel   کاب
Sap   18:20
1Bar   7:2
ABar   54:17   68:4
4Esr   3:9   10:16
1Mc   2:8   15:33
1Esr   8:69
interdum   ܐܝ کاب
4Esr   5:46 47 48   11:8   13:57
tempus   ܪܒܢܬܐ
Sir   13:7   34:12
1Mc   3:30   14:29   16:2
2Mc   3:37   9:25   10:24
3Mc   2:12   3:21   6:26
cohibere   ܐܟܠ
Sir   23:12
cohiberi   ܐܬܟܠ
4Mc   1:35
justificare   ܢܗܡ
Sap   1:6   1Bar   1:5
4Mc   6:33
PsS   2:16   3:5   4:9   8:7 31
justificari   ܐܬܢܗܡ
Sir   26:27
ABar   21:9 11 12   24:1 2   51:1 3   62:7
PsS   8:27   9:3
decet   نهم
1Bar   8:9
ABar   22:6   54:8
4Esr   8:49   10:16
1Mc   10:36 42   12:11
2Mc   3:6   6:5 20 20   9:12   11:18   12:14
        15:12
3Mc   3:20   7:13 19

```
4Mc     6:34    9:6     11:5    17:8
1Esr    1:11    4:22    5:50
Tb      1:8     6:13    7:10 11b    12:1a 4
```

debitum

```
Sap     12:15   19:12
Sir     7:31    38:17
ABar    5:2     13:11   48:27
2Mc     4:17 19    6:24    9:12
1Esr    8:7
Tb      5:15    7:11b   8:7b
PsS     2:39
```

juste

```
4Mc     9:2
```

beneficium

```
Sir     3:14 30    7:10    18:21    29:12    35:2
        40:24
4Mc     18:6
Tb      12:12b
```

justus

```
Sap     2:10 12 16 18    3:1 7 10    4:7 16 17
        5:1 15    10:4 5 6 10 13 20    11:14
        12:9 19    14:7    16:17 23    18:1 7 20
        19:16
EpJr    72
1Bar    8:1 3 12
2Bar    2:9
Su      3   9    53    53b    53b
Sir     10:23    12:2 3    13:17    16:13    17:24
        18:10    20:17 21    21:16    26:23    28:22
        31:19    34:18    35:6 7    37:12    39:13
        24    44:17 23
ABar    11:4    14:12    15:2 7    30:2    44:4
        48:48    51:12    52:5    58:1    63:5
        64:2    66:2 5    69:4
4Esr    3:11    4:27 35 39    6:17 18    7:51 99
        102 111 129    8:6 16 33 39 43 44 49
        9:13 30    10:22    14:35
2Mc     1:19 24 25    4:37    8:13 36
3Mc     2:3
4Mc     2:23    15:10    16:21    18:15
Tb      3:2    4:17    13:9a 13a 13a    14:9a
OrM     1   8
Dn      3:27 86
```

PsS 2:12 18 36 38 39   3:3 4 5 7 7 8 14
     4:1 9   5:1   8:8   9:4 15   10:3 6
     12:6   13:5 6 7 8 9   14:6   15:5 8 8
     16:15   17:35
PsAp 2:11
juste   ܕܩ̈ܫܝ ܕ
Sap   12:14
2Mc   12:43
justitia   ܪܬܘܩ̈ܫ ܕ
Sap   1:1 15   2:11   5:6 18   8:7 7   9:3 11
       15:3
2Bar   1:15   2:6 12 17 18 19 19   4:13   5:2
       4 9
Su   47b   64
Sir   16:14   29:11   44:10   49:9
ABar   24:1   48:19 34 34   61:6   63:3   67:6
4Esr   5:11 11   7:35 105 114   8:12   9:31
1Mc   2:29 52   14:35
2Mc   3:1   4:34   12:45
3Mc   1:4 6 18   2:6   5:24   7:21   13:23
Tb   1:3   2:14   4:5 6   9:6b   12:8 8 9 9b
       13:6a 6a   14:2b 6b 7a 11a
PsS   1:2 3   2:16   3:3   4:28   5:20   8:7
       29 30 32   9:3 6 8 9 10   14:1   17:21
       28 31 42 45
splendidus   ܪܗܕ
4Mc   9:23 25   13:8   14:6   15:13   17:4
praeclare   ܪܗܕ ܕ
4Mc   5:24
splendere   ܪܗܕ
Sir   46:12
ABar   44:3
cavere   ܪܗܕܙܐ
Sap   1:11   4:17
EpJr   4
Sir   13:8 13   17:14   22:26   23:7   26:19
       28:26   31:17   37:31
2Mc   4:21   12:42
3Mc   5:5
splendere   ܪܗܕܙܐ
Sir   49:10
1Mc   6:39
2Mc   5:3
1Esr   8:36

135

splendor	ܢܗܝܪܐ
Sap	10:17
2Bar	4:2
ABar	59:11
4Esr	6:40 45 7:42
2Mc	12:9
illuminatus	ܢܗܝܪܐ
Sir	1:29 6:13 13:13 32:22
ABar	77:16
3Mc	3:4
illuminate	ܢܗܝܪܐܝܬ
1Bar	10:1
Tb	6:5
diligentia	ܢܗܝܪܘܬܐ
1Esr	8:51
admonitio	ܢܘܗܪܐ
ABar	59:4
2Mc	3:22
3Mc	5:5
angulus	ܢܘܟܬܐ
1Bar	3:1
Sir	22:16
ABar	6:4 8:1
matrimonio conjungi	ܐܙܕܘܓܘ
4Mc	16:9 9
jugum	ܢܝܪܐ
Sir	42:25 25
nummus	ܢܝܐ
Tb	5:15
alere	ܠܝ
Sap	16:26
4Esr	8:12
alimentum	ܣܝܒܪܬܐ
Sir	10:27 31:2
ABar	10:9 21:14
4Esr	12:51
se movere	ܠܝ
Sap	4:4
EpJr	4
Jdt	16:10
Sir	1:30 16:19 26:5 31:13 48:12
4Esr	4:1 1 6:14 14 29 10:26
1Mc	12:28 16:22
3Mc	1:17
4Mc	16:20

```
1Esr    4:36
OrM     4
se movere
```
ܐܙܝܥ ܐܙܝܗܗܝ
```
Sap     2:2     7:22    13:11
EpJr    26
Jdt     12:16
Sir     31:19   35:8    38:27
ABar    22:2    23:1    32:2    48:37   55:5
        59:3    63:2
4Esr    3:29    5:5 33  6:16    7:15    8:16
        10:31 55
1Mc     1:28    3:5     4:32    6:8 41  8:12
        9:13
2Mc     6:12    8:16
3Mc     6:17 19
4Mc     1:33
1Esr    8:69
Tb      12:16b
PsS     6:4     8:6 39  13:4    15:6
perturbare
```
```
Sap     5:11
2Bar    2:3 5
Sir     22:16   38:29
ABar    32:1
4Esr    3:18
2Mc     3:25
4Mc     14:20
movere
```
```
Sap     4:19
se movere
```
```
1Mc     10:74
motus
```
```
ABar    27:2 7  70:8 8
4Esr    3:19    6:3     9:3
1Mc     13:44
2Mc     15:29
4Mc     1:35    2:21    14:6    17:3
terror
```
```
Sap     14:15
Sir     4:17
4Esr    10:28   12:3    13:13
1Mc     3:25
2Mc     3:30    8:5     12:22   13:16   15:23
3Mc     6:13 19 20
```

splendor   ܐܙܠܓܐ

Sap   7:26   15:5
Sir   24:17
ABar   49:2   51:3 5 10
PsS   2:22

armare   ܐܙܢ

Sap   5:17 17 18
Jdt   15:13
2Mc   4:40   5:25 26   14:1 21   15:11
3Mc   1:2   5:23 26
4Mc   7:4 11   11:22

armari   ܐܬܙܝܢ

2Mc   15:20
3Mc   1:1   7:18
4Mc   13:15

arma   ܐܙܠܐ

Sap   18:21
Jdt   6:12   14:3 11
Sir   12:5
ABar   63:8
1Mc   1:35   4:7   5:43   6:2 6 38 41 43
         7:44   8:26 28   9:39   10:6 21   11:51
         12:27   13:29 29   14:32 33 42   15:7
         16:16
2Mc   3:24 25 25   5:2 3   8:18 27 31   10:27
         30   11:7 8 8   12:14   14:16 22   15:5
         21 21
3Mc   1:23   3:12
4Mc   3:12   4:10   5:1   7:11

mendacium   ܐܙܘܪܐ

Sap   15:16

falsus   ܐܙܘܠܐ

4Mc   6:17

stella volans   ܐܙܒܬܐ

Sap   5:21

torques   ܐܙܝܩ

1Esr   3:6

oliva   ܐܙܠܬܐ

Jdt   15:13
Sir   24:14   50:10
ABar   77:23

vincere   ܐܙܐ

Sap   4:2   18:22
1Bar   3:3

Sir	7:8 9:12 16:11 18:23 23:10 10 11
	31:5 34:4
ABar	70:9
4Esr	7:92 115 11:40
1Mc	6:6 11:15 72 16:23
2Mc	3:5 7:19 8:6 8 20 9:2 12:11
3Mc	1:4 6 3:14
4Mc	1:11 27 31 33 2:2 4 6 13 15 16 3:17
	5:23 25 6:10 33 35 7:4 11 18 20 22
	24 9:6 7 10:7 13:3 7 14:1 9
	16:2 14 17:15 20 24 18:4
1Esr	3:12 4:5
PsAp	3:8

purgare   أحد

Su	53
Sir	7:5 10:12 29 18:1 19:4
4Esr	4:18 7:128
1Esr	4:14

justificari   اאזدحم

Sap	5:19
Jdt	16:13
ABar	70:9
4Esr	3:21 6:28 7:115 128
1Mc	1:18 4:20 35 5:44 60 6:5 6 9:16
	10:72 11:55 16:8
2Mc	1:13 8:36 9:2 10:24 11:13
	12:11 27 37 13:19 23
3Mc	3:14 4:21 6:13
4Mc	2:9 7:25 9:30 11:20 13:2

victoria   احكمتא

Sir	1:20 17:22 34:4
1Mc	3:19
2Mc	4:47 8:33 10:28 38 15:8 21 21
3Mc	1:8 3:20
4Mc	2:18 6:32 7:3 13:5 15:29 17:12
	18:23
1Esr	3:5 9 4:59

justus   احمك

Su	46 53 59 60 62
Sir	34:21 22
ABar	64:2
1Mc	1:37 2Mc 1:8
4Mc	8:27

innocentia   احكمتא

Su	60

vincibilis   ܡܬܕܚܝܠܐ
4Mc   9:18   11:21 27

hariolus   ܕܐܘܒܐ
ABar   66:2

despicere   ܐܙܠ
Sir   10:29

exiguus   ܐܙܥܠܐ
Sir   8:14   10:19 19 31   18:33
4Esr   7:58

fulgor   ܐܙܠܩܐ
Sap   2:4
Sir   28:22   43:4
ABar   10:12   12:2
4Esr   6:2   7:42

unguenta   ܐܡܪܐ
Su   17   σμήγματα

convivium   ܐܡܠܐ
2Mc   6:4 (W)

cantare   ܐܡܪ ܐܡܪ
Jdt   16:1
2Mc   1:30   12:37
4Mc   10:21   18:15
OrM   15
PsS   3:1   6:7

cantus   ܐܡܪ̈ܬܐ
4Mc   10:21   18:15
PsS   15:5

psalmus   ܡܙܡܘܪܐ
1Mc   4:54
3Mc   6:32 35
PsS   3:2
PsAp   1:1

cantus   ܐܡܪܐ
Sir   22:6   40:21
1Mc   9:41
2Mc   6:4   15:25

cantrix   ܐܡܪܬܐ
Sir   9:4

psalmista   ܡܙܡܪ ܢܐ
1Esr   1:14   5:41 45   8:5 22   9:24

smaragdus   σμάραγδος   ܐܡܪܓܕܐ
Sir   32:6

modus   ܐܢ ܐܝܟ̈ܢܐ
Sir   23:16

						ܐܙܠ
4Mc	1:4 14	3:21 21	5:24	11:11	13:26	
	15:4					
1Esr	4:42					
scortari						ܐܙܠ
1Esr	4:12 (W)					
scortatio						ܐܙܠܘܬܐ
Sap	14:12					
Sir	10:13	23:23	26:9			
Tb	4:12	8:7				
meretrix						ܐܙܠܬܐ
EpJr	10					
Sir	9:3 6	19:2	21:3			
PsS	2:13					
clamare						ܐܙܥܩ
Su	46	50b				
1Esr	4:41	5:58	8:89	9:10 47		
aestus						ܐܙܥܐ
4Esr	4:49					
iracundus						ܐܙܥܦ
Sap	11:10					
Sir	4:30					
4Esr	4:49					
indignatio						ܐܙܥܦܘܬܐ
ABar	21:6	48:8 31				
parvus esse						ܐܙܥܪ
2Bar	2:34					
Sir	31:30					
parvum facere						ܐܙܥܪ
Sir	3:18					
parvus						ܐܙܥܪܐ
Sap	2:1	4:16	6:7	9:5	14:5	15:14
1Bar	3:5					
2Bar	1:4	2:13				
Su	45					
Jdt	13:4 13					
Sir	5:15	6:19	14:3	20:12 15 27	22:18	
	25:8	29:23	30:12	31:19	39:11	
	48:15	49:14	51:16 27 28			
ABar	16:1	17:1	56:4	70:4	77:1	
4Esr	4:33	7:47 48 51 52 57 58 59 60 139				
	8:1 3 5 62	9:16 21	10:57	11:3 11		
	20 22 23 24 25 31	11:45	12:19 40			

```
1Mc      3:16  17  18  18  29     5:45      6:40  54  57
         7:1  28  50      9:9      11:54  57      12:45
         15:10
2Mc      1:15  16     2:21    3:14      5:13      6:19  25
         8:20     10:23     14:30      15:19
4Mc      5:19
1Esr     1:51
PsS      17:21
```

parvus   ܙܥܘܪ ܗ

```
Jdt      16:16
Sir      14:9
```

breviter   ܒܙܥܘܪܘܬܐ

```
2Mc      2:31
4Mc      5:20      15:4
```

parvitas   ܙܥܘܪܘܬܐ

```
Sap      14:25
2Bar     2:29
Sir      25:19
PsS      14:4      16:11
```

pix   ܙܦܬܐ ܙܦܬܐ

```
BelD     27
Sir      13:1
Dn       3:45
```

erigere   ܙܩܦ

```
EpJr     15    26
```

horrere facere   ܙܩܦ

```
Sir      27:14
```

altus   ܙܩܝܦܐ

```
4Mc      7:5
```

palus   ܙܩܦܐ

```
4Mc      3:12
```

texere   ܙܩܪ

```
Jdt      10:21
```

stimulare   ܙܩܬ

```
4Mc      6:6      11:19
```

stimulus   ܙܩܬܐ

```
Sir      30:1
```

stimulus   ܙܩܬܐ

```
PsS      16:4
```

seminare   ܙܪܥ

```
Sir      7:3      10:19  19      26:20
ABar     10:9      22:5      32:1      70:2
4Esr     6:22  22      8:41      9:31
4Mc      10:2  2
1Esr     4:6
```

142

Tb   13:3b
seminari
4Esr   4:28 29 29 29 30 31 32   6:42   9:33
semen
Sap   3:16   4:3   7:2   10:15   12:11   14:6
1Bar   1:7
Su   56
Sir   1:15   2:18   10:19 19 19 19   26:20
        38:26   41:5 6   44:11 12 21 21 21
        45:15 20 24 25   46:9 10   47:20
        50:24
ABar   10:16   17:4   31:3   42:4 5   72:4
4Esr   3:15 17 19   4:30 31   5:35   9:34
        12:32
1Mc   5:2 62   7:14   10:30   11:34
2Mc   7:17
3Mc   6:3 4 9 13
4Mc   18:1
1Esr   8:67 85
Tb   1:1 9   4:12 12   8:6
OrM   1
Dn   3:36
PsS   7:8   9:17   17:5 8 11   18:4
semina   ܢܩܒܬܐ
4Esr   8:41 41   9:17
seminator   ܢܩܒܐ
Sir   6:19

ܬܬ

```
vis                                    ܢܐܪܗ
Sap     17:5 18
ABar    48:31
4Esr    13:9 11
1Mc     6:33
2Mc     3:25    9:7
amare                                  ܚܒܒܢ
4Mc     13:23
amare                                  ܐܟܠ
1Bar    1:3
Sir     7:21
ABar    54:14
4Esr    3:14    4:23    8:30 47
3Mc     2:10
4Mc     4:3    15:10 10
1Esr    4:25
Tb      4:13    13:10a 12a 14a    14:7a
PsS     4:29    6:9    9:16    10:4    14:1 4
amatus                                 ܣܢܝܬܐ
Sap     15:5
2Bar    3:37    4:16
Jdt     9:2 4
ABar    21:21
4Esr    6:58    7:57 104
1Mc     4:33
3Mc     5:31    6:11
4Mc     5:34
Tb      10:12a
amor                                   ܣܢܝܒܘܬܐ
4Mc     13:22
amor                                   ܚܘܒܐ
Sap     3:9    6:17 18
1Bar    1:3    8:12
Sir     11:14    29:11
4Esr    5:40
2Mc     9:21    13:24    14:24 26
3Mc     3:19 23
4Mc     2:12    13:20 22 24 26    14:13 14 18 20
        15:6 13
```

146

ܣܟܠܐ

funis
EpJr   42   43
1Mc   5:30   11:8
2Mc   8:11
PsS   2:21

ܣܚܒܠܐ

planta claviculos egens
Sir   40:16
PsAp   4:5

ܣܚܒܐ

pernicies
Sap   1:12   2:23   6:19   9:15   14:8 12 27
EpJr   11
1Bar   6:15   8:5 13
Jdt   2:27   4:1 12
Sir   51:2
ABar   31:5   40:3   42:7   44:12   48:43
           54:17
4Esr   6:28   7:48 111 113   8:31 53   10:10 28
           14:13
2Mc   7:16
3Mc   4:2
4Mc   10:20
PsS   16:1
PsAp   4:4   5:2 5

ܣܟܠܐ

perniciosus
4Esr   5:18   7:31
4Mc   11:23   18:22

ܣܟܕܐ

pernicies
1Mc   15:31
2Mc   5:13
3Mc   5:20 38
4Mc   11:23
PsS   4:7

ܣܟܠܘܬܐ

corruptio
Sap   11:20

ܣܟܠܒܐ

perniciosus
Sap   18:22 25   19:20
4Mc   9:24   18:8

ܣܟܠܒܠܘܬܐ

fragilitas
4Mc   9:22   17:12

ܣܟܠܐ

retributio
Sap   18:10
Sir   3:6   29:1   35:2 19   48:8

ܐܣܟܠ

piger esse
Sir   10:26

ܣܬܝ

premere

Sir 31:14

socius esse

4Esr 7:48

socius

Sap 14:24
Su 13 56
Jdt 8:10 10:19
Sir 5:12 7:12 9:14 12:10 14:9 15:5
      17:14 18:15 20:23 21:8 22:20 23
      26 25:18 27:17 28:7 29:1 2 2 3
      5 10 14 20 30:2 4 31:10 15 34:22
      40:23
ABar 33:1
4Esr 11:18
1Mc 9:14
2Mc 11:7 14:26 15:17
3Mc 4:13 6:6
4Mc 2:5 5
1Esr 3:5 6:3 7 26 7:1
PsS 8:11

socia

EpJr 43
Jdt 15:13
Sir 27:2 41:13

capere

Sap 17:4 16
ABar 21:23
1Mc 4:31 5:5 11:65 12:48
2Mc 1:13 13:6
4Mc 13:7
1Esr 5:69
PsAp 4:6

se includere

Sap 18:4
2Bar 3:11
2Mc 5:8
Tb 8:4a

reclusus

Sap 17:16
4Esr 6:18
2Mc 3:19
3Mc 1:18
4Mc 1:20

ܣܬܝܒܐ

ܣܬܝ

ܢܚܢ

ܣܬܚܐ

ܣܬܚܬܐ

ܣܬܒ

ܐܬܚܒܫ

ܣܬܚܒܫܐ

148

ܣܟܢܐ   ܣܝܘܬܐ

obsessio   ܣܟܢܐ
4Mc   7:4   17:24
reclusio   ܣܟܘܬܐ
1Esr   2:19

            ܣܟܘܬ ܒܢ ܒܝܢ <<< ܣܟܘܬ
perdix   ܣܠܟܐ
Sir   11:30
singuli   ܣܕܣܕ.
ABar   48:33
inter se   ܫܕܕܐ
4Mc   13:8 20 21 22 23 24   14:6   15:10
Tb   5:10
gaudere   ܣܕ,
2Bar   4:12 31 32 33 37   5:5
Su   63
Jdt   12:17 20   16:20
Sir   1:20 20 20   3:5 29   6:28   8:7   14:4
       16:1 2   18:32   19:5   23:3   25:7
       36:12   37:14   39:31   51:24 29
ABar   10:14   12:3   26:1   30:2   39:5
       63:10   67:3   75:7
4Esr   7:59 60 65 95   9:45   13:13   14:40
1Mc   3:7   10:26   11:44   14:21
2Mc   6:30   14:14   15:28
3Mc   1:8   2:17   4:16   6:32   7:13 20
4Mc   8:3   12:9
1Esr   6:7   8:9   9:54
Tb   7:1   8:16a 20b   10:12a   11:1b 15 15b
       16   13:10a 13a 14a 14a   14:7a 15a
PsS   13:7
laetficare   ܫܕ,
Sir   1:11   35:19   38:21   40:20
2Mc   15:39
1Esr   7:14   8:68
Tb   13:10a   14:15a
gaudium   ܣܝܘܬܐ
Sap   8:3 16   19:15
2Bar   2:23   3:35   4:11 22 23 24 29 34 36
       5:9
Jdt   4:12   8:6   10:4   14:9
Sir   1:12 20   2:9   6:4   15:6   26:2
       30:16 22   31:27 28 31   34:1 17   35:9
       39:18   41:9   50:14
ABar   14:13   73:2

                    149

4Esr 7:91 131
1Mc   3:2 45   4:58 59   5:54   7:48   12:3
      13:51 52
2Mc   3:30   5:6   6:4   10:6   13:16
3Mc   1:8   3:20   4:1 6 8   5:44   6:31 34 35
      36   7:15 16 19 20
4Mc   1:22   4:22
1Esr 3:19   4:63   5:53 61
Tb   2:6   7:17b   8:17a   11:17 19   13:1b 10a
PsS   4:6   8:18   10:6   11:4   16:12
laete   נחם ܟܐܒ
2Mc   2:27 28   6:19 28   7:10 11 20   11:26
      15:30
3Mc   5:21
circumdare   ܚܕܪ
Sap   8:18
1Bar 3:1
Jdt   7:19
Sir   42:11   51:4
1Mc   1:31   6:62   10:11 45   13:10 43
2Mc   14:41
3Mc   1:20   4:2
circumdari   ܐܬܚܕܪ
Sir   51:20
circumducere   ܐܚܕܪ
Jdt   1:2
1Mc   6:7
2Mc   1:31
3Mc   4:11
circumdans   ܚܕܪܐ
Su   34
Jdt   6:1
ABar 36:2   39:2   53:11
1Mc   1:11   4:7   9:45   10:84
4Mc   5:1 6   7:4   11:27
circulus   ܚܘܕܪܐ
1Esr 1:50   2:8   4:34
loca quae circumjacent   ܚܕܪܐ
Sap   13:11
2Bar 2:4 4 23
Su   4
Jdt   1:7   5:22   7:20   13:13
Sir   14:24   46:16   47:7 13
ABar 8:4   21:6   36:4   37:1

1Mc	1:37 54 3:25 4:46 5:1 10 38 57 65
	6:7 18 7:17 24 11:4 61 12:13 13
	27 33 53 14:36
2Mc	4:32 6:4
Dn	3:48

consaeptum   ܫܘܪܐ

renovare   ܚܕܬ

Sir	30:1 36:6 40:19
ABar	32:6
4Esr	3:26 7:75 12:23 25
1Mc	4:36 56 10:10 12:1 3 10 16 14:18
	22 15:17
2Mc	4:11
4Mc	2:13 18:4

renovari   ܐܬܚܕܬ

Sap	7:27
ABar	32:4 56:6 57:2
1Mc	5:1 6:9 10:44
4Mc	16:15

novus   ܚܕܬ

Sap	19:11
Jdt	16:1 3
Sir	9:10 10 10
ABar	44:12
4Esr	8:6
1Mc	4:49 53 4Mc 10:16 11:23
1Esr	6:8 24
PsS	3:1 15:5

renovatio   ܚܘܕܬ

ABar	61:2 2
1Mc	4:54 56 59 12:17
2Mc	2:9 19
1Esr	7:7

damnari   ܚܒ

| Tb | 6:13 |
| PsS | 9:8 |

superare   ܚܣܢ

Sap	1:4 2:20 11:10 12:14 20
Su	41 48b 49 53 53
Sir	7:7 8:19 9:7 13
ABar	13:11
4Esr	5:30 10:11
1Mc	13:15 2Mc 4:47

4Mc	16:19
OrM	1:13
PsS	4:3

condemnari   ܐܬܟܢܒ

Sap	3:4	12:15	14:10
EpJr	17		
1Bar	8:11		
Sir	9:5		
ABar	51:1		
4Esr	7:11		
1Mc	10:41		
4Mc	2:8		

damnatus   ܣܒܝܢܪ

Sap	17:11				
EpJr	17				
Sir	10:29	19:4			
4Esr	4:18				
1Mc	14:45				
2Mc	3:38	7:29	8:34	12:35	13:4 7
3Mc	3:16 24	7:5			
PsS	4:3				

debitum   ܣܘܒܬܐ

Sap	15:8	
1Mc	10:43	15:8
1Esr	3:19	

scelera   ܣܘܒܟܪ

Sir	3:3 11 14	5:4	6:1	9:7	10:12
	11:30	13:24	17:20 23	23:2 3 10 11
	26
OrM	9
Dn	3:28 37

inferior   ܢܒܬܪ

Su	53	
Sir	9:9	
ABar	5:1	
4Esr	10:9	
1Mc	10:43	13:39

condemnatio   ܢܒܬܘܬܐ

Sap	14:31	
1Bar	6:20	
2Bar	3:8	
BelD	11	12

damnatio   ܢܒܬܐ

ABar	73:4
2Mc	6:13 16

observare ܥܕ

4Mc   3:12

alacriter ܥܕ ܟܘܙ ܬ

Tb   7:8

serpens ܟܘ ܟܘܚܬ

Sap   16:5 5

Sir   12:13   25:15   39:30

ABar   48:42

PsS   4:11

demonstrare ܚܘܐ ,

Sap   5:13   10:10 14   11:8   12:13 17   14:4
        18:3 18   16:4   18:3 18

EpJr   1   3   25   58   66

1Bar   4:4 4   6:7

2Bar   5:3

BelD   9   21

Su   43b   50b   51

Jdt   10:13 16   11:17   13:15   14:8

Sir   16:25   17:8   18:1   19:30   20:27
        33:15   37:13   39:28   44:3   45:3
        46:20   49:8

ABar   4:3 4 5 5   10:3   11:6   20:4   21:21
        25   42:1   50:3   54:6   59:4 5

4Esr   3:14   4:3 4 4 47   5:37 37   7:48 104
        10:50 52 59   13:14 19 50 56   14:5 8

1Mc   4:26   6:34 38   7:3 33   11:4   12:6
        16:1

2Mc   2:1 32   9:8   12:41   14:46   15:10 32

3Mc   2:6   3:19 19   4:20   5:8 13   6:8 39

4Mc   1:1 7 8 9   3:19   4:14   6:35   11:2
        13:10   14:18   16:1   17:2

1Esr   1:32 35 44   2:3 20   8:23

Tb   1:19   4:2 20   5:11   9:5b   10:8b
        12:6a   13:4a 6a

OrM   14

PsS   2:30   8:30   12:2

PsAp   1:3   2:4

demonstrari ܐܬܚܘܝ ,

Sap   4:2   6:12

Sir   3:23

ABar   43:2   48:34   51:11

4Esr   7:97

1Esr   1:41

denuntiator ܩܘܕܡ ܟܠܐ

2Mc   4:1

153

exemplum
```
Sap     19:17
Sir     43:6
2Mc     6:28 31
4Mc     6:19
```
miserari   ܐܘ
```
Sap     1:11    2:10    11:27    12:8 16
Jdt     2:11    13:20
Sir     13:12   16:8    23:2
ABar    13:9    34:1    77:4
4Esr    3:30    8:45    9:21
1Mc     2:21    9:10    13:5 5
4Mc     5:12 33   6:12 24   8:9 9 18   9:3
        12:6
1Esr    1:48 50
Tb      12:2b
PsS     2:25    5:16    13:1 9    17:4
PsAp    2:16    4:4
```
misericordia   ܪܘܚܡ
```
Sap     12:18
2Mc     5:12
4Mc     6:24    12:2
PsS     5:15
```
videre   ܝܘ
```
Sap     8:12    13:1    14:30
1Bar    5:4     6:5
2Bar    2:16 16   4:36    5:5
BelD    19
Su      9
Jdt     6:19 19   10:14    13:4
Sir     6:21    7:9     9:8    11:30
ABar    21:8    28:5    48:19    52:6    53:1    63:5
        64:3    77:16
4Esr    5:32 54   7:37    8:24 26 27 29    9:45
        11:36 44   13:3    14:26
1Mc     2:68    7:11    10:61
2Mc     1:27    4:5     7:16 25 28    8:2 11 17
        12:45    15:8
3Mc     2:2     3:10 11 22 22    5:30 47    6:3 12
4Mc     1:1     9:30    15:18 19    17:10 23
1Esr    4:19 31 33
Tb      2:10    3:15    4:12 14    11:5a 13b
OrM     10a
```

ܚܘܪ

ܚܘܪ

intelligere
2Mc   5:6 17   7:4
Tb   11:5b 11b
PsS   3:6

ܚܘܪܐ

visus
3Mc   6:9
4Mc   15:18 19

ܚܘܪܐ

adspectus
2Mc   5:17   3Mc   1:27

ܚܘܪܐ

albus
Sap   4:9
Sir   22:18   30:24
ABar   53:1
2Mc   11:8
4Mc   5:6

ܚܘܪܘܪܐ

albugo in oculis
Tb   2:10   3:17   6:9   11:4b 8a 13

ܚܙܐ

videre
Sap   2:14 17   4:15 17 18   5:2 2   12:27
           15:15   16:7 18   17:6 6 15   18:1 15
           19:11
EpJr   3   5   18   40
1Bar   5:3 5
2Bar   2:16 17   3:20   4:9 10 24 24 25 36
           5:5
BelD   6   14   18   20   27   30   35   40
Su   8   12   15   18   20   26   26   32
           33   34   38   43   50   54   58
Jdt   4:13   6:5 9 12   7:4 27   9:9   10:4 7
           10   11:16   12:16   14:5 6 10 12
Sir   1:9   2:10   6:34 36   13:7   14:7 12
           15:7 19   16:5 21   17:13   22:2   23:18
           18 19   25:7   29:23   30:5 20   31:14
           34:11   37:7 9 24 27   40:7   41:15
           42:25   43:2   45:19   48:11 24 25
           49:8   51:27
ABar   1:2   3:1 2 3   5:3   6:4 7   10:7   13:5
           14:3 3 19   21:5 21   22:1   24:2   28:3
           29:6   30:4   32:8   33:2   36:1 7   37:1
           39:1 2 8   41:3 4   44:4 5 7   51:5 6 8 8
           53:1 2 4 5 5 8 8 11   55:5 8   56:1 3 5 8
           57:1 3   58:1   59:1 12   60:1 2   61:1 8
           62:1 8   63:1 4 11   64:1 5   65:2   66:1
           8   67:1   68:1 8   69:1 3 4   71:2
           77:2 8

4Esr   3:2 29 29 30 33   4:26 31 43 48 48 50
        5:2 3 3 4 35 37 37 54   6:20 25 26 32
        7:5 18 27 37 38 42 47 57 83 85 86 87 91
        93 94 95 96 98 100 101   8:17   9:1 8 20
        21 38 45   10:3 6 21 22 27 29 32 32 35
        36 39 44 44 49 50 55   11:1 2 3 5 6 7 10
        12 13 13 18 20 22 24 25 26 28 29 33 35
        36 36 37   12:1 3 8 10 11 16 17 19 22 26
        29 31 31 35 37 40   13:1 3 3 3 5 6 7 8 9
        9 11 12 19 20 24 25 27 32 34 36 39 47 51
        52 53   14:8 15 17 39

1Mc   2:6 7 24   3:17 29 42 59   4:7 12 20 21
        21 30 35 38   5:19 30 31   6:43 47 62
        7:7 11 23 25 28 30 44   8:6 7   9:14 16
        39 57 72   10:56 64 72   11:38 39 49 73
        12:1 29 42 51   13:2 3 54   14:35
        15:12 32 36   16:6 6

2Mc   2:2 4 24   3:14 16 21   4:4 6 14 40 41
        45   6:9   7:6 17 20 24 28   8:3 8 14 17
        9:2 2 23 25   10:13 30   11:26   12:42
        13:18   14:3 8 20 21 22 26 30 32 41 44
        15:11 12 12 12 21

3Mc   1:10 22 27 27   2:8 21 23 26   3:8 8
        4:4 5 8 11   5:13 14 25 27 34 39 47 48 49
        6:17 23 24

4Mc   4:24   5:5   6:24   8:3 14   10:8   12:3
        4   13:26   14:9 9   15:14 15 20 20 24
        25   16:1 3 9 20   17:7

1Esr   4:18 24 29   5:60

Tb   1:17   2:2   3:9   4:4   5:21   8:12 13b
        10:7 7b 11b 12a   11:4b 6b 8a 9 9b 13
        14b 14b 15a 16a 16a   12:1 19 21a
        13:6a 14a   14:2a 10a 11a 15b 15b

OrM   9b   10

Dn   3:54

PsS   2:24 36   4:14   11:3   17:23 23 34 35
        50   18:2 7

PsAp   3:20

videri

Sap   6:12 16   8:15   13:1 5 7   14:7   17:16
        19   19:7

EpJr   50   68

2Bar   3:22 38

BelD   6

Jdt   13:13

Sir	14:12	16:15 16 19	19:26	26:26
	35:4	50:5		
ABar	21:23	30:2	48:2 38	51:7 8 11
	53:1	61:6	63:8	73:1	76:3
4Esr	3:33 34	4:4	5:4 8	6:3 28 40	7:26
	26 36 77 123	8:54	9:3	10:27 27 40
	42 42 54	12:11	13:11	14:35
1Mc	4:6 20	6:43	9:23 27	13:29	15:9
2Mc	2:8 25	3:24 25 25 28 36	5:2	7:22
	9:5	10:29	11:8	12:9 22	15:13 35
3Mc	2:30	3:4 5	6:18
4Mc	1:3 4 30 32	2:4 15	3:1	4:10 23
	5:6 9	7:20	11:16
1Esr	2:18	3:5
Tb	12:19a 21a
PsS	4:5	8:31	9:16

visus   ܣܠܘ ܐ

Sap	11:20	15:4 19	17:6
Su	31
Jdt	8:7	11:23
Sir	7:19	19:29 30	34:2 3	37:23	40:6
	49:8
ABar	36:1	38:3	39:1	40:4	53:1	56:1
	71:2	76:1
4Esr	5:4	6:44	8:23	10:25 25 37 59	11:1
	12:8 10 11 35	13:1 3 15 19 21 25 53
	14:17
1Mc	6:38
2Mc	3:16 26 27	6:18	7:22	15:11 12 12
3Mc	2:5
1Esr	4:18
Tb	12:19a

visus   ܣܠ ܐ

EpJr	36
Su	32
ABar	51:5
4Esr	10:55
1Mc	13:27
2Mc	3:16 17	4:18	5:26	15:13
3Mc	5:24 46
4Mc	8:3 14	18:8
PsS	6:4	10:4

spectator   ܣܝ ܝܡܐ

2Mc   4:19

4Mc   17:7 14

Tb   14:2a

visio   ܣܝ ܘ ܝܐ

Sap   18:17

1Bar   4:4

ABar   51:5   54:6   55:3

4Esr   14:8

speculum   ܣܝܡ ܝܡܬܐ

Sap   7:26

cingere   ܣܝܡ

Jdt   4:12   10:5

2Mc   5:2 3   15:11

3Mc   7:10

1Esr   4:23

Tb   14:3a

cingere   ܣܝܡ

1Mc   4:7   6:37 43

2Mc   3:25   12:13   13:2

3Mc   5:26

Tb   6:6

PsS   17:24

se cingere   ܣܝܡܬܐ

1Mc   3:3 58

2Mc   8:5 21   12:27   14:16 22 31

sus   ܣܝ ܝܐ

Sir   22:13   33:5

1Mc   1:47

2Mc   6:18   7:1

4Mc   5:2   6:15

triticum   ܣܝ ܢܬ ܝܬܐ

Jdt   2:27

Sir   39:26

1Mc   8:26

1Esr   6:29   8:20

peccare   ܣܝܐ

EpJr   1   13

1Bar   2:2   8:2

2Bar   1:13 17   2:5 12 33   3:2 4 7

Su   23

Jdt   5:17   11:10

```
Sir    5:4    7:8 36    8:5    13:3 3    15:11 20
       16:21    17:25    18:21 23    19:16 24 28
       21:27    23:18    25:25    27:1    28:6
       37:12    38:15    40:12    47:23
ABar   1:3 3    4:3    13:9    14:2    15:1    19:3
       21:9 11 12    23:4    24:1 2    48:46
       54:15 22    55:2    61:2 7    77:9 10 10
4Esr   3:25 35    7:46 87 106 116 118 134    8:31
       35    9:36    12:41
1Mc    8:26 28
2Mc    7:17    10:4
3Mc    2:10
4Mc    4:12
1Esr   1:22    6:14    8:89 91
Tb     3:3    4:5    12:10a
OrM    7b    8    9b    12    12
Dn     3:29 29
PsS    3:9    5:8 19    9:14 15 15 16    16:11
```

in peccatum inducere

```
Sir    47:23
```

peccatum

```
Sap    1:4    10:13    14:31
Sir    7:3    10:13
1Mc    1:10
2Mc    12:42
1Esr   8:73
Tb     4:21    12:9a
PsS    3:7 7    10:1    16:7    17:22 29
```

peccator

```
Sap    4:10    12:11 11    14:31    15:17    17:2
       19:12
Sir    11:24    13:26    15:7    16:1    29:19
       34:19    35:18    40:15    41:5
ABar   55:2
4Esr   3:30    6:5
1Mc    1:34
Tb     4:17    13:6 6a
OrM    5    7    8
PsS    1:1    4:2 3    12:8    13:2 10    14:4
       15:7 11 13 13 15    16:2 5    17:6 27 41
```

peccatum

```
Sap    5:7    17:3
EpJr   1
1Bar   6:2    7:10    9:15
2Bar   1:10    4:12
```

```
Su      52
Jdt     5:20    7:28    11:11 17    13:16
Sir     3:15 27 27 30    4:21 26    5:4 5 5    7:8
        8:5    10:6 8    13:24    16:9 11 12
        17:20    18:22 22 23 24    19:7 23 23 24
        20:21    21:2    23:3 11 12 24    25:19 24
        26:29    27:1 2 11    28:1 2 5 8    29:19
        19    34:8 26    38:10 21    39:5    46:20
        47:11 24    48:16 16    49:3
ABar    9:1    24:1    58:1    60:2    62:5
4Esr    4:39    7:68
1Mc     13:39
2Mc     2:11    5:17 18    6:14    7:32    8:4
        12:42 46
3Mc     2:13 19    6:10
4Mc     5:19    11:3    17:22
1Esr    7:8    8:72 74 83 83 83    9:7
Tb      3:3 5    13:5b
OrM     7    9    10b    12    13
Dn      3:28 37
PsS     1:7    2:7 17 18    3:8 12 12    8:14
        9:12 14    14:4    15:13    16:8    17:6 10
        21
PsAp    3:8 12
```

rapere   ܣܪܩ

```
Jdt     10:2    16:9
Sir     11:30
4Esr    11:42
1Mc     7:29
1Esr    4:24
PsS     8:12
```

rapi   ܣܪܩܘܬܐ

```
Sap     4:11
2Bar    4:26
Sir     48:9
ABar    15:2
4Esr    10:22 22    14:48
4Mc     5:4
Tb      1:20
```

rapax   ܣܪܘܩܐ

```
Sir     4:19    13:14
```

rapina   ܣܪܩܘܬܐ

```
1Bar    6:18
Sir     10:7    35:12
ABar    27:10
```

1Mc   13:34
Tb   3:4
PsS   2:28
baculus
Sap   10:14
BelD   26
Sir   1:18   28:17
2Mc   4:41
Tb   5:18
vivere
Sap   4:16   5:15   9:18   12:23   14:5 12 28
        16:7   17:2   18:2
2Bar   1:12
Su   62
Jdt   7:27
Sir   3:1   15:15   18:9   23:12   40:29
        48:11 11
ABar   10:7   14:2   17:2 3 4   41:1   50:3
        64:9   66:3 4   72:3   76:5
4Esr   4:26   6:21 25   7:21 60 67 67 82 109
        122 129 137 138   8:6 13 43   9:7
        13:48   14:22
1Mc   2:13 33   4:35
2Mc   3:38   6:19
4Mc   2:16   4:12 14   5:6   6:15 20   8:25
        10:1   12:6
Tb   3:6 15   5:21   14:2b 2b
PsS   14:2   15:15
vivere facere
Sap   10:4   13:18   14:4
Su   59
Jdt   10:15
Sir   40:28   48:5 14
ABar   45:2   49:2   72:2
4Esr   5:45 45   8:8 8   9:21
3Mc   6:8
4Mc   15:3 27   18:18
PsS   16:4
vivus
1Bar   7:1
2Bar   4:20 22 35
BelD   5   6
Jdt   2:12   11:3 6 7 7   12:4   13:16
Sir   17:27   25:7   30:14 17   33:20   42:23

```
ABar    11:7    21:9 9    23:4 4    40:1    44:12
        48:50    49:2    50:3    66:4
4Esr    3:5    4:12 51    5:45    7:117 126 129
        8:3 25 41    9:13    12:33    14:35
1Mc     1:6    6:55    8:7    14:2
2Mc     1:25    7:5    9:9    10:36    12:24 25 35
        14:10 45    15:4
3Mc     5:2            4Mc    6:18    16:25    18:17 19
Tb      5:3    8:12a 14a    12:6a    13:1 4a
PsS     4:7    8:15    PsAp    3:8
```

vivi, vita

```
Sap     1:13 14    3:4    4:1    6:24 25    8:17
        11:7    13:11 18    15:11 13    16:6 13
        18:7 12 23 23
1Bar    8:10            2Bar    1:11 11    3:14 14 14    4:1
BelD    24
Jdt     10:4 13    11:3    12:18    16:22
Sir     1:12 18 20 20 20 20    3:1 12 13    4:1 12
        6:16    10:10    11:14    15:17 17    16:3
        30    17:10    20:8    21:13 14    22:11 12
        23:1 4 15    25:2    26:1 2 26 27    29:21
        22 24    30:5 15 17 22 22    31:27 30
        33:14 19    34:17 21    35:3    37:18 26 27
        31    38:14 17 19    39:1 8 26    40:1
        44:23    45:5 16    48:14 23 41    51:3 15
        54:12    57:2    66:5
ABar    14:5    19:1    21:13    23:5    29:1    38:2
        42:5 7    46:3    48:41    51:3 15    54:12
        57:2    66:5
4Esr    3:5    4:24 52    7:14 48 66 87 92 94 98
        129 129    8:5 39 52 54 60    9:10    12:42
        13:55    14:13 30 34
1Mc     9:71
2Mc     3:29 31 32 33 35    6:20 25 26    7:9 9 14
        14 22 23 36    12:25    14:46
3Mc     2:32    5:32    7:6
4Mc     1:16    6:18 20    7:7 15    8:22    9:4
        10:15    13:23    15:2 3 8 19 26    16:18
        17:12    18:9 17
1Esr    1:29    5:70    6:30
Tb      1:3    4:3 5    6:15    8:17    10:12b
        11:1b    12:9 10a    14:2b 3a
OrM     7    15
PsS     3:11 16 16    4:7 17    9:8    13:9    14:1
        2 6    15:9    17:2    PsAp    5:5
```

162

obstetrix
ABar   21:6   51:11
animal
Sap   7:20   11:15 15 19   12:9 24   13:10 14
        14:15   15:18 19   16:18   17:19 19
        19:10 20
EpJr   67
2Bar   3:16
Jdt   11:7
Sir   17:4   39:30
ABar   39:6   73:6
4Esr   5:8   6:47 49 53   7:65   8:30   11:39
        40
1Mc   11:56
2Mc   5:27   9:15   10:6   11:9   12:15
3Mc   4:9   6:25 34
4Mc   1:34   5:7   9:28   12:13   14:14 18
Dn   3:81
PsS   4:21   5:11   13:3
PsAp   4:5   5:4
vivificus   ܣܝܒܐ
Sap   16:7
corroborare   ܣܢܝ
Su   60b
Jdt   13:7
ABar   77:12
4Esr   5:15   10:30
1Mc   14:14
2Mc   8:16   15:9 17
3Mc   1:7
4Mc   15:23
1Esr   7:15
PsS   16:12 13   17:44
fortis esse   ܐܣܝܢ
Sap   14:16   15:14   16:3
ABar   36:5 8
4Esr   6:3   11:32 40   12:6 8
1Mc   1:62   2:64   14:26
2Mc   8:21   11:9   15:17
3Mc   2:32
1Esr   5:49   8:91
vis   ܣܝܘܬܐ ܣܝܒ
Sap   1:3   2:11   5:23   7:20 25   10:2
        11:19 19   12:15 16 17 17 18 18   13:4
        14:21 31   16:7 23   18:22   19:19 19

EpJr   62
1Bar   3:3   5:5 9   6:7
2Bar   1:9 12   2:11   3:14
Jdt   1:4 13 13 16 16   2:7 7 14 14 19 22
        3:6 10   4:1 15   5:1 3 3 23 24   6:1 2
        6   7:1 2 6 9 12 18 22 26   9:7 8 11 14
        10:13   11:7 18   13:4 11 15 19   14:3 9
        16:3 13
Sir   5:2 3   6:2 26   9:14   11:9   12:15
        17:32   19:28   21:8   24:2   26:19
        29:20   38:5   39:28   40:26   41:1 2
        44:6   46:1
ABar   6:1 3   8:4   14:12   20:4   21:6 14 20
        22:1   48:8 17 37   51:11   59:11
4Esr   5:53   6:3   7:112   8:21 36   9:6
        10:15   12:5
1Mc   1:4 17 20 29   2:31 42 44 46 66   3:10
        13 17 19 19 20 27 28 34 35 35 37 40 41
        42 58   4:3 4 9 16 18 31 32 35 61   5:18
        32 38 40 40 41 50 56 58   6:6 6 27 28 29
        30 33 37 41 45 47 56 57   7:2 4 10 11 14
        27 29 29 38 39 41   8:1 6   9:1 11 11
        34 43 52 60 63 66   10:2 6 8 21 36 36 48
        65 68 71 71 73 73 77 77 82 82   11:1 3
        15 20 38 38 39 40 43 55 60 63 70   12:24
        24 42 43 45 46 49 51   13:1 11 12 44 54
        14:1 1 32   15:3 10 12 38 41   16:5 18
2Mc   1:13   3:24 24 26 28 28 35 36 38   4:12
        5:21 26   6:28 31   8:9 12 18 18 20 21
        24 24 35 35   9:2 2 2 8 9   10:7 17 24
        28 30   11:2 4   12:18 18 20 20 27 28
        35 38   13:2 13 13 14 17   14:1 22 31
        15:21
3Mc   1:1 2 4   2:2 3 4 6   3:6 7 11   4:11
        17 21   5:7 13 29 44 47 51   6:4 5 8 12
        13 16 17 19 21   7:9
4Mc   3:9   4:6 10 11   5:1 20   7:13   9:5
        11:27   14:10   18:6
1Esr   3:16   4:10 40
Tb   13:6a   14:6b
OrM   4   15
Dn   3:44 61
PsS   15:4   17:24 38 43
PsAp   3:16

ܣܠܛ <<< ܕܢ ܣܠܛ ܗ <<< ܚܬܪ ܣܠܛ <<< ܣܠܛ

ܣܠܛܐ

potens
Sap	6:6 8	7:23	8:11	10:12
EpJr	57			
1Bar	4:4	5:5	7:1 6 7 10	8:2 3
2Bar	3:1 4			
Jdt	4:13	7:7	8:13	9:11 11:8 14:2
	15:10	16:5 6 13 17		
Sir	1:20	26:2		
ABar	2:2	6:8	7:1	13:2 4 21:3 25:4
	32:1 6	34:1	44:3 6	46:1 4 47:1
	48:1 38	49:1	54:1 11	55:6 56:2 3
	59:3	61:6	63:3 5 6 8 10	64:3 4
	65:1	66:1 5 6	67:2	70:2 5 77:11 26
4Esr	6:32	7:112	9:45	10:22 24 11:43
	12:47	13:23		
1Mc	3:38	4:3	9:11 21	10:18 11:44
	16:3			
2Mc	1:24	6:23	9:5	10:24 12:15 35 36
	13:15	15:3 4 5 23		
3Mc	1:2 9 16	5:25	6:4	7:22 8:52
4Mc	3:12	8:2	16:14	
1Esr	2:23	3:5 10 11 12 17 23	4:2 3 12 14	
	32 34 35 38 41 49	6:13		
PsS	2:33			

vehementer   ܣܠܛܐܝܬ
Sap	6:6	10:5		
2Mc	6:27	8:17	10:17	12:27 14:43
4Mc	15:31			

potentia   ܣܠܛܘܬܐ
Sap	11:18
1Bar	6:11
1Mc	9:22
2Mc	15:11
1Esr	4:1
OrM	4b

cognoscere   ܣܟܡ
Jdt	16:22
Sir	15:19 50:28

sapientem facere   ܣܟܡ
Sir	18:13
ABar	48:9
4Mc	1:12

sapiens fieri   ܐܬܚܟܡ

Sir   2:2   6:32 33   12:8   18:29   32:4 16
        38:2 24 25 31   39:6

ABar   28:1

sapientia   ܚܟܡܬܐ

Sap   1:4 6   3:11   6:9 12 15 20 21 22 23
        7:7 10 12 15 16 21 24 26 28 30   8:5 7
        16 17   9:2 4 9 17 18   10:4 8 9 21
        14:2 3 5

2Bar   3:9 12 14 20 23 27 28 31 37

Jdt   8:29 32   11:8 20

Sir   1:1 4 6 13 16 17 18   4:11 23 24   6:18
        20   9:1 17   10:3 30   11:1 14   14:20
        15:3 9 18   16:25   17:3 7   18:28 29
        19:20 21   20:27 30 31   21:14 18 21
        22:6 11   23:15   24:1 25 28 29   25:3
        5   27:11   32:16 18   33:8 11   34:8
        10   38:6 8 24 24 33   39:1 3 8 9 10
        40:18   42:20 21   44:4   45:26   47:14
        17 23   50:23   51:25

ABar   14:9   38:2 4   44:14   48:24 36   51:3
        4 7   54:13   59:7   61:4   77:16

4Esr   5:9   8:52   13:55   14:40

2Mc   2:9

3Mc   2:1

4Mc   1:15 16 18   7:9   8:14 14   13:7

1Esr   3:7   4:59 60   8:23

PsS   4:11   17:31 40

PsAp   2:5

sapiens   ܚܟܝܡܐ

Sap   3:12   6:24 24   7:15 22 22

Jdt   8:7

Sir   3:29 29 29   6:34 35 36   7:21 25   8:8
        9:14 17   10:1 1 25   15:10   18:27 28
        29   20:1 5 7 27   21:7 13 15 15 17 20
        22 24 25 26 27   22:17   26:26   27:11
        12   29:28   32:18   34:9   36:19 20
        37:19 20 22 22 22 23 23 24 26   38:4 33
        39:7   40:19   44:3   47:14   50:27

ABar   46:4 5   48:33   63:5   66:2   70:5

4Esr   7:19   12:38   14:13 26 46 47

4Mc   2:19   7:17 23   13:18

1Esr   3:5 9   4:42   5:6

PsS   8:22   17:42

ܚܟܝܡܐܝܬ

sapienter
Sap   9:11
4Mc   5:6

profanare   ܐܚܠ

pulvis   ܚܠܐ
Sap   5:14
EpJr   12   16
Jdt   2:20
Sir   1:2   25:20   44:21
ABar   35:5   36:10
4Esr   4:17   13:11
1Mc   11:1
3Mc   5:48
OrM   9
Dn   3:36

dulcis esse   ܚܠܝ
Sir   38:5

lac   ܚܠܒܐ
2Bar   1:20
Sir   39:26   46:8 16
4Esr   8:10
3Mc   3:27   5:49
4Mc   13:20   16:7

galbanum   χαλβάνη   ܚܠܒܢܝܬܐ
Sir   24:15

serpere   ܚܠܕ
ABar   39:6

miscere   ܚܠܛ
4Esr   7:76
2Mc   13:3

miscere   ܢܚܠܛ
Sap   14:24
ABar   27:14   53:7
3Mc   5:10

se miscere   ܐܬܚܠܛ
Sir   23:12   28:19
ABar   36:10   42:4 5   48:23   56:12
4Esr   13:10
1Mc   1:15
4Mc   7:6   8:7
1Esr   8:67 84
PsS   8:10

167

ܣܠܒܟܐ   ܣܠܐ ܢܝ ܐܠܐ

mixtus   ܣܠܒܟܐ
Sir   49:1
PsS   17:17
mixtio   ܣܘܠܒܟܐ
2Mc   14:3
PsS   2:15
commixtio   ܣܘܠܒܟܐ
2Mc   14:38
dulcis   ܣܠܝܐ
Sap   17:18
Sir   24:20
4Esr   5:9   6:44
4Mc   8:22
1Esr   9:51
dulcitas   ܣܠܝܘܬܐ
Sap   16:20 21   17:18
1Bar   6:20
ABar   10:9
somniare   ܣܠܡ
PsAp   3:18
somnium   ܣܠܡܐ
Sap   18:17 19
Sir   34:1 3 5 7
4Esr   10:36
4Mc   6:5
sanare   ܐܣܠܡ
Sap   13:17
tb   12:3a
sanus   ܣܠܝܡܐ
2Mc   11:28 33
3Mc   2:7   3:13   7:2 9
4Mc   11:14
Tb   5:14 16 21 22   7:1   10:6 11b   11:16b
          17a   12:3a
integritas   ܣܠܝܡܘܬܐ
Sap   7:10   16:24
Sir   31:20
sanatio   ܣܘܠܡܢܐ
1Bar   6:10
Sir   38:13
2Mc   1:10   9:19   11:28
3Mc   3:12   7:1
Tb   8:17a 21a
permutare   ܣܠܦ ܢܝ ܣܠܦ
Sap   4:11   14:26   16:16

ܐܬܚܠܦ   ܐܬܚܠܦܝ

Sir   7:18 19
ABar   49:3   50:2   51:15
1Esr   1:29
Tb   5:19   ܐܬܚܠܦ
se mutare
Sap   12:10   15:4
ABar   21:15   44:7   48:8   51:1 5 10
4Esr   5:5   6:16 26   8:22
permutare   ܚܠܦ
Sap   2:15   19:17
Sir   7:14   43:8
1Mc   1:49
2Mc   14:30
4Mc   4:19   7:4   8:7   15:11 12 18   17:7
1Esr   3:19   7:15
se mutare   ܐܬܚܠܦܪ
Sir   10:8   22:21 21   27:11   43:10
1Mc   1:26   11:12 53   15:28
2Mc   14:28 30 30
3Mc   5:33
4Mc   6:5 18 24   7:12   9:22   15:14
mutatio   ܚܠܘܦܐ
Sap   7:18
Jdt   10:7
Sir   43:8   ABar   51:3
2Mc   3:16
4Mc   15:24
1Esr   4:39
PsS   17:8
progenies   ܚܠܘ
Sir   40:15
compensatio   ܚܠܬܐ
Sir   44:17
mutatio   ܚܘܠܦܐ
1Bar   8:12   48:38   59:11
permutatio   ܚܘܠܦܐ
Tb   5:19
compluries   ܒܚܘܠܦ̈ܐ
4Mc   16:3
rapere   ܚܛܦ
2Mc   4:42   9:2   13:6
spoliari   ܐܬܚܛܦ
2Mc   3:12

169

ܐܣܚܡܦ　　　　　　　　　　　　　ܣܠܝܚ܃

fortis　　　　　　　　　　　　　　ܣܠܝܚ܃
4Mc　　6:10
forte　　　　　　　　　　　　　ܣܠܝܚ܃ ܐ ܬܗ
4Mc　　9:22　　13:12　　15:32
fortitudo　　　　　　　　　ܣܠܝܚ܃ ܐ ܗܬ
4Mc　　1:8　　17:2
debilis　　　　　　　　　　　　ܣܠܝܟ
Su　　59
4Mc　　6:21　　16:6
socer　　　　　　　　　ܣܡܝ ܐ　ܣܡܝ ܚܒܡܐ
1Mc　　11:2
Tb　　10:8a 12　　14:12 13

　　　　　　　　ܣܡܝ　<<<　ܒܬ ܣܡܝ ܐ
socer　　　　　　　　　　　　　ܣܡܝܢ ܐ
Tb　　11:1a
socrus　　　　　　　　　　　　　ܣܡܝܬ ܐ
Tb　　10:12b　　11:1b
calor　　　　　　　　　　　　　　ܣܡܩ ܐ
Sap　　2:4　　16:27　　18:3
Su　　15
Jdt　　8:3
Sir　　3:15　　43:3
4Esr　　7:41
Dn　　3:66 69
calidus　　　　　　　　　　　ܣܡܝܩ ܐ
4Mc　　10:14　　18:20
marcescere　　　　　　　　　　ܣܡܩ ܐ
Sap　　2:8
1Bar　　5:7　　6:12
ABar　　37:1　　56:6
4Esr　　7:87 123
arefacere　　　　　　　　　　ܐܣܡܩ
4Mc　　11:19
colligere　　　　　　　　　　ܣܢܟܠ
Sir　　6:19
condere　　　　　　　　　　　ܣܢܬܠ
1Mc　　7:46
firmiter tenere　　　　　　ܣܢܣܡܦ
2Bar　　4:1 2
4Mc　　14:11
Tb　　5:7
corroborare　　　　　　　　ܐܣܢܣܡܦ
2Bar　　3:21
Tb　　11:11b

constantia   ܪܚܐܩܠܠܝܘܣ
4Mc   9:26   15:30   17:17 23
constantia   ܟܠܝܘܪܢ
4Mc   6:13   8:25   11:12   15:28   16:14
         17:5
pudor   ܪܚܣܬ
4Esr   7:87
2Mc   9:1
vinum   ܚܡܪ
Sap   2:7
BelD   3   11   14   15
Jdt   2:17   10:15   11:13   12:1 13 20   13:2
Sir   9:7 10   19:2   25:8   31:25 26 27 27 28
         29 30 31   32:4 5 6   33:24   38:17
         39:26   40:20   49:1   50:15
ABar   10:10   13:7   29:5
4Esr   9:24
2Mc   15:39 39
3Mc   5:2 10 45   6:30
1Esr   3:10 16 17 22 23   4:14 16   5:42   6:29
         8:20
Tb   4:15   10:10b
rota   ܚܡܪܢ ܪܚܡܪܢ
Sir   26:18
4Mc   10:8   11:18
PsS   8:5
irasci   ܚܡܬ
OrM   7b
ira incendi   ܐܬܚܡܬ
Sap   5:22
BelD   8   21
Jdt   1:12   5:2
4Esr   8:34
1Mc   3:27   5:1   6:28 59   9:69   10:74
         11:22   15:36
2Mc   4:38 40   7:3 39   11:1   13:25   14:27
3Mc   3:1   4:13 19   6:23   7:6
4Mc   2:17   3:4   9:10
1Esr   1:49
PsS   2:10   4:25
ardor   ܪܚܡܬ
Sap   5:22   7:20   10:10   11:18 19   16:5
         18:21   19:1
2Bar   1:13   2:13 20   4:9

Jdt	2:7	9:8			
Sir	16:6	28:19	36:7	38:28	
ABar	12:4	48:31			
1Mc	2:24 44 49	7:35 35	15:36		
2Mc	4:25	5:11 23	7:21	9:4 7	10:35
	13:4 9	14:11 14 45	15:10		
3Mc	2:24	5:1 18 36 42 47	6:20		
4Mc	1:4 24	2:16 17 17 19 20	3:3		
Tb	1:18	10:12b	11:1b		
OrM	5	10			
PsS	16:10				

iracundus   ܣܝܒܬܐ

2Mc   10:35

clemens esse   ܢܝ

PsS   2:39   7:8 9   8:33

supplicare   ܐܬܚܢܢ

Sap   13:18

Tb   8:7a

clementia   ܢܝܚܐ

1Bar   4:4

Jdt   13:14

Sir   2:11

ABar   48:18

4Esr   7:133   8:32

1Mc   3:44

Dn   3:38

PsS   14:6

clemens   ܢܝܚܐ

OrM   7

precatio   ܬܚܢܢܬܐ

Sap   12:20

Sir   51:11

caupo   ܣܝܒܐ

Sir   26:29

dolor   ܣܝܒܬܐ

3Mc   1:4 18 28   5:7 51

palatum   ܣܝܢ ܬܚܐ

Sir   4:6   7:11   11:4   49:1

paganus   ܣܝܦܐ

Sir   47:21

impietas   ܣܝܒܘܬܐ

2Mc   4:10 13 15   6:9 24   11:24

4Mc   6:19   8:7

consecrari   ܐܩܬܫܡ
Sap   6:10
ABar   13:10
sanctus   ܩܕܝܫܐ
Sap   2:22   3:9   4:15   7:27   10:15 17
       15:1   18:5 9 9
1Bar   8:1
ABar   66:2
4Esr   8:57   11:42
1Mc   7:17
4Mc   2:22   5:28   6:30
PsS   2:40   3:10   4:9   8:28 40   10:7
       12:8   13:9 11   14:2 2 6   15:5   17:18
PsAp   4:4   5:2
sancte   ܩܕܝܫܐܝܬ
Sap   6:10
sanctitas   ܩܕܝܫܘܬܐ
Sap   5:19   6:10
reconciliatio   ܩܘܕܫܐ
ABar   6:7
1Esr   8:53   9:20
innocens   ܩܘܝܡܐ
4Mc   7:4
proptiatio   ܩܘܣܡܝܐ
Sap   18:21
impedire   ܩܘܡ
Sir   51:2
parcus   ܩܘܦܕܬܐ
4Mc   2:9
invidere   ܩܘܩܡ
Sap   1:12
2Mc   4:16
invidia   ܩܘܩܡܐ
Sap   1:10   2:24   6:23   7:13
ABar   73:4
1Mc   8:16
2Mc   4:4
4Mc   2:16   3:10
vehemens esse   ܩܘܡ
4Mc   2:20   3:18   6:35   7:14 17   13:4
       17:24
dominari   ܐܬܩܛܪ
Sap   10:14
4Mc   1:6   3:4
PsS   5:8

174

arx   ܬܘܩܢܐ
1Bar   3:1
1Mc   1:2   4:41 61   5:9 11 27 29 30 65
         6:57 61 62   8:10   9:50   10:11 12 37
         11:18 18 41   12:33 34 35 45   13:32 33
         38 48   14:10 34 37 42   15:7   16:8 15
2Mc   8:30   10:15 16 18 19 20 22 23 32 33 35
         11:6   12:18 19   13:19 20
3Mc   6:25
4Mc   13:7
fortificatio   ܬܘܩܢܐ
Sap   12:5 18   19:1
vix   ܠܛܘܪܐ
Sap   9:16
3Mc   1:23   5:15   7:6
firmus   ܬܩܝܢܐ
Sap   10:12
Sir   46:17
1Mc   1:33   4:60
4Mc   7:10   9:17
PsS   2:1
firme   ܬܩܝܢܐܝܬ
Sap   8:15
inexpugnabilis   ܠܐ ܡܬܩܢܐ
2Mc   12:21
constantia [Cer] ܬܘܩܢܘܬܐ [Lag] ܬܩܢܘܬܐ
4Mc   9:26
deficere, deficere facere   ܢܩܝ ܢܩܝ
Sap   11:5
Jdt   11:12
Sir   16:27   21:11   27:3   51:24
ABar   46:4   77:16
4Esr   9:19
3Mc   3:18
1Esr   1:34
Tb   12:2a 3b
deficiens   ܬܩܝܢܐ
Sap   9:5   11:18   13:13   19:4
Sir   3:25   4:2   6:20   10:27   11:12 12
         16:23   19:4 6 23 24   25:2   28:7
         41:2 2   47:23
4Esr   8:47
2Mc   1:35
3Mc   3:16   6:11 12

PsS	4:19				
PsAp	2:7				

defectus   ܣܘܝܬܐ

Sir	13:8	31:4			
3Mc	3:20				
4Mc	12:4				

deminutio   ܣܘܝܪܐ

Sap	1:12	14:21			
Sir	18:1	20:9	22:3	29:8	31:31
	32:12	33:30	40:26	41:6	
2Mc	4:48	50			
1Esr	8:24				
PsS	4:17				

occultare   ܣܡܪ

Sap	19:16		
Sir	25:22		
4Esr	6:39		
Tb	2:9	8:18b	

occultatio   ܬܣܡܪܐ

Su	32		
3Mc	1:19	4:6	

incitare   ܣܛܪ

4Mc	16:13

admonere   ܐܬܣܛܪ

ABar	14:6
1Mc	11:37
2Mc	3:23

studiosus   ܣܘܦܐ

4Mc	16:16

prompte   ܣܘܦܐܬ

Sap	2:6	6:14	13:11
1Bar	7:10		
Su	12		
Jdt	12:14		
4Esr	9:25		
1Mc	6:63	13:21	

studium   ܣܘܦܬܐ

Sap	13:13	14:17
2Mc	2:28	4:13
3Mc	4:15	
4Mc	1:1	

fodere   ܣܘܝ

Sir	27:26	50:3
Tb	2:7	8:9

ܚܨܐ

ܚܨܐ

lumbus
```
Jdt     4:10 14    8:5
ABar    10:8
2Mc     3:19    10:25
4Mc     11:10 19    18:1
PsS     8:5     10:2
```
evellere   ܚܨܐ
```
4Mc     5:30    18:21
PsS     4:22
```
messem facere   ܚܨܕ
```
Sir     7:3
ABar    22:5
1Esr    4:6
```
meti   ܐܬܚܨܕ
```
Jdt     4:5
4Esr    4:29
```
messis   ܚܨܕܐ
```
Jdt     2:27    8:2
ABar    70:2
4Mc     2:9
```
messor   ܚܨܘܕܐ
```
BelD    333
Jdt     8:3
Sir     6:19
ABar    74:1
```
audax   ܚܨܝܦ
```
Sap     17:1
2Bar    4:15
Sir     19:3    23:6    26:10 11    40:30
```
testa   ܚܨܦܐ
```
Sir     22:7
4Esr    7:52 55 56    8:2
PsS     17:26
```
ager   ܚܩܠܐ ܣܩܠܬܐ
```
Sap     17:17
BelD    33
Jdt     2:27    3:3    5:1    6:11    8:3 3
Sir     40:22    50:8
```
liberare   ܚܪ
```
1Mc     10:34    15:7
2Mc     1:27    9:14
```
liberari   ܐܬܚܪܪ
```
ABar    63:9
4Esr    7:96
2Mc     2:22
```

ܚܐܪ   ܚܒܟ

liber   ܚܐܪ
Sir   10:25
4Mc   14:2 2

                                    ܚܐܪ ܒ <<<   ܚܐܪ
libere   ܚܐܪܐܝܬ
2Mc   14:42
libertas   ܚܐܪܘܬܐ
1Bar   8:7
Su   22
Sir   7:21   56:11
4Esr   7:101   8:56   9:11 15
1Mc   2:11   14:26
3Mc   3:28
PsS   9:7
libertas   ܚܘܪܪܐ
Sir   33:25
liberatio   ܚܘܪܪܝ
1Esr   4:49 53
foramen   ܚܘܪܐ
4Mc   14:46
femur   ܚܘܪܬܐ
Sir   19:12
litigare   ܐܬܚܪܝ
Sir   4:27   11:9   45:18
4Mc   4:7
certamen   ܚܪܝܢܐ
Sir   26:26   31:29   40:5
ABar   73:4
4Mc   8:25
litigiosus   ܚܪܝܢܐ
4Mc   9:10
litigiositas   ܚܪܝܢܘܬܐ
4Mc   1:26
gladius   ܚܪܒܐ
Sap   5:17 20
EpJr   14   48
2Bar   2:25
Su   59
Jdt   1:12   2:27   7:14   8:19   9:2   11:10
       16:4
Sir   28:18   38:25   39:30
ABar   27:6   32:3   72:6
4Esr   5:3   12:27 28 28 28
1Mc   4:15   5:28 51   7:46   10:85   11:48
2Mc   5:11

interfieri   ܐܬܚܪܒ
ABar   40:1
interficere, vastari   ܚܪܒ
Sap   5:23   12:9
Jdt   2:23 25   5:19   15:4
Sir   16:4
ABar   10:16   67:6
4Esr   10:21
1Mc   1:39   4:38   5:2   6:45   7:41
3Mc   10:24
3Mc   3:29   5:41
4Mc   3:7   11:4   17:24
1Esr   2:19   4:8 45
PsS   15:13
exinanire   ܐܚܪܒ
1Bar   3:3
2Bar   4:16
Sir   21:4   28:14 14
1Mc   4:38   15:29
3Mc   5:43
1Esr   4:8
PsS   4:13 15 23   17:8 13
PsAp   3:5
desertus   ܚܪܒܬܐ ܚܪܒܐ
2Bar   4:19
Sir   49:6 13
ABar   11:3
1Mc   3:45
1Esr   8:78
Tb   14:4 4a
devastatio   ܚܘܪܒܐ
Sap   5:7
2Bar   2:4 23 26   4:33
Sir   8:16
ABar   9:3
4Esr   3:2   12:48
1Mc   1:54   3:12
devovere   ܐܚܪܡ
1Mc   5:5
interdictio   ܚܪܡܐ
Jdt   16:19
Sir   16:9
ABar   62:3

exsecrabilis   ܢܚܪ ܟܡܐ

Sir   46:6

4Mc   9:15 30

astutia   ܢܚܪܬܐ

1Bar   6:19

4Mc   6:25

acutus   ܢܚܝܪ ܟ̈ܐ

Sap   8:11   18:16

ABar 48:31

3Mc   2:23

4Mc   9:26   11:19   14:9 10

strenue   ܢܚܝܪ ܟܐܬ

Sap   10:21

ABar 53:2 17

2Mc   9:7

mutus   ܢܚܝ ܟܐ

Sap   10:21

3Mc   4:16

magus   ܢܚܝ ܟܐ

Sap   12:4   17:7

ABar 60:1   6:2

ars magica   ܢܚܝܐܬܐ

Sap   18:13

sentire   ܢܥ

Sap   12:27   18:11 19   19:12

1Bar   1:5 6   2:3   7:6

Sir   13:5

ABar 52:6

4Esr   4:12 12   5:34 34   7:126 128   8:15

2Mc   5:18

4Mc   6:13   14:9

passio   ܢܥܐ

1Bar   6:18

2Bar   5:1

ABar 48:37   52:6

4Esr   3:22   7:12   10:15

2Mc   3:17 21   9:9   15:18 19

3Mc   4:2

4Mc   1:3 4 4 5 6 6 7 9 10 13 14 14 19 20 21

          24 25 25 28 30 30 35   2:2 3 7 9 10 15

          15 18 19 21 24   3:1 1 5 17 18   5:23

          6:31 32 33 34 35   7:1 4 5 8 10 16 17

          19 20 22 23   8:1 27   9:28 31   13:1 1

          2 2 4 5 7 15   14:1 11   15:1 4 4 16 23

          32   16:1 4 17   18:2 2

patiens   ܪܒܐܬܐ
4Mc   12:13
ratione putare   ܣܒܪ
Sap   1:16   7:9   15:2 12 15
1Bar   7:10
Sir   19:9   22:26   29:6   33:31   40:29
ABar   54:9
4Esr   12:9   13:14
2Mc   7:12
3Mc   2:33   3:7 17
4Mc   2:8   3:15
Tb   10:1a
PsS   16:5
cogitare   ܣܒܪܬܐ
Sap   2:1 16 21   3:2 14 17   5:4 5   6:15
       7:15   8:17   9:6 13   13:7   14:30
       17:2   18:5
1Bar   1:6   5:5 6 8
2Bar   3:36
Jdt   9:5 13   11:12
Sir   20:5   26:22 22 25 26 27   39:2   51:18
ABar   4:3   12:1   14:8 9 17   17:1   19:4
       41:2   42:4 5   48:15 17 22   55:3
       56:3   62:1   63:3   65:1
4Esr   4:13 15 19 22   6:6 34 57   7:61   8:28
       38   9:39   10:4 5 25   11:25 28 29 31
       13:16 31 41
1Mc   1:13   2:52 61   3:31 52   4:35   5:2 9
       6:19 49   7:15   8:15   9:69   11:8
       12:26   14:31   16:13
2Mc   10:8 24   11:2   12:4 7   13:9   14:3 20
       15:17
3Mc   1:2 6 10 21   5:8 15 28   6:24 27 36
       7:7
4Mc   5:13   8:15
1Esr   2:15 21 25   8:11
PsS   1:3   2:32   4:14
ratio   ܣܒܪܬܐ
Sap   13:17   14:2
Sir   9:15   27:4 6   34:6   38:27
2Mc   3:6
Tb   1:21 22
cogitatio   ܪܚܫܒܘܬܐ
Sap   1:3 5 9   2:14   3:10   4:11 20   6:3 4
       16   7:20   9:14 14   11:15   12:10

181

(Sap)   14:12   17:3 7 11 12   19:3

1Bar   6:3

2Bar   3:28

Jdt   8:14 14

Sir   22:17   24:19

ABar   25:4   48:39   54:12   55:2 4   62:1

         70:5   75:4

4Esr   3:1   4:13 15 16 17 19   5:21   7:22 92

         127   9:39   10:5   14:14 14

1Mc   2:63   4:45   7:31   9:60 68   11:8

2Mc   7:21 23   13:10   14:5

3Mc   1:16 25   5:8 27 30 42

4Mc   5:11   7:1   10:19

1Esr   7:15

Tb   4:19

PsS   4:25

ratio   ܚܬܒܐ

Sap   8:18

Jdt   8:29   ABar   21:2 6

2Mc   1:14

4Mc   3:16   5:11 31 38   6:7   9:30   14:2

Tb   4:19

PsS   4:12

uti   ܐܬܚܫܚ

Sap   2:6   16:3

EpJr   58

Sir   30:19

ABar   13:11

4Mc   5:9 37   6:17   8:15   9:2

necessarius   ܢܚܫܚ

1Mc   10:19

2Mc   6:21   12:11 12

4Mc   1:2

Tb   4:18

utilitas   ܚܫܚܘ ܚܫܚܬܐ

Sap   4:3   13:16 19   14:29   15:15

EpJr   15   38

Tb   4:13 13

utilitas   ܚܫܚܬܐ

1Esr   8:17 17

Tb   10:8b

usus   ܚܫܚܘܬܐ

EpJr   58

usus   ܚܫܚܐ

Sap   1:10   13:12   15:7

ܫܟܪ

ܫܟܪ

obscurare

Sap   17:4
ABar   10:12

tenebrae   ܫܟܪܐ

Sap   17:20
Sir   16:16

obscurus   ܫܟܘܪܐ

Sap   17:2 4 5 17 17   18:4   19:16 16
EpJr   70
Su   42b
Sir   11:4   17:31   23:19   25:23   33:14
ABar   18:2   46:2   48:5   53:7   54:5   56:7
           9 9   59:2   77:14
4Esr   6:39   7:40 125   12:42   14:20
2Mc   3:27
1Esr   4:24
Tb   4:10   14:10a 10a
Dn   3:72
PsS   4:5   14:6   15:10

caecus   ܫܟܝܪܐ

Sir   4:1

fabricari   ܫܟܠ

EpJr   9
Sir   27:27
4Mc   6:25

procella   ܫܟܥܘܠܐ

Sap   19:7
4Esr   12:42
1Mc   6:11
4Mc   7:5   16:1

coenare   ܐܫܟܡ

Tb   8:1a

coena   ܐܫܟܡܬܐ ܫܟܡܬܐ

Jdt   12:1
2Mc   2:27
4Mc   3:9

obsignare   ܫܟܠ

1Bar   10:21
BelD   11   14
Sir   17:22
ABar   20:3
1Esr   3:8
Tb   7:13a   9:5b
OrM   3
PsS   2:6

obsignari					ܐܬܚܬܡ
Sap	2:5				
ABar	21:23				
4Esr	6:5 20	8:53			
sigillum					ܚܬܡܐ
Be1D	17				
Sir	22:27	28:24	32:5	49:11	
4Esr	7:104	10:23 23			
4Mc	7:15				
sponsus					ܚܬܢܐ
2Bar	2:23				
ABar	10:13				
1Mc	1:27	9:39 54	16:12		
superbia					ܚܬܝܪܐ
1Bar	6:13				
superbia					ܚܬܝܪܘܬܐ
1Bar	6:14				
4Mc	1:26	2:15			
PsS	4:28				

ܛ

bonus esse   ܛܐܒ
Su   64
Sir   11:12
bene agere   ܐܛܐܒ
Sap   11:13   13:19
EpJr   37   63
Jdt   10:16
Sir   1:13   12:1 2 7   14:5 7 11 13   18:15
           37:12 12   39:27   51:18
ABar   1:4   13:12   64:10   77:7
4Esr   7:86   9:10
1Mc   1:16
2Mc   1:2
Dn   3:30
PsS   9:11
benefactor   ܡܛܐܒܢܐ
Sir   13:23
fama   ܛܒܬܐ ܛܒܐ
Jdt   10:12
ABar   48:34   55:7
4Esr   6:15
2Mc   4:40   5:5
3Mc   3:7 7
4Mc   4:22
gazella dorcas   ܛܒܝܐ
Sir   27:20   36:26
demergi   ܛܒܥ
ABar   14:7
obsignare   ܛܒܥ
Sap   5:22
2Mc   12:4
3Mc   2:7   6:4
demergi   ܐܬܛܒܥ
4Mc   15:4
sigillum   ܛܒܥܐ
Sir   32:6   38:27
Tb   9:5a

sartago   τήγανον   ܐܪܬܐ ܐܪܬܐ

2Mc   7:3 5
4Mc   8:12   12:10 20

stirps   ܐܣܘܡܐ

Jdt   5:6
1Mc   10:89
2Mc   7:16

meridies   ܐܡܝܐ

Sir   43:3
4Esr   7:42
1Esr   9:41

coquere   ܐܬܝ

1Esr   1:11
Tb   6:6

parare   ܛܝܒ

Sap   16:20
1Bar   8:9 11
Sir   18:23
ABar   46:5   52:7   54:15   63:4
4Esr   13:11
1Mc   3:28 44 58   4:21 55   5:27   6:34
        9:45   12:27   13:22
2Mc   2:27   9:25   14:22   15:6
3Mc   5:8 19 20 24 29 38   6:30 31
4Mc   1:1
1Esr   1:4 6 12 13 15   5:48
Tb   5:17   6:18   7:15a   11:3a
PsS   5:11   11:8

se parare   ܐܬܛܝܒ

4Esr   8:52
1Mc   1:16
2Mc   13:14   14:31   15:20

bonus, bene   ܛܒ ܐܒܐ

Sap   3:13 15   4:1 12 16   8:7 15 18 19
        11:7   12:1 19 21   13:4   18:2
EpJr   60
2Bar   3:26   4:3
BelD   28
Su   31   31
Jdt   1:12 17 18   2:88   3:4   4:2 10 15
        5:9   6:20   7:2 4 18 27 32 32   8:7 7 8
        11 28 29 30   10:4 6 7 14 19 19 21
        11:8   12:18   13:17 20   14:19   16:23

```
Sir     1:20    2:6    7:3 19    10:27    11:14
        12:7    13:24 25 26    14:25    22:18    23:27
        24:15 15 19    25:2 8    26:4 14 16 21 26
        29:1 11 14 22 28 28    30:14 15 16 25
        31:23 23 28    33:14 21    35:2 7 8 10
        36:24    37:5 9 18 28    39:4 13 17 25 27
        33    40:20 25 28    42:23    44:12    46:7
        12    47:24    50:9    51:21
ABar    14:15    28:3 3    33:3    69:3    70:2
4Esr    4:12 32    5:33    7:66    8:28    9:41
        10:25
1Mc     4:23 24 45    9:6
2Mc     14:37    15:11 12 17 23
3Mc     2:31    3:2 19 22
4Mc     3:8 16    4:1    8:4 16    9:30    10:16
1Esr    4:35    8:56
Tb      2:1    4:11    5:14 22    7:7 11b    9:6b
        10:12a    12:6 8a    13:6b    14:4
PsS     3:2    8:38    17:50
PsAp    2:3 16
```

bene
```
ABar    15:1
2Mc     15:38
Tb      13:10a    14:10a
```

bonum, bona

```
Sap     1:1    2:6    4:12    5:13    7:11 22    8:9
        19    10:8    13:1    15:19    16:2 11
EpJr    33
1Bar    1:6    6:9 9
Jdt     5:17    6:9    10:15    11:23    15:10
Sir     2:26    6:11    11:14 19 27 31    12:7
        14:4 5 14    16:3 3    18:13 17 17    20:31
        22:23    30:18    31:13    33:16    39:5 25
        41:11
ABar    14:7    36:7    42:2    44:7    55:8
        77:10
4Esr    3:22    4:29 32    7:6 82 129
1Mc     10:27    11:33    14:4 9    16:17
2Mc     4:2    5:20    11:19
3Mc     6:24
4Mc     3:20    12:11
1Esr    8:82
Tb      4:19    12:6b 7b 7b 8b 13a
PsS     1:6    5:21    9:7    11:8
```

benignitas   ܛܒܘܬܐ

Sir   18:7

ABar   55:2   61:5   63:1   75:1

4Esr   7:138   8:36 52

gloria   ܛܒܐ

Sap   12:22

Sir   1:16   2:7 9   11:3   31:11   44:11
          45:26

ABar   48:49

4Esr   12:7   13:24

4Mc   1:10   4:12   10:15   16:9   17:18
          18:9

suff. 3.sg.m.   ܛܒܘܬܗ,

Sir   1:20 20 20   14:1 2 20   25:8 8 9 9
          26:1 26   28:19 19   31:8   48:11
          50:28

ABar   10:6

PsS   5:18   6:1   10:1

suff. 3.sg.fem.   ܛܒܘܬܗ̇

Sir   34:15   35:1

ABar   54:10

suff. 1.pl.   ܛܒܘܢ

ABar   48:2 3

suff. 2.pl.m.   ܛܒܘܬܟܘܢ

ABar   11:7

suff. 3.pl.m.   ܛܒܘܬܗܘܢ

Sir   18:14   31:8

4Esr   7:45

PsS   4:26   17:50   18:7

beatus   ܛܘܒܐ

2Bar   4:4

4Esr   10:57

4Mc   7:22   17:22   18:20

beatus   ܛܘܒܬܐ

4Mc   7:15   16:11

Tb   13:14a 14a

beate   ܛܘܒܬܗ ܐܝܬ

4Mc   12:1

benignitas
Sap   3:9 14 14   4:15   7:26   8:20 21
       14:26   15:1   16:10   18:9
1Bar   5:9   Jdt   8:23
Sir   4:21   6:15   7:33   8:19   12:1 1 3 17
       22   18:18   20:2 16 16   21:16   26:15
       15   29:14   30:6   44:1 10 10   46:7
       47:22   51:8
ABar   13:12   48:29   56:6
4Esr   8:60
1Mc   13:46   14:25
2Mc   1:1   3:17 33   6:13   9:20 26   10:38
       12:31   15:39
3Mc   2:33   5:20
4Mc   11:12
1Esr   6:5   8:4 77
Tb   1:13   7:17a   12:18 18b
OrM   7   7b   14 Dn   3:35 42
PsS   5:15 16 17 21   8:34   9:15   18:2
PsAp   5:6

paratio   ܛܘܒ
1Mc   4:8   6:47 2Mc   13:15   15:21
OrM   6b

botrus   ܣܓܘܠܬܐ
4Esr   9:21 22

ambulare   ܛܝܦ
Sir   14:27

supernatare   ܛܦ
Sir   24:26   47:14
ABar   36:4   1Esr   4:23

inundare   ܐܛܝܦ
Sir   47:14

natatio   ܛܘܦܐ
ABar   21:8   59:5
4Esr   4:49 50 56   5:36

diluvium   ܛܘܦܢܐ
Sap   10:4
Sir   44:17 17
ABar   56:15   77:23
4Esr   3:9 10
3Mc   2:4   4Mc   15:31

gutta   ܛܘܦܐ
4Esr   9:16

volare   ܛܣ
4Mc   14:17

189

mons
Sap   9:8   17:19
EpJr   38   62
2Bar   5:7
Jdt   1:6 15   2:21 22   4:5 7   5:1 1 3 5 14
         15 19   6:11 12 13   7:1 4 10 10 12 13
         18   9:13   10:10 13   11:2   14:11
         15:2 3 5 7   16:3 15
Sir   16:19   24:13   39:28   43:4
ABar   4:5   13:1   36:2 4 5   39:2   40:1
         76:3 3
4Esr   3:17   6:51   8:23   13:6 7 12 35 36
         14:4
1Mc   2:28   4:5 18 19 37 38 60   5:84   6:39
         40 40 62   7:33   9:15 38 40   10:11
         11:37   13:53   14:26   16:20
2Mc   2:4   5:27   9:8 28   10:6
4Mc   14:16
1Esr   4:4
Tb   1:21
Dn   3:75
PsS   2:30   11:5   17:21
saeptum   ܛܝܪܐ
Jdt   2:26
maculare   ܛܠ
Tb   6:9   11:8a
maculari   ܐܛܠܛܠ
2Mc   6:20
pretium   τιμή   ܛܝܡܐ
1Esr   6:8
lutum   ܛܝܢܐ
Sap   7:9   15:7 7 10
BelD   7
Jdt   5:11
Sir   33:10 13   38:30
fortasse   τάχα   ܛܟ
Jdt   7:30
ordinare   ܛܟܣ
1Esr   1:14   6:36
Tb   1:21
ordo   τάξις   ܛܟܣܐ
Sap   11:21   14:26   19:5
ABar   48:9 10
1Esr   1:5 14

ܛܘܦܣܐ   ܛܘܦ

disposition   ܛܘܦܣܐ
3Mc   1:10
4Mc   17:9   18:4
ordo   ܛܘܦܣܝܬܐ
Tb   4:13
ros   ܛܠܐ
Sap   11:23
ABar   10:11   29:7
4Esr   7:41
Dn   3:64
obumbrare   ܛܠܠ ܐܛܠ
Sap   5:16
2Bar   5:8
Sir   14:27
ABar   22:8
1Mc   6:37
2Mc   10:30   13:17
PsS   11:6
umbra   ܛܠܠܐ
Sap   15:4   19:7
2Bar   1:12
Sir   14:27   23:18   29:22   34:2
ABar   55:1   73:2   77:18
tectum   ܛܠܠܐ
4Mc   14:15
umbra   ܛܠܠܬܐ
Sap   2:5   5:9 9
umbraculum   ܛܠܠܝܬܐ ܛܠܠܝܬܐ ܛܠܠܝܬܐ
Sap   10:17
Jdt   8:5 36
1Mc   10:21
2Mc   10:6 6

                          ܛܠܠܝܬܐ ܡܛܠܠܬܐ <<< ܛܠܠܝܬܐ
tectum   ܛܠܠܬܐ
4Mc   17:3
1Esr   6:4
juvenis fieri   ܐܛܠܝ
4Mc   7:14
adolescens   ܛܠܝܐ
Sap   4:16   8:19   11:7   12:24 25
BelD   14   20
Su   44
Jdt   4:11   7:23 32   16:4
Sir   30:12   51:13
1Mc   2:46   11:54   13:17 18 19

```
2Mc      5:13    6:24 28 31    8:28
3Mc      3:27
4Mc      2:3    4:9    6:19    7:24    8:2 13    9:6
         25 26    11:13 14    12:1 6 9    13:1 9
         14:3 4 6
1Esr     8:1 88
Tb       1:4    5:17    6:3 3 4 6 7 11 14    10:4a
PsS      2:8    17:13
PsAp     1:1
```

ancilla   ܐܡܬܐ

```
Su       7    15    17    21
Jdt      8:33    10:2 10
Tb       6:12 14    8:12b 13b
```

pueritia   ܐܕܡܬܐ

```
Sap      2:6    8:2 10
Sir      6:18    7:23    25:3    30:11    42:9
         47:4 14    49:2    51:15
4Esr     6:32
1Mc      1:6    2:66    6:17    16:2
2Mc      6:23    15:12
4Mc      8:7    14:20    15:4    16:1 8    17:13
1Esr     1:51    3:17    8:1
Tb       1:4    6:3 3 4 6    6:7 11 14
PsAp     3:12
```

injuria afficere   ܐܠܨ

```
Sap      5:1    14:28    18:2
EpJr     53
Su       42b
Jdt      2:6    14:18    16:4
Sir      10:6    19:17    34:22 22    37:10
4Esr     7:72
2Mc      15:10
3Mc      7:8 22
Tb       9:4b
```

injuria affici   ܐܬܠܨ

```
Sap      18:4
2Mc      3:12              4Mc      4:7
```

oppressor   ܐܠܘܨܐ

```
Sap      10:3 10    14:31    16:19 24
4Esr     7:79
```

inique   ܒܐܠܘܨܐ

```
Sap      12:23
```

oppressio   ܐܠܘܨܐ

```
Sap      1:5 8    11:15    12:13    14:30
Su       42b    59a
```

ܛܠܦ   ܪܬܐ ܪܥܒܬ ܪܬܐ ܪܥܒܬ

Sir   10:7   11:9
ABar   27:10
4Esr   5:10   7:111
2Mc   15:10
3Mc   2:17
PsS   4:28
delere   ܛܠܦ
1Mc   10:80
4Mc   15:19
evanescere   ܛܠܦܬܐ
Jdt   11:12
1Mc   14:13
1Esr   6:29
PsS   3:16
macula   ܪܠܐ ܛܦ
Sap   7:22
2Mc   14:36
inquinare   ܪܥܒܛ
Jdt   9:2 8
ABar   5:1   64:2
1Mc   1:37 46   14:36
2Mc   14:3
4Mc   5:36   10:17
PsS   1:8   2:3 15   8:13 26
inquinari   ܪܥܒܛܬܐ
4Esr   10:22 22
PsS   2:14
impurus   ܪܥܒܛ ܪܪܥܒܛ
Sap   2:16
Sir   27:30
1Mc   1:47   4:43
2Mc   1:27   4:19 40   5:16 22 24   7:34
         8:34   10:4 34   15:3 5 5 32 35
3Mc   2:2 14 33   6:9
4Mc   5:3   6:19   8:2   9:15 17 32   10:10 17
PsS   8:13
impuritas   ܪܬܐ ܪܥܒܛ ܪܬܐ ܪܥܒܛ
Sap   2:16   13:13   16:4   17:9
Jdt   4:3 12   8:21 22   9:2 4   13:16
1Mc   1:48 54   4:43   6:7   13:48 50
2Mc   5:27   6:5
4Mc   10:11
1Esr   1:40   8:66 80 80 84
Tb   3:14
PsS   1:8   8:13 24 25   17:51

193

fodere   ܛܡܪ
Sir   20:30   36:20
1Mc   12:37
Tb   8:18a   14:6a
defodi   ܐܬܛܡܪ
ABar   39:6
opes absconditae   ܛܡܖ̈ܐ
Sir   1:6
animo incitari   ܛܢ
Sir   9:11 12   45:18 23
ABar   66:5
1Mc   2:24 26 27 50 54 58
ad zelum provocare   ܐܛܢ
Sir   30:3
studium   ܛܢܢܐ
Sap   4:12   5:17
Jdt   9:4
Sir   30:24   40:5   42:13   45:23   48:2
ABar   48:37   64:3   66:5
1Mc   2:54 58   8:16
2Mc   8:4   10:35   14:11   15:10
4Mc   14:23   18:12
PsS   2:27   4:3 4
zelosus   ܛܢܢܐ
4Mc   14:25
profanare   ܛܢܦ
Sap   14:26
Jdt   2:7
Sir   12:10   22:13
se maculare   ܐܬܛܢܦ
Sap   3:13   14:28
2Bar   3:10
ABar   48:38   60:2
impurus   ܛܢܦܐ
Sap   12:4   15:18
2Mc   12:14
4Mc   7:6
impuritas   ܛܢܦܘܬܐ
Sap   12:23   14:11 26   15:9
EpJr   28
1Bar   5:7
Su   28   46
ABar   60:1
2Mc   4:13
1Esr   1:47   OrM   10

errare

Sap	2:21	4:11	5:6	11:15	12:24	13:6
	16:11 23	17:1				
EpJr	19					
1Bar	1:7	7:8				
2Bar	4:8 28					
Su	23					
Jdt	10:13					
Sir	4:2	7:27	13:8	14:7 7	31:7 8 10	
	10	34:6 7	46:11			
ABar	19:6	23:3	31:4	43:2	44:7	48:7
	52:1					
4Esr	7:139	12:47				
1Mc	1:49					
2Mc	2:2	6:25	7:18			
3Mc	5:42	6:20				
4Mc	18:18					
Tb	5:14	10:7a	12:13a	14:4b		
PsS	7:8	17:19				
PsAp	3:11					

evanescere   ܐܬܚܠܦ

Sap	2:4	10:8			
Sir	2:14	35:7	39:9 9	41:11	44:13
	45:26				
ABar	4:1	44:9			
4Esr	6:27	8:53			

errare facere   ܐܛܥܐ

Sap	15:4
EpJr	38
BelD	56b
Jdt	13:16
Sir	51:20
ABar	19:3 66:4
4Esr	7:48 92

error   ܪܚܥܐ

Sap	1:12	12:24	
1Bar	1:6		
Jdt	16:8		
Sir	11:14	23:3	34:5
2Mc	4:13		
3Mc	5:28		
Tb	5:14		
PsS	8:15		

ܐܘܒܫ ...   ܐܘܒܗܡ

error   ܐܘܒܫ
Sir   23:11
4Mc   1:5
fraus   ܛܒܝܘܬܐ
Jdt   9:10 13
PsS   8:22
gustare   ܛܥܡ
Sap   12:26
Sir   36:19
4Esr   6:26   9:24
2Mc   13:18
1Esr   9:2
Tb   2:4   7:11a   10:7b
gustare facere   ܐܛܥܡ
4Mc   1:29
gustus   ܛܥܡܐ
Sir   5:10   10:28   25:5   36:19
4Esr   6:44
4Mc   6:18   8:14
sapidus   ܛܥܡܐ
Sap   16:20
coena   ܛܥܡܐ
Sap   16:20
4Mc   6:15   8:14
Tb   2:2   7:9
portare   ܛܥܢ
ABar   48:17
4Esr   4:19 21 27   5:44   7:105
2Mc   3:27
portari   ܐܛܥܢ
4Mc   13:20
onus   ܛܥܢܐ
Sir   6:24   21:16   22:15   33:24
ABar   51:14
2Mc   4:2   14:8 9
portans   ܛܥܢܐ
Sap   14:1
4Mc   1:3   8:18   18:23
aberrare   ܛܥܐ
1Esr   4:27
inquinari   ܐܛܥܫ
4Mc   9:9
exemplum   τύπος   ܛܘܦܣܐ
4Mc   6:19

ܛܦܪܐ

unguis
Sir   24:15
4Esr   11:7 45
4Mc   9:26
procurator   τοπάρχης   ܛܘܦܪܟܐ ܛܘܦܪܟܐ
1Esr   3:2 14   4:47 48 49
rupes   ܛܪܐ
Sap   11:4
1Mc   10:73
impellere   ܛܪܐ
4Mc   14:19
ruere   ܐܬܛܪܝ
2Mc   12:15
expellere   ܛܪܕ
Sir   28:14
tyrannus   τύραννος   ܛܪܘܢܐ
Sap   6:9 21   8:15   14:16
Sir   46:18
1Mc   1:4
2Mc   5:22   7:27
3Mc   6:24
4Mc   1:11   5:1 4 4 5 14   6:1 4 9 21 23
       7:2 25   8:2 3 13 14 28   9:1 3 7 10 15
       24 29 30 30 32   10:10 15 16   11:2 12
       13 21   12:2 11 20   15:1 2 20   16:14
       17:2 9 14 17 21 23   18:5 22
tyrannis   ܛܪܘܢܘܬܐ
Sap   16:4
3Mc   7:5
4Mc   1:11   8:14   11:24 27
folium   ܛܪܦܐ
Sir   6:3   14:18
PsAp   3:14
motus alae   ܛܪܦܐ
Sap   5:11
complodere   ܐܛܪܦ
Sir   22:2
vexare   ܛܪܦ
Sir   4:1   7:20   33:31
excitari   ܐܬܛܪܦ
Jdt   7:21 22 27   12:17
4Esr   7:93 99
OrM   9

excitatio   ܛܠܘܡܐ
Sap   14:25
Sir   30:13
occultare   ܛܝܫ ܛܝܫ
Sap   17:3
EpJr   48
1Bar   3:2
Su   18   37
Sir   4:23   11:4   16:21   20:30 31 31
       22:5   32:17   39:19   42:20
4Esr   14:8
1Mc   16:15
2Mc   1:19 20 33   10:37   12:40 41
3Mc   3:27 29
Tb   12:7a 11a 11a   13:6a
PsS   18:2
se occultare   ܐܬܛܝܫ
Sap   1:8 10   10:8
Sir   6:12   12:8   13:7   16:17   49:2
4Esr   8:53
1Mc   9:38
Tb   1:19
PsS   9:5 6
secreta   ܛܘܫܬܐ
Su   42b
1Mc   2:31 36 41
PsS   8:9
clam   ܛܘܫܝܐ
BelD . 13   21
Su   11
2Mc   6:11
locus absconditus   ܛܘܫܝܐ ܒܝܬ ܛܘܫܝܬܐ
1Mc   1:23 53
clam   ܛܘܫܝܐ ܚܝ
Sap   18:9
1Mc   9:60
2Mc   1:19   4:34   8:1
Tb   12:6a 13b

>

pulcher   ܪܝܫ ܪܝܫ

Sap	7:29
Su	22
Jdt	8:7
Sir	14:3 3 15:9 20:1 24:17 25:1 4 5
	26:18 39:16 46:2 50:5
2Mc	3:26 15:12
Tb	5:14 7:7

pulchritudo   ܪܝܫܘܬ

Sap	8:18 13:14
1Bar	5:7 6:12
Jdt	1:14
Sir	40:22 50:11
ABar	10:17 21:23 51:3 10 54:8
4Esr	10:50
2Mc	15:13
3Mc	2:9
4Mc	15:9
OrM	5a
PsS	2:21 17:47

clamorem laetum facere   ܝܒܒ

Jdt	16:11
Sir	50:6
1Esr	5:59 62

ducere   ܐܘܒܠ

1Bar	3:4
2Bar	1:9
BelD	33 34
Jdt	6:7 10 11 20 10:15 11:14
ABar	10:19 44:12
1Mc	3:50
2Mc	4:19 19 23 13:4 14:4
3Mc	1:8
1Esr	1:11 38 39 51 53 6:18 25 8:13
Tb	7:12a 10:12a 14:15b
PsS	8:24

propagatio   ܫܘܒܐ

4Esr	14:42
4Mc	1:21

exsilium
1Esr   8:24

exarescere   ܝܒܐ
1Bar   5:7
Sir   40:16
ABar   77:16
4Esr   5:36   6:42 51
PsAp   3:14

exarescere   ܝܒܐܐ
Jdt   5:13
4Esr   8:23

terra   ܪܐܒܐ
Sap   19:7
Sir   6:3   14:10
4Esr   13:45
1Mc   8:23 32   15:14
2Mc   5:21
3Mc   7:20

siccus   ܪܐܒܐ
4Mc   18:17

acervus   ܪܝܬ
Sir   21:8

manus   ܪܐ ܝ ܐ
Sap   1:12   2:18   3:1 14   5:16   7:11 16
        8:12 18   9:16   10:20   11:1   12:6
        13:10 10 19   14:8 15   15:4 4 15 17
        16:15   19:3 8
EpJr   19   45   49   50
1Bar   6:2
2Bar   1:5   2:4 11 24   3:5   4:18 21 21 21
BelD   5   36
Su   22   23   23   24   34   42b   59
Jdt   1:7   2:12   5:2   7:25   8:18 33   9:2
        9 10   10:15   11:6 13   12:4   13:14 15
        14:6   15:10 12   16:2 5
Sir   2:17   4:31   6:2   7:31 32   8:1
        10:4 5   12:18   13:1 8   14:19 25
        15:26   21:21   22:2   25:23   27:19
        28:10   29:1 5 6 26 28   30:20   31:14
        18   33:13 13   35:10   36:3 6   38:13
        14 14 15 28   44:5   45:8   46:1 2 4 5
        47:4 5   48:18 20 23   49:11   50:12 13
        15   51:2 3 20
ABar   4:2   6:4   36:7   70:9

```
4Esr     3:5     5:30    6:1 6 6 8 9 10 10 19 58
         8:7 44    10:23    11:39    13:9 26 28 36
1Mc      2:7 7 47 48    3:5 18 30    4:30 30
         31    5:6 12 50 62    6:25    7:35    9:46
         47    11:15    12:9 39 42    14:31 36    16:2
2Mc      3:20    4:13 16 19 27 40    5:12 16 16
         6:26    7:10 14 31    8:14 17 17 17
         12:18 24 28    13:10 14    14:33 34 36
         15:12 21 27 30 32 33
3Mc      1:7    2:1    3:21    5:5 25    6:10 10 12
         7:14
4Mc      1:17 19    2:9 12 12    3:4 10    4:9 11
         6:3    8:12    9:11 24 26 26 28    10:5
         13:12    14:6    15:15 20 20    16:20
         17:5 11 19
1Esr     1:4 50    4:23    6:9 14 32    7:15    8:46
         60 70 79    9:20 47
Tb       5:18    7:12a    8:13b    9:5b    11:4b 16b
         13:2a 11a
Dn       3:32
PsS      2:7 24    4:3 18 19    5:9 14    6:3    9:7
         16:9    18:1
PsAp     1:2    2:11 18 18    3:2    4:5    5:2
```

```
confiteri
Sap      18:2 13
2Bar     1:14
Su       41
Jdt      13:14
Sir      4:22 26    21:15    39:6 15    51:1 12
ABar     48:46
4Esr     8:60    13:57
1Mc      4:24
2Mc      1:11    6:6    7:37    8:27    10:7    12:30
         41    15:28 29
3Mc      5:13 35    6:29 32 33 41    7:16
4Mc      6:34    9:16    13:5    17:3
1Esr     4:60    8:88
Tb       11:17a    12:6 6a 20a 21a 22b    13:3a 6 6a
         8 10a    14:1a 2 7a
PsS      10:7    15:3 4    16:5
PsAp     3:10
confiteri                                          ܐܘܕܝ ,
EpJr     43
1Bar     1:7
```

201

```
ABar    22:4
4Esr    5:40 41
1Mc     10:15    11:28 53    15:27
2Mc     1:15     2:18     4:8 9 23 27 45 48 50
        8:10 11 36    12:11 25
3Mc     1:4    2:10
OrM     7
confessor                                                  ܡܘܕ ܝܢܚ
Dn      3:88ˣ
confessio                                                  ܡܘܕ ܝܢܘܬܐ
PsS     9:12
laudatio                                                   ܬܘܕ ܝܬܐ
Sap     16:28
2Bar    2:17
Jdt     15:14
Sir     18:28    39:15    47:8    50:17    51:17
2Mc     10:38
3Mc     6:35    7:19
1Esr    9:8
Tb      14:1b
PsS     3:3
confessio                                                  ܫܘܒ ܚܐ
4Mc     12:9    15:2
OrM     6b
cognoscere                                                 ܝܕܥ
Sap     2:19 22    3:13    5:7    7:12 21    8:8 8 8
        9 21 21    9:9 9 10 11 13 17    10:5 12
        11:9 13 16    12:10 17 27    13:1 1 4 9 9
        16 18    14:18 22    15:2 3 3 11 13
        16:3 22 25 28    18:6 19    19:1 13
EpJr    19    28    38    40    41    49    64    71
1Bar    1:3    2:1    3:7 7    5:2    8:1
2Bar    2:15 30 31    3:9 14 20 23 26 31 32 32
        4:4 13
BelD    35    38
Su      11    42    42b    43b    55
Jdt     5:8    8:13 14 20 29    9:7 14    11:7
        12:16    14:5
Sir     1:6    9:11 13    11:19    12:11 12    13:11
        16:15 21    18:12 29    19:27 29    21:27
        23:19 27    27:27    28:12    29:23    34:10
        36:2 3 5 5 17    37:8    40:29    46:6 10
        47:5    51:13
```

```
ABar    10:12    11:5    14:2 5 11 15    15:3 5 6 6
        19:2 3    21:8 10 12 21    23:2    24:3 4 4
        30:3 5    38:4    42:5 5    48:3 22 32 33
        40 40 45 46    50:4    54:1 1 5 7    55:3
        64:9    69:2    72:4 4 6    75:7 8    76:1
        77:10 11
4Esr    3:32    4:10 11 12 21 46 46 52    5:7 17
        38    7:23 64 66 84 132 139    8:15 28 58
        58    9:10 12    10:35 52 80    12:36 38
        13:52    14:21 22 25 42
1Mc     1:5    2:65    3:11 52    4:11 33    5:34
        6:13 17 30    7:25 31 42    9:32 33 34 63
        70    10:80    11:31    12:22 29 50    13:3
        14 17    16:22
2Mc     1:27    2:6 7    4:33    6:21    7:22    9:22
        24 27    14:31 32    15:21
3Mc     1:3    3:14    7:6 9
4Mc     1:24    4:25    5:4    6:27    10:2    16:23
        25
1Esr    2:19    4:22    8:23
Tb      2:10    3:14    5:2 4    6:13    7:4 5
        8:10b 12a 18b    9:4b    10:7b    11:2 7a
        7a    13:6a
OrM     12
Dn      3:45
PsS     1:6 7    2:12 33 35    5:1    14:5    15:9
        17:29 30
PsAp    2:15
```

notum esse

```
Sap     5:11 12    18:21
EpJr    14    39    50    56
Jdt     8:29
Sir     4:24    16:17    26:9 26    38:5
ABar    14:18    21:20 23    36:6    44:6
4Esr    7:35 120    8:36    11:13
1Mc     6:3    7:3 30    8:10
2Mc     1:19 33    2:7    3:17    12:40
3Mc     2:5 14    6:15
Tb      12:12b
PsS     2:18    8:8
PsAp    2:5 6
```

cognoscere facere

```
Sap     18:19
1Bar    3:1    4:3    7:1    8:8
Jdt     10:13    11:18    15:4
```

```
Sir      17:12
ABar     14:1    21:18    28:6    38:3    46:7    48:4
         54:5 7 20    56:2 2    59:2
4Esr     3:31    4:45    5:37 43 56    6:12 12 30
         7:44 48 75 76 102 104    8:62 63 63
         10:33 37    12:8    13:51    14:5
1Mc      4:20    11:40    14:21 28    15:36    16:21
2Mc      1:18    3:6 7 10 16    4:17    6:11    8:12
         9:3 23 25    11:29 32 37    13:4    14:39
3Mc      2:6    5:10 13 15    6:5
4Mc      1:12    4:3 4    15:19
1Esr     3:16    4:61
Tb       8:14a    10:8a    11:15a    12:7a 11a
PsAp     2:4 7 14
docere                                              ܫܘܥܒ
1Esr     2:4    3:15    6:11
cognoscere                                      ܐܫܬܘܕܥ
EpJr     22
Sir      21:7
ABar     50:4    75:8
1Esr     5:63 64    6:6    8:48
Tb       1:19    5:9 12 14 14
notitia                                            ܝܕܥܬܐ
Sap      1:5 7    2:13    3:11    6:22    7:7 16 17
         22    8:18    10:10    13:6    14:22    19:3
1Bar     8:12
Jdt      11:8
Sir      3:25    11:14
ABar     59:7
4Esr     14:47 48
2Mc      6:30    9:11
4Mc      1:5 16
1Esr     8:7    9:20
PsS      3:9    13:6 7    18:5
conspicuus                                  ܪܥܝܢܐ ܕܝܥ̈ܬܐ
Sap      3:18    4:1    5:10    11:18 19    14:17
         17:13    18:6
EpJr     9    51
4Esr     9:5 6
1Mc      4:40 46    7:45    10:34    11:37    12:11
         14:48
2Mc      8:31    14:33    15:35 35 36
3Mc      6:1
4Mc      7:16    13:1
1Esr     2:17    6:8    8:72
```

204

```
Tb      2:14    3:3
PsS     11:1
intelligentia                                    ܡܪܐ ܚܟ
Sap     9:5
Su      9
Jdt     11:19
Sir     3:13    13:8    19:24 24    21:13 18    25:2
        42:10
ABar    20:3    75:4
4Esr    4:22    6:26    7:62 63 64 71 72    8:4 25
        10:30 31 36    13:16
3Mc     5:42
intellectualis                                   ܡܬܝܕܥܢܐ
1Esr    8:43 46
notus                                            ܝܕܘܥܐ
Su      30    42
Sir     18:28    27:29
dare                                             ܝܗܒ
Sap     3:9    4:3    7:13 15    8:2 21    9:4 17
        10:2 10 14 14 17    11:4 7    12:7 10 19
        14:3 5 15    16:20 21 22 24    18:3 9
EpJr    10    27    34    36    52
1Bar    5:9
2Bar    1:12 18 20    2:4 10 14 17 18 21 31 35
        3:7    4:3
BelD    22    26    26    32    32    40
Su      50    50    51    60
Jdt     2:7 11    3:8    4:1 12    5:1    7:21
        9:2 2 4 9 13    10:5 8    12:1 3    13:9 11
        15:11 12    16:19
Sir     1:9 10    3:17    4:5 31    7:25 31    9:1 6
        10:5 28    11:8 31    12:5 7 11    13:22
        14:13 16    15:13    16:24 27    17:23 24 27
        18:15 21 22 28    20:15    23:4    24:15
        25:25 26    26:19    28:7    29:5    30:21
        33:20 22 25    34:6    35:8 9 10 10 10
        36:16    37:27    38:6 12 20    39:1
        41:12 12    42:17    44:21 23    45:7 17 20
        26    46:5 9    47:5 7 10 11 19 20 22 23
        49:5    50:17 23    51:17 20 22 26
ABar    10:9 18    14:5    22:4    29:5    48:46
        73:7    77:3 4
```

4Esr   3:5 15 15 19   4:20 42   5:4 5 7 27 46
        48 50   6:21 51 52   7:32 32 32 75 78
        116 129 135 138   8:2 6 9 41   9:45
        10:14   14:42

1Mc   1:14   2:35 48 50   3:28 30   4:14
        6:15 44 58   7:38   8:7 8 26   9:70 72
        10:6 8 28 32 39 40 54 54 56 58 60 89
        11:9 10 12 23 27 34 37 50 51 53 58 62
        66 66   12:4 17 25 43 43   13:39 39 42
        45 50 50   14:8 10 32 32   15:5 6 31 31
        35 38   16:19

2Mc   1:3 35 35   2:2 17   3:3 31 33 35   4:8
        9 23 24 27 28 30 32 34 48   5:16   6:28
        7:22 23   8:11 17 21 23   9:16 16   10:7
        25 38   11:17 26 29   12:11 11 22 36 43
        13:15 22   14:12 19 31 44 46   15:2 15
        17 21

3Mc   1:4 7   2:20   3:16   4:15   6:40   7:6
        12

4Mc   1:10   2:8 23   3:4   4:17   5:7 8
        6:19 32 35   10:20   11:12   13:6 13 13
        14:1   16:9   17:12   18:3

1Esr   1:8 8   2:18   3:5 9 13   4:22 42 55 56
        60 62   5:53   8:4 18 19 25 48 64 76 77
        78 79 84   9:8 41 54

Tb   1:7 7 8 13 17   2:12   3:4 12 17   4:16
        17 19   5:3 3 15 20   6:13   7:11b 13a
        17   8:4b 6a 7b 7b 17b   9:2b 5 5a 6b
        10:2 10 12a   12:1b 2 2b 3b 4b   13:11a
        14:2b

Dn   3:43 47

PsS   5:5 10 11 15   9:2   14:1

PsAp   3:3 16
dari

Sap   3:14   6:3   7:7   11:6   12:20   18:4

Jdt   8:19

Sir   13:8   15:9 17   26:3 23 23   27:25
        38:15   44:29   51·29

ABar   22:1   44:15

4Esr   4:19 22 23 23   7:9 9 100   8:5   13:24
        14:31 32

1Mc   2:7   3·5 19   8:28   10:6 36 38 41 41
        45 89   16:2

2Mc   5:16   7:30   11:25   15:33

```
3Mc    3:28   4:1   6:30
1Esr   1:6 7 30   3:9   4:51   6:24 27   8:3 6
       17   9:39
Tb     2:1 14   3:8
PsS    1:4   16:12
PsAp   2:5
```

acquisitio　　　　　　　　　　　　　ܐܪܡܠ

```
1Bar   8:12
```

donator　　　　　　　　　　　　　ܐܪܡܩܠ

```
4Esr   7:135 138
```

largitio　　　　　　　　　　　　　ܐܪܡܩܠܗܩ

```
1Esr   4:54 55
```

donum　　　　　　　　　　　　　ܐܪܡܩܠܗ

```
Sap    16:25
BelD   22
Jdt    9:11
Sir    3:17   4:3   7:4 33   11:17   18:16 17
       18   20:14   26:14   27:14   35:7 8 9
       38:2   41:12
ABar   22:4   48:15
1Mc    2:18   3:28   10:24 28 36 54 60   12:43
       43   14:2 32   15:5   16:19
2Mc    1:35   4:23 30 45   15:16
3Mc    1:7   3:17
4Mc    5:29
1Esr   2:6   3:5
Tb     2:14
PsS    5:16 16   18:2
```

commercium　　　　　　　　　　　ܐܪܡܩܣܩ　ܐܪ ܗܩ

```
1Mc    14:43
```

dies　　　　　　　　　　　　　ܐܪܣܩ

```
Sap    2:10   3:18   4:6   5:14   13:13
1Bar   9:2
2Bar   1:11 11 12 14 14 15 19 19 20   2:28
       3:14   4:20 35
BelD   3   4   6   7   31   32   32   40
Su     7   8   15   28   52   62
Jdt    1:1 5 16   2:10 21 27   3:10   4:6 13
       5:8 16   6:5 15 17   7:1 2 6 20 21 28 30
       31   8:1 6 9 11 15 18 18 29 33   10:4
       11:15   12:7 10 14 16 18 20   13:3 7 20
       14:8 8 8   15:11   16:17 20 21 22 22 24
       25 25
```

Sir　1:2 13 20　　3:6 12 13 15　　5:7 7 8
　　　6:37　　11:27　　14:14 16　　17:2　　18:9 10
　　　10 25 25 27　　21:14　　22:12 12　　23:14
　　　15　　24:25 26 27　　25:4　　26:1 28　　27:29
　　　30:24　　31:6　　33:7 7 7 9 23 23　　36:10
　　　38:17　　39:12 31　　40:1 2　　41:8　　44:7
　　　45:15　　46:4 4 7　　47:9　　48:10 12 18
　　　49:3 6　　50:1 6 8 24　　51:1 10

ABar　6:1　　9:1　　10:1 3　　12:2 5　　19:8
　　　20:1 5　　21:1 24　　24:1　　25:1　　27:15
　　　29:2 4 6 7　　31:5　　32:7　　38:4　　39:3
　　　43:3　　47:2　　48:1 13 32 47　　49:2
　　　51:1　　59:8　　60:2　　64:1 4　　66:5
　　　70:2　　74:1　　76:4 5

4Esr　4:5 8 9 51 51　　5:1 13 19 20 21　　6:18
　　　31 35 38 41 42 44 45 47 51 53　　7:26 30
　　　31 38 39 88 101 101 102 104 104 105 107
　　　108 110 113　　8:63　　9:23 27 47　　10:2
　　　28 59　　12:13 32 34 39 40 49 51 51
　　　13:1 16 18 29 40 41 52 56 58　　14:4 23
　　　36 38 42 44 45 48

1Mc　1:11 11　　2:1 32 34 38 41 41 49 65
　　　3:12 47 49　　4:25 52 54 54 56 59 59
　　　5:24 27 30 34 50 55 60 67　　6:9 31 51
　　　52　　7:16 45 48 50　　8:10　　9:20 24 27
　　　29 34 43 49 64 71　　10:34 34 34 47 50
　　　51 55　　11:18 20 40 47 48 65 74　　12:11
　　　13:26 43 52　　14:4 4 13 36　　15:25
　　　16:24

2Mc　2:12　　3:14　　4:17　　5:2 14 25　　6:7 7
　　　11　　7:20　　8:19 27 28　　10:5 5 6 8 28
　　　33 35　　12:15 39　　13:12 12　　14:4 21
　　　15:1 2 3 4 22 30 36 36 36 36 37

3Mc　4:8 14 15　　5:10 18 24 43　　6:13 30 36
　　　38 38　　7:15 17 19 19 19

4Mc　3:7　　5:4　　9:24　　13:21　　14:7　　18:19
　　　19

1Esr　1:2 4 15 16 17 18 30 42 49　　4:34 43 52
　　　55 63　　5:50 66　　6:29　　7:14　　8:41 61
　　　61 73 74　　9:4 5 11 50 52 53

Tb　1:2 3 16 21　　3:7　　4:1 3 5 5 9　　5:15
　　　8:19a 20 20a　　9:4 4b 4b　　10:1 1 1b 7
　　　7a 8b 12b　　11:1b 17b 19a　　12:19a

OrM　15

```
PsS    3:11   7:9    14:3 4 6    15:13    17:36
       37 42 50    18:6 6 7
```

hodie   ܚܒܝܫ

```
2Bar   1:13 15   2:6 11 26    3:8
Jdt    1:15    6:2 5 7    7:28    8:11 29    12:13
       18    13:11 17    14:10
Sir    10:10    20:15    38:22    47:7
4Esr   7:129
1Mc    2:63    3:17    4:10    5:32    6:26    7:42
       9:30 44    10:20 30 30    13:30 39    16:2
3Mc    5:20
1Esr   8:74 86
Tb     6:11
Dn     3:37 40    PsS    5:15
```

cotidie   ܩܝܕܡܘܢ

```
4Esr   4:23    9:44
1Mc    8:15
```

columba   ܝܘܢܐ

```
ABar   77:23
4Esr   5:26
```

mutuum accipere   ܐܠܘܦ

```
Sir    20:12    29:5
```

mutuum dare   ܐܘܠܦ

```
Sir    8:12 12    20:15    29:1 2 7 28    35:9 10
4Mc    2:8
```

mutuum accipiens   ܠܘܩܦܐ

```
Sir    29:4
```

mutuum   ܠܘܦܬܐ

```
Sir    29:4 5 28
```

mutuum dans   ܡܘܠܦܢܐ

```
Sir    29:4 5 28
```

unicus   ܝܚܝܕܝܐ

```
Sap    7:22    10:1
2Bar   4:16
4Esr   5:28    6:58
Tb     3:15    8:17
PsS    18:4
```

solitarius   ܝܚܝܕܝܐ

```
2Bar   4:16
```

solitarie   ܝܚܝܕܝܐܬ

```
4Mc    1:27
```

desperare   ܐܘܕܝ

```
Sir    22:21
2Mc    9:18
```

ܠܠܐ ܐ   ܐ ܕܩܠ

lamentari   ܠܠܐ ܐ
ABar   32:8
lamentatio   ܪܕܠܠܐ
Sir   30:7
parere   ܐ ܠ ܐ

Sap   7:1   14:26
1Bar   1:4   7:11
Sir   7:27   10:8   49:15
ABar   10:13 15   14:9   22:7   24:2   73:7
        75:5
4Esr   4:6 30 42   5:46 46 49 51 52   6:21
        7:46 55 65 68   8:35   9:43   10:12 14
        46
4Mc   10:2   16:6 13
1Esr   3:1   4:15
Tb   1:9
nasci   ܐ ܠ ܕ ܐ

Sap   4:6   5:13   7:3
EpJr   47
2Bar   3:26
Jdt   12:20
Sir   14:18   22:3   23:14   38:18
ABar   10:6 6   17:3   23:4 4   48:12 42 46
        54:15   56:8   57:2   61:1
4Esr   3:7 21   5:8 35 53 53   6:8 8 56   7:62
        127   11:3   14:19
1Mc   2:7
4Mc   1:28   11:15   13:18 20   14:14
Tb   8:6b
PsS   3:11
parere facere   ܠܐ ܐ
ABar   48:16
4Esr   4:30
4Mc   1:29
partus, liberi   ܐ ܠ

Sap   4:3
Sir   3:2   23:23 24
4Esr   4:42
1Mc   1:38   3:45
4Mc   15:5 13 25   17:6
PsS   4:20
                            ܐ ܠ ܕ ܀܀܀   ܐ ܠ
parens   ܐ ܕܩܠ
Sap   10:21   18:5
Jdt   4:10 12   7:21 22 27

210

```
ABar    73:6
4Esr    5:49    6:21 21
1Mc     2:9
2Mc     5:13    8:4
3Mc     1:20    3:27    5:49 50    6:14
4Mc     4:25
partus                                              ܩܘܠܕܐ
Sap     1:14    12:10    14:6 17    16:26    18:12
        19:10 11
4Mc     16:7
generatio                                          ܡܘܠܕܘܬܐ
Sap     3:12    7:5
Sir     26:20    41:5 5
ABar    57:1    66:1
4Esr    3:7 26    6:26
genetrix                                           ܝܠܕܬܐ
Sir     19:11    41:9
discere                                            ܝܠܦ
Sap     6:1 10    7:13    9:18
1Bar    7:1
2Bar    3:14
Sir     15:1    23:15    44:4
ABar    50:1
1Mc     3:42
2Mc     14:9    15:1 6 28
3Mc     1:1
4Mc     1:17    2:7    5:11    9:5
1Esr    9:55
cognosci                                           ܐܬܝܠܦ
4Mc     13:23
disciplina                                         ܝܘܠܦܢܐ
Sap     13:10    14:16
Sir     6:18 22 23    8:8 9    16:24 25    18:29 29
        21:19    22:6    23:2 7 14 15    24:20 27
        32 33    32:13 17    38:33    39:8 12
        51:13 16 23 28
ABar    77:12
2Mc     6:23
4Mc     5:11 22 35    10:2 10    11:21
mare                                               ܝܡܐ
Sap     5:10 22    10:18    14:1 3    19:7 12
2Bar    3:30
Jdt     1:7    2:24 28    3:6    5:2 13 22    7:8
Sir     1:2    18:10    24:6 29 31    29:18
        44:21 21 21
```

```
ABar     10:8    22:3    29:4    53:1 11    55:3
         56:3    76:3
4Esr     4:14 15 17 19 20    5:7 25    7:3 5
         9:34    11:1    12:11    13:2 5 52
1Mc      4:9 23    7:1    8:23 32    11:1 8 8
         13:29    14:5 34    15:1 11 14
2Mc      5:21 21    8:11    9:8    12:4
3Mc      2:7    6:4 8    7:20
4Mc      7:1
1Esr     4:2 15 23
OrM      3    9
Dn       3:36
PsS      2:30 33
```

lacus   ܪܗܝ̈ܡܐ ܪܗܝ

```
1Mc      11:35
2Mc      12:16
```

dies   ܪܡܝ ܐ

```
Sap      10:17
Jdt      1:12    11:17
Sir      17:31    38:27
4Esr     5:4    7:42    9:44    14:42 43
2Mc      13:10
Tb       10:7a
Dn       3:71 78
```

jurare   ܪܡܝ ܐ

```
Sap      1:15    14:28 29 30
2Bar     2:34
Jdt      1:12    8:9
Sir      23:10 11 11 11 11    44:17 18 21 22
         45:24
4Esr     4:7    13:3 25 51
1Mc      6:61 62    7:15 24 35    9:70    13:22
         14:32 33 33
3Mc      5:42
4Mc      5:29
1Esr     8:92
Tb       9:3a 4b    10:7
PsS      17:5
```

jurare facere   ܪܡܐܐ

```
1Esr     8:92
```

ad jusjurandum adigi   ܪܡܐܬܐ

```
1Esr     1:46
```

jusjurandum   ܪܡܝܐ

```
Sap      12:21    14:25 31    18:22
Jdt      8:11 30
```

```
Sir      23:9     38:20    44:18 21    45:24
1Mc      6:62     7:18
2Mc      4:34     7:24    15:10
3Mc      5:42 44
4Mc      5:29
1Esr     1:46     8:90
Tb       8:20a    9:4b
PsS      4:4
```

dexter   ܪܒܝܬܐ
```
Sap      5:16     11:22
EpJr     14
Sir      12:12    21:19 21    36:6    49:11
ABar     54:13    75:6    77:26
4Esr     3:6    4:47    7:7    9:38    10:30    11:12
         20 24 35    12:29
1Mc      2:22    5:46    6:45 58    7:45 47    9:1 12
         14 15 16    11:50 51 62 66    13:45 50
2Mc      4:34    11:26 29    12:11 12    13:22
         14:19    15:15
1Esr     9:43
Tb       1:2
PsS      13:1 1
```

meridies   ܪܒܝܡܗ
```
Jdt      2:23 24 25    7:18
1Mc      5:65
```

meridianus   ܪܒܝܠܡܗ
```
1Mc      3:57
```

adolescens   νεανίσκος   ܥܠܝܡܐ
```
1Esr     1:50    3:4 15    4:58    8:49
Tb       7:2
```

sugere   ܐܝܢܩ
```
3Mc      3:27    5:49
```

lactare   ܐܝܢܩ
```
2Mc      7:27
```

adddere   ܐܘܗܘ
```
Su       22
Sir      3:27    5:5    18:23    19:13    21:15
         37:31    38:24    48:16
ABar     10:10
4Esr     7:23    8:55    9:41    10:19
1Mc      3:15    8:30 30    9:1 72    10:88    11:1
2Mc      4:4
1Esr     2:6    9:7
Tb       2:12    5:16    12:1    14:2a
PsS      3:12    4:6
```

PsAp   3:13 16
addidi   ܐܘܣܦܘܡ
BelD   1
Jdt   14:10
Sir   48:23
1Mc   2:43   3:41   11:34
2Mc   10:15
3Mc   3:24
1Esr   7:6
crescere   ܪܒܐ
Sir   14:18   40:15 16
4Esr   12:19
1Mc   4:38
crescere facere   ܐܘܪܒ
Dn   3:76
planta   ܢܨܒܬܐ
2Bar   5:5
Jdt   14:1
crescentia   ܡܪܒܝܬܐ
PsS   5:11
avidus   ܝܥܢܐ
Sir   31:19
avaritia   ܝܥܢܘܬܐ
3Mc   7:11
perficere   ܐܘܣܦ
Sir   42:17
3Mc   4:20
Tb   14:11a
cubitus   ܩܘܒܠܐ
Sir   9:9
4Mc   10:6
providere   ܣܥܪ
Sap   6:7   8:17   12:13   13:16
Sir   18:27   32:1
1Mc   5:19   8:15   14:42 43   16:14
2Mc   9:21   14:8   15:18
3Mc   5:1
1Esr   6:26
providere   ܐܬܣܥܪ
1Esr   2:24
curator   ܢܨܘܚܐ

cura
Sap   6:15   7:23   8:9   15:9
2Bar   3:18
Sir   30:24   31:1 2   36:20   38:19   40:8
        42:9
ABar   73:2
4Esr   7:13 121
2Mc   15:18
3Mc   5:22
4Mc   16:8

sollicite   ܝܨܝܦܐܝܬ
Sap   7:4
1Esr   6:28 33   7:2   8:19

studium   ܝܨܝܦܘܬܐ
Sap   2:19   12:21   14:3
2Mc   11:23
4Mc   4:4
1Esr   2:25   6:9 9

animus   ܪܥܝܐ
Sir   15:14   17:31   21:11
4Mc   3:4

ardere   ܝܩܕ
Sap   16:19
EpJr   54
Jdt   16:17
Sir   3:30   8:10   11:32   12:14   16:6
        23:16   28:10 12 22 23   38:28   40:30
        48:1   51:51
ABar   37:1   70:8
4Esr   4:48   10:22   12:3 44   14:21
1Mc   10:85   12:29
3Mc   6:34
4Mc   3:15   6:26   15:14
Tb   14:4a

comburere   ܐܘܩܕ:
Sap   16:18 19   19:19 20
EpJr   62
1Bar   3:3   2Bar   1:2
Jdt   2:27   6:4
Sir   28:11 22   43:3 4   45:19
ABar   5:3   7:2   63:8   66:3 4 4
4Esr   13:11
1Mc   1:31 56   3:5   4:20 38   5:5 28 35 44
        65 68   6:31   7:35   9:67   10:84 84
        11:4 4 4 48 61   16:10

215

```
2Mc     1:8    6:11    8:33 33    10:36 36    12:6
        9    14:41
3Mc     2:5    5:43    6:6
4Mc     6:25    9:17    11:19    12:12 13    16:3
        18:14
1Esr    1:52 52    4:45    6:15
Dn      3:46 48
```

incendium   ܟ.ܝܩ_

```
2Bar    1:10
Jdt     4:14    16:16 18
Sir     9:8
1Mc     4:53    5:54    7:33
2Mc     2:10
4Mc     18:14
1Esr    4:52    5:48 49
PsAp    2:11
```

incendium   ܟ .ܝܩ_

```
4Esr    12:44
1Mc     7:5
2Mc     12:9
3Mc     6:6
4Mc     7:4
Dn      3:39
PsS     12:3
```

aptus ad urendum   ܟ .ܝܩܩܣ

imago   εἰκών   ܟܝܩܩ_

```
Sap     2:23
4Esr    8:44
```

hyacinthinus   ὑακίνθινος   ـܩܟܝܩܩ_

```
1Mc     4:23
```

gravis esse   ܝܩܝ ܝܩ_

```
Sap     6:21    14:17 20
Jdt     5:7
Sir     3:8    6:6    7:27 29 30 31    10:23 24 24
        28 29    11:6    12:3    38:1    45:8
4Esr    6:58
2Mc     3:2 35    13:22    15:2
3Mc     1:9    3:16 17
4Mc     8:4    18:1
1Esr    8:26
Tb      4:3    10:12    11:1b
```

honorari   ܝܩܝܝܪ

```
Sir     1:29    3:10    10:26 27 30 30 31    24:1
4Mc     17:20
```

honorare ‎ ‎

4Esr 7:105
1Mc 8:31
PsS 2:24

honor ‎ ‎ܐܝܩܪܐ‎

Sap 4:7 8   8:10   12:7   14:17   18:3 24
2Bar 4:3
BelD 2
Jdt 9:8
Sir 1:11 18   3:10 11 11 12 12   4:13 21
       5:13   6:31   7:4   11:5 6   17:13 13
       21:23   22:27   24:16   25:6   26:28
       29:27   33:22   36:14   37:20 26   40:18
       27   42:17 25   44:2 7 13 19   45:3 7 7
       20 23   47:8 14 18 20   49:12   50:11 13
ABar 48:35   51:16
1Mc 1:39   11:27   14:21   15:32
2Mc 3:2 9   4:15 21   5:16 16   6:27   9:21
       10:13   12:30   14:42
3Mc 1:12   3:17 18
4Mc 4:15   11:9   17:20   18:24
Tb 14:13b
PsS 17:34
PsAp 2:5   3:10 20

onus ‎ ‎ܐܝܩܪܬܐ‎

Jdt 7:2
1Mc 5:13 23 45   9:35
2Mc 12:21

gravitas ‎ ‎ܝܩܝܪܐ‎

Jdt 7:4
ABar 14:8   59:5
4Esr 6:1   14:14

gravis ‎ ‎ܝܩܝܪܐ‎

Sap 2:4 14   7:9   9:15   17:20 20   18:12
Sir 6:21   8:4   10:19 19 19   13:2   21:16
       22:14   24:12   29:28   42:9   48:6
4Esr 7:58 68
3Mc 3:29   5:12
4Mc 5:35   17:5
PsS 17:19

honorifice ‎ ‎ܝܩܝܪܐܝܬ‎

4Mc 9:28

magnificus
Jdt   12:13   16:21
Sir   3:3 4 5 6   10:20 20 24   25:5 23
        26:26   28:14
ABar   5:5   6:7   66:7   70:3
3Esr   7:52 57
1Mc   11:27
2Mc   3:11   4:31   6:21 23
3Mc   1:25   2:9   4:5
Tb   3:11   13:16a
PsS   8:31   17:7 48

honorifice   ܒܪܒܘܬܐ
Tb   12:6a   14:5a 13a

ferula   ܪܒܝܬܐ
ABar   10:8

magnus esse   ܪܒ
Su   64
Jdt   12:18   16:23 23
3Mc   3:26

magnum facere   ܐܘܪܒ
Sap   19:21
1Mc   3:3   11:27   14:6
2Mc   15:17
4Mc   7:9

mensis   ܝܪܚܐ
Sap   7:2
2Bar   1:2
Jdt   2:1   3:10   7:20   8:4 6   16:20
Sir   43:8
ABar   77:18
4Esr   4:40   6:21   8:8   14:48
1Mc   1:54 58 58 59   4:52   7:43 49   9:3 54
        10:21 34   13:51   16:14
2Mc   6:7   7:27   10:5   11:30   15:36
3Mc   6:38
4Mc   16:7
1Esr   1:1 33 42   5:6 46 51 52 54 55   7:5 10
        8:6 6 6 60   9:5 5 16 17 37 40

lividum facere   ܐܘܪܩ
Sir   25:17
4Esr   5:36

lividus   ܝܘܪܩܐ
Sir   40:16

heres esse

Sap	3:5	6:25
Jdt	5:15	
Sir	1:20	4:15 6:1 19:1 22:23 23:2
	24:20	34:22 36:11 37:26 45:22 25
	46:9	
ABar	16:1	42:6 44:13
4Esr	6:39	7:17 96 14:34
1Mc	1:32	2:10 57 14:26
1Esr	8:80	
Tb	3:15 17	4:12 14:13
PsS	8:12	12:8 13:8 14:6

heredem facere   ܐܝܪܐ

Sir	15:6 20:25 33:23 44:21 46:1
1Mc	3:36
1Esr	8:82

heres   ܝܪܬ

Sir	23:22

hereditas   ܪܬܘܬ

Sap	2:9 5:5
Jdt	5:9 8:22 9:12 13:5
Sir	23:12 24:12 45:22 46:8
ABar	5:1 44:13
4Esr	3:16 7:9 9 8:16 45 14:31
1Mc	6:24 10:89 15:33 34
2Mc	1:26 2:4 17 14:15
Tb	6:12 13
PsS	7:2 9:2 14:3 17:26

heres   ܝܪܬܐ

4Esr	7:9

hereditas   ܝܪܬܘ

Sap	3:14
Sir	1:20 9:6 22:23 24:7 23 44:23
	45:20 22 25 25 46:9
1Mc	1:32 2:56
PsS	14:6 15:11 12

extendere   ܦܬܐ

Sir	7:32 15:16 31:14 18 50:15
1Mc	6:25 12:39 42 14:31
1Esr	6:32
Tb	7:10

se extendere   ܦܬܘܬܐ

1Esr	2:24 4:53 53

sedere　　　　　　　　　　　　　　ܝܬܒ

Sap　　11:1
EpJr　21　42　70
BelD　40
Su　　14　50
Jdt　　4:8　5:3 7 10　7:6　11:23　12:15 16
Sir　　8:14　11:5　14:27　18:22　23:9
　　　　25:18　27:16　31:12 18　38:28 29 33 33
　　　　40:3 3　41:1　50:26 26
ABar　5:7　10:5　21:1　35:1　47:2　55:1
　　　　59:2　73:1　77:18
4Esr　9:26　12:41 51　13:58　14:1 42
1Mc　　1:27 38　2:1 7 29　3:45　4:2 41
　　　　5:3 46　6:18 19 20 24　7:4　9:58 64
　　　　10:7 9 52 53 55 86　11:2 20 21 22 23 41
　　　　41 45 49 52 61 61 65 65　12:25　13:21
　　　　43 49　14:9 12　15:37
2Mc　　10:19 33 34　12:3 4 30　13:20
4Mc　　5:1　18:4
1Esr　1:30　3:7 14　4:42　8:68 69　9:6 16
　　　　45
Dn　　3:54
PsS　　4:1　17:13

colonis frequentari　　　　　　ܝܬܒ ܒܪ
Sap　　11:2　14:6
Sir　　10:3　38:32

sedere facere　　　　　　　　　ܝܬܒ ܐ
EpJr　30
Sir　　10:1 14　11:1　12:12
1Mc　　1:34　3:36　9:52　10:63　12:34
　　　　13:48
4Mc　　2:22

sedes, incolae　　　　　　　　　ܝܬܒܐ
1Mc　　1:38　3:45　10:7 9
2Mc　　12:7

sedes　　　　　　　　　　　　ܝܬܒܬܐ
EpJr　30
Sir　　6:29　26:16
2Mc　　14:5
3Mc　　7:17
1Esr　5:60　9:4

sedens　　　　　　　　　　　　ܝܬܒܐ
3Mc　　4:3
Tb　　11:5a

ܪܒܘܬ݂ܐ   ܪܬܒ

advena   ܪܒܘܬ݂ܐ

Sir	10:22
4Esr	14:29
PsS	17:31

habitatio   ܪܬܒܘܬ݂ܐ

Sap	19:10
1Esr	5:7
PsS	17:19

orbus   ܪܬܒ

Sap	2:10	
EpJr	37	
Sir	4:10	35:15
ABar	32:9	
2Mc	3:10	8:28 30
1Esr	3:18	
Tb	1:8	

melior esse   ܝܬܒ

BelD	13	
Sir	48:15	
ABar	14:5	
4Esr	4:48 49 50	7:67
Tb	3:8	4:16

melior fieri   ܝܬܒ ܗܘܐ

ABar	70:4
4Esr	4:50
3Mc	3:26
PsS	5:6 19

prodesse   ܝܘܬ݂ܪ

Sap	5:8 8 9
ABar	25:15
4Esr	3:11
1Esr	8:82
Tb	2:10

abundatio   ܪܐ ܝܘܬ݂ܪ

Sap	1:11	
EpJr	69	
Sir	18:8	
ABar	14:3	66:6
4Esr	7:119	
4Mc	16:7 9	

superfluus   ܪܝܬ݂ܪ

Sap	7:8 10 10 29	15:13	17:13
EpJr	58		
1Bar	3:7		
Su	31		

```
Jdt    5:4    8:25
Sir    10:27   11:12    19:24    37:14    38:19
ABar   1:2    11:7    20:1 1    34:1    39:5 5
       48:41    51:5 12    53:7    61:7    66:6
       77:3
4Esr   3:12 31 32    4:34    5:2 2 28 33 44 55
       7:19 19 59    8:30 47    10:57    11:27 32
       12:7 15 24    13:24 50
1Mc    3:30    6:27    7:23    12:24
2Mc    4:24    5:23    8:30    9:8 21    10:23
       11:2    12:19    13:9
3Mc    1:28    6:24 26    7:5
4Mc    14:2
1Esr   1:22 47    2:17 24    3:5 5 9 10 11 12 17
       23    4:2 12 41 42    7:2
Tb     7:9    14:4b 4b 4b
OrM    9    10
Dn     3:40
PsS    1:8    2:30    4:2    8:14    9:17    17:48
```

magis

```
Sap    8:12    16:17
1Bar   1:3 5 6    2:1    5:2    6:4    7:1    9:2
ABar   10:14    20:2    30:4    36:10    48:33
       51:4 5    53:9    63:8    73:5
4Esr   7:136    8:15 49    10:11    13:16    14:17
1Mc    5:63    11:51
2Mc    7:20 39    8:7 8    9:7    12:14 36    14:37
       15:6
3Mc    1:8    5:3
4Mc    1:2 8    9:6    12:3 9 22    13:23 24
       15:5 10    16:5 13
Tb     14:4b
PsS    4:2 2
```

excellens

```
Sap    14:19    15:17    19:4
EpJr   58    67
1Bar   1:7    8:4
Su     4
Jdt    11:23
ABar   48:24    54:9
4Esr   4:50    12:45
1Mc    6:43    13:50    15:32
2Mc    1:35    4:21 23 28    15:13
3Mc    2:14 31
4Mc    1:3    2:9    3:17 19    5:7    13:26
```

ܚܬܝܪܐܝܬ   ܝܬܝܪ ܠܐ

excellenter   ܚܬܝܪܐ

2Mc   4:22   15:38   ܚܬܝܪܘܬܐ

praestantia

Sap   16:7

ABar   51:12

4Mc   1:2 30   7:22   9:18   11:4   13:23

            17:12 16 23

utilis   ܝܬܝܪ ܠܐ

Sap   7:22

ܟܝ

increpare   ܐܟܪ
Sap   12:2
PsS   2:26
vituperatio   ܐܟܝܬܐ
1Bar   6:2
Sir   29:28
4Esr   8:23
2Mc   7:33
PsS   2:25   17:27
dolere afficere   ܐܟܒ
Sir   4:2 3
4Esr   10:50
2Mc   4:34 37
4Mc   14:17
Tb   9:4a
PsS   2:15
dolere afficere   ܐܒܟܐ
Sir   38:16
2Mc   8:28
dolor   ܐܒܟܐ
Sap   10:9
2Bar   2:25
Jdt   16:7
Sir   3:27   30:17   31:19 29 29   38:7   40:29
ABar   10:15   11:1 2 4   56:6   73:7   75:8
4Esr   8:54   10:12 20 24 24
2Mc   3:17   6:30   9:5 6 18
3Mc   4:2
4Mc   1:9 28 29   6:7 9   8:27   11:12 20 26
        13:3 4   14:9   18:2
Tb   3:1 10   6:15
PsS   4:17
lapis   ܐܟܘܪ
Sap   5:22   7:9   11:4 4   13:10   14:21
        16:16 22   17:19 19   18:24   19:20
EpJr   3   38   38
Jdt   1:2   6:12   10:21

Sir	6:21 20:9 16 17 21:8 22:1 18 20
	27:2 25 29:10 32:20 33:16 39:29
	46:5 50:9
ABar	6:7 66:5
4Esr	5:5 7:52
1Mc	2:35 4:23 43 46 47 5:47 6:51
	10:11 73 13:27
2Mc	1:16 31 4:41 10:3 12:15 14:45
1Esr	5:53 6:8 24
Tb	13:16a 17a

jecur   ܟܒܕܐ

4Mc	18:20
Tb	6:5 7 8 17 8:2

sulphur   ܟܒܪܝܬܐ

Sir	24:20 46:5
3Mc	2:5
4Mc	14:19
Dn	3:46

premere   ܟܒܫ ܐܟܒܫ

Sap	8:21
Jdt	1:14
Sir	17:31 30:8
1Mc	5:8 11 30 36 6:3 26 50 9:2 10:1
	12:33
2Mc	8:30 10:17 22 36 12:16 28 13:13 18
3Mc	6:5
4Mc	2:17 9:17

subjugari   ܐܬܟܒܫ

2Mc	12:21

scabellum   ܟܘܒܫܐ

4Esr	6:4

mentiri   ܟܕܒ

Su	49b
Sir	1:28 7:13 17:14
4Esr	10:36

mendax   ܟܕܒܐ

Sir	25:2 35:1

mendaciter   ܟܕܒܐܝܬ

4Mc	6:17

mendacium   ܟܕܒܘܬܐ

Sir	7:13 10:6 34:1

conjungere   ܟܕܢ

Jdt	15:11

mula   ܩܘܒܠ ܩܒܠ ܕܘܩܐ

Jdt	15:11

sacerdotio fungi   ܟܗܢ

1Esr   8:45

sacerdos fieri   ܐܬܟܗܢ

1Esr   9:4

sacerdos   ܟܗܢܐ

2Bar   1:7 7 16

Jdt   4:11 11   11:13   15:8

Sir   7:29 31   46:13   50:1

ABar   6:7 7   10:18   35:4   64:2   66:2

       68:5

4Esr   10:22

1Mc   2:1   3:51   4:42   5:67   7:5 14 33 36

       10:20 32 38 42 69   11:23   12:3 6 6 7 20

       13:36 42   14:17 20 20 23 25 27 28 30 35

       41 41 44 47 47   15:1 2 17 21 24   16:12

       24

2Mc   1:10 19 20 21 23 23 30   3:1 4 9 10 15

       16 21 32 33 33   4:7 13 14 29   14:3 31

       34   15:12 31

3Mc   1:11 11 16 23   2:1   6:1   7:13

4Mc   4:3 13 16 18   5:4   7:6   17:9

1Esr   1:2 3 7 8 10 12 13 13 14 19 47   2:7

       4:53   5:5 40 45 47 54 57 60   6:29

       7:6 9 10 12   8:2 5 5 19 22 22 42 48 48

       54 58 59   9:18 37 39 40 40 42 49

Tb   1:7

Dn   3:84

sacerdotium   ܟܗܢܘܬܐ

Sap   18:21 21

Sir   45:24

1Mc   2:54   3:49   7:9 21   11:27 57   14:38

       16:24

2Mc   2:17   3:15   4:7 10 24 25 48   11:3

       14:7 13

4Mc   4:1 16   5:35   7:6

sacerdotalis   ܟܗܢܝ

4Mc   1:39 43 51   4:54   5:44 45   6:17 25

       7:2 2 3   8:5 8 9 10 17 22 55 61 65 68

       70 74 92   9:16 24 38 41

1Esr   1:39 43   6:17   7:2 3   8:55   9:38 41

felix   ܟܗܝܢ

4Esr   11:2

fortuna   ܟܗܝܢܘܬܐ

4Esr   3:2   6:56

fenestra
Sir   14:23
2Mc   3:19
Tb   3:11
cauterium   ܟܘܐ
4Mc   15:22
timere   ܝܘܐ
4Mc   16:17
stella   ܟܒܟܘܐ
Sap   7:19 29   10:17   13:2
EpJr   59
2Bar   3:34
Sir   43:9   50:6
ABar   51:10
4Esr   6:45   7:39 97 125
2Mc   9:10
Dn   3:36 63
PsS   1:5
arca   ܟܠܘܐ
4Mc   15:31
justus   ܟܠܟܐ
Sap   4:14   18:21
Sir   6:5   9:16   19:27   40:12   41:7 9
ABar   67:4
2Mc   7:36   9:18   12:41
3Mc   2:22
4Mc   9:24
1Esr   4:39
Tb   3:2
Dn   3:31
PsAp   2:12 12
recte   ܬܝܟܠܟܐ
ABar   54:14
2Mc   7:38   12:43   13:8
OrM   9a
justitia   ܟܬܠܟܐ
Sap   9:3   12:16
ABar   63:1
1Mc   7:12
2Mc   9:6
3Mc   2:25   3:5   4:16
4Mc   1:15
Tb   12:8b   13:6b 6b   14:6b 6b
Dn   3:28

corrigere   ܩܘܚ

Sap   11:21   12:2

Jdt   7:28

4Esr   12:32

2Mc   10:21

PsS   17:27 41

corrigi   ܐܬܩܘܚ

Sap   2:11

4Esr   7:84

PsS   16:14

natura   ܟܝܢܐ

Sap   7:20   19:6 6

ABar   3:7 8   10:16   14:11   21:15 22

4Esr   10:13   14:14

2Mc   15:12

4Mc   1:20   5:7 8 24 25   13:18 26   15:25

admonitio   ܩܘܡܐ

Sap   11:8

poculum   ܟܣܐ

PsS   8:15

furnus   ܟܘܪܐ

Sap   3:6

Sir   2:5   31:26   38:28   43:4

regio   χώρα   ܟܘܪܐ

EpJr   60

pudefacere   ܟܚܕ.

1Esr   8:71

vereri   ܐܬܟܚܕ.

4Mc   1:45   2:10   5:6   12:11

1Esr   1:45

Tb   2:14

mesurare   ܐܟܝܠ

4Esr   4:5

mensura definiri   ܐܬܟܝܠ

3Mc   2:9

mensura   ܟܝܠܐ

Sap   11:21

mensura   ܡܫܘܚܬܐ ܕܟܝܠܐ

Sap   4:8

Jdt   7:22

1Esr   8:20

OrM   6a

ܣܡܟܐ

sacculus ܣܡܟܐ
Sir   32:5
talentum ܟܟܪܐ
1Mc   3:48   11:28   13:16 18   15:31 31 35
2Mc   3:11   4:8 8 24   5:21   8:10 11
4Mc   4:17
1Esr   1:34 34   3:20   4:51 52   8:19 56 56 56
Tb   1:14   4:20̇
favus ܟܟܪܝܬܐ
Sir   24:20
4Mc   14:19
coronare ܢܠܠ
2Mc   9:16
3Mc   7:16 17
4Mc   17:15
PsS   8:19
coronari ܐܬܟܢܠܠ
Sap   2:8
perficere ܓܡܠܠ
Sap   6:15   9:6
ABar   22:8   32:4   56:6
1Mc   13:10
perfici ܐܬܓܡܠܠ
Sap   3:16   4:13
4Esr   8:52
sponsa ܟܠܬܐ ܩܠܠܬܐ
Sap   8:2
2Bar   2:23
4Esr   7:26
1Mc   9:37
3Mc   1:19   4:6 6
Tb   11:16a 17   12:12 14
velum ܟܠܬܐ
Jdt   10:21   13:9 15   16:19
corona ܟܠܝܠܐ
Sap   4:2   5:16   18:24
EpJr   9
Jdt   3:7   15:13 13
Sir   1:11 20   6:31   50:1 12
ABar   10:13   15:18
4Esr   5:42
1Mc   1:22   4:57   10:20 29   11:35   13:37
       39
2Mc   14:4
3Mc   3:28   4:8

4Esr   5:34
1Mc   2:24
chlamydium   χλαμύδιον   ܟܠܡܝܕ̈ܝܐ
2Mc   12:35
insidiari   ܟܡܢ
Su   15
Sir   27:10
1Mc   5:4
PsAp   4:3
insidiae   ܟܡܐ̈ܢܐ
Jdt   5:1
Sir   8:11   11:29
1Mc   9:40   10:79 80   11:68
insidians   ܟܡܢ̈ܐ
Sir   14:22
sacerdos   ܟܘܡܪܐ
EpJr   9   17   27   30   32   48   54
BelD   8   10   11   14   15   21   28
2Mc   1:13 15
3Mc   3:16 21
niger   ܟܡܝܪ
4Esr   5:16   13:13
2Mc   14:30
mensis December   ܟܢܘܢ ܩܕܝܡ
1Mc   1:54   4:52 59
2Mc   1:9 18   10:5
ornare   ܟܢܝ
4Mc   6:2
venerabilis   ܟܢܝܟܐ
4Mc   2:23
pudicitia   ܟܢܝܟܘܬܐ
4Mc   1:3 6 18 30 31   5:23
ala   ܟܢܦܐ
ABar   41:4
1Mc   9:12
2Mc   10:30
3Mc   6:9
4Mc   13:20
cithara   ܟܢܪܐ
Sap   19:17
Sir   44:5
1Mc   3:45   4:54   9:39   13:51
2Mc   15:25
PsAp   1:2

ܟܢܫ ܟܢܫ

congregare

1Bar	1:7
2Bar	1:6
Su	4 26
Sir	21:8 25:3 31:3 36:11 38:16
	47:18
ABar	31:1 40:1 1 69:1 77:1
4Esr	5:36 13:39 14:23 27
1Mc	1:4 35 3:9 10 13 27 31 4:28 35
	5:17 37 45 53 6:19 28 9:7 63 10:2
	6 8 21 48 69 11:1 20 12:35 50 13:1
	3 10 14:1 1 7 30 15:3
2Mc	1:27 2:7 13 14 18 22 8:1 16 31
	10:14 21 24 11:2 12:20 13:14
	14:30
3Mc	3:1 5:44 7:3
1Esr	4:18 8:27 41
Tb	13:5
PsS	8:34 11:3 4 17:28 46

congregari   ܟܢܫܬܐ ܟܢܫܬܐ

Sap	10:8
1Bar	8:3
2Bar	4:37 5:5
BelD	28
Su	28
Jdt	1:6 4:3 5:19 7:23
Sir	44:14 48:12 49:15
ABar	24:1 31:2
4Esr	6:3 42 7:33 95 101 11:2 12:40
	13:5 8 34 47 49
1Mc	1:52 2:16 42 69 3:44 46 52 58 4:37
	5:9 10 15 16 38 64 6:20 7:12 22
	9:28 10:61 11:45 47 55 60 12:37
	13:6 14:30 15:10
2Mc	4:39 8:1 9:2 14:23
3Mc	1:20 28 5:24 41 46
1Esr	5:46 49 8:14 69 88 9:5 18 38 55
Tb	13:13a
PsAp	2:4

collectio   ܟܢܫܐ

Sap	6:2 14:20 18:22
EpJr	5
1Bar	9:1
2Bar	4:34
Su	30 34

Jdt	6:21	11:9	14:6	15:12	
Sir	42:11				
ABar	30:2	39:7	40:1	61:4	67:2
4Esr	3:12	9:3	13:11 12 28 34 39 47		
1Mc	8:29	9:39	14:19		
2Mc	3:18 18	4:40	8:5	10:8	11:16 34
	12:27	14;41 43 43 45	15:8		
3Mc	2:33				
4Mc	5:15				
1Esr	2:25	5:62	9:53		

collectus   ܪܒܝܬܐ

2Mc	15:6

commune   ܪܒܝܬܐ

Su	41	47	50	51b	52	54a	58a 58a
	59a	60	61a	64			
Jdt	7:29						
Sir	1:30	4:7	6:34	7:7 14	15:5	16:6	
	21:17	23:24	24:1 23	26:5	31:11		
	33:18	38:33	39:10	44:19	45:18		
	46:7 14						
ABar	61:4						
1Mc	2:42 55	3:13 44	4:59	5:16	7:12		
	14:28						
2Mc	2:7	4:44					
PsS	4:1	10:8	17:18 48 50				

congregatio   ܪܒܝܬܐ

4Mc	8:4	15:25
1Esr	5:70	

                            ܪܒܝܬܐ ܕܒܝ   <<<   ܪܒܝܬܐ
                                                           ܪܕܡܐ

stramentum

Sir	33:24

admoneri   ܐܬܪܗܒ

Sap	17:3

admonere   ܪܗܒ

Sap	1:3 5	4:20	12:2 17	
Sir	19:13 14 15 17	20:1	31:31	34:20
ABar	40:1	48:47	55:8	
4Esr	12:31	13:37	14:32 33	
2Mc	4:33			
3Mc	2:17			
4Mc	2:11 12			
PsS	9:15			

objurgatorius   ܟܢܘܫܝܐ

Sap	2:14
ABar	19:3

admonitio

Sap	1:8 9	18:5
1Bar	6:19	
Jdt	2:10	
Sir	20:1 29	21:6 48:7
1Mc	2:49	
PsS	10:1	

celare   ܟܣܐ

Sap	6:22	7:13
Sir	37:10	42:18
ABar	51:8	
4Esr	14:39	

tegere   ܟܣܝ

Sap	10:19				
1Bar	8:8				
Jdt	2:7 19	7:18	16:3		
Sir	8:17	17:3	24:3	26:8	29:21 28
	30:18 18	32:17			
ABar	53:2	56:3			
4Esr	14:6 26				
1Mc	3:3	10:64	11:58	13:39	14:43 44
2Mc	1:19	5:2			
PsS	13:1				

occultari   ܐܬܟܣܝ

Sir	14:1	48:13		
ABar	48:36			
4Esr	5:1 9			
1Mc	2:14	3:47	7:14	10:21 14:9
3Mc	1:16			
PsS	2:21			

occultatus   ܟܣܝ

Sap	1:11	7:21	14:23
1Bar	6:3		
Sir	17:20		
4Esr	12:37		
4Mc	13:18		
PsS	1:7		

       ܟܣܝܬܐ

Sap	8:8		
Su	42	60	64
Sir	3:22	4:18	42:19
ABar	54:5		

occultatio   ܟܣܝܐ

Sir	20:22

ܪܕܘܘܣܬܗ

vestimentum
Sir   29:21   39:26
putare (vitem)
4Mc   1:29
alienus   ξένος
Sap   16:2   19:5 13
Sir   10:22   29:25 26
3Mc   6:3
Tb   6:13
exilium
Sir   29:22
argentum
Sap   7:9   13:10   15:9
EpJr   29   34   50   56   57   69   70
2Bar   1:6 10 10   3:17 18
Jdt   2:18   4:10   8:7
Sir   28:24   29:10   51:25
1Mc   3:29 31 41   4:23   6:12   8:26 28
       10:4o 42   13:15 17 18   15:31
2Mc   4:19 19   10:20 20 21   11:3   12:43 43
4Mc   1:26   2:8 8   4:3 4 6 10
1Esr   4:51   5:53   8:19 24
Tb   1:14   4:1 20   5:2 3 19 19   9:2 5b
       10:2 10   11:15b   12:3
inclinare
Sir   30:12
4Mc   11:1o
1Esr   8:70
OrM   11a
curvari
4Mc   11:10
fornix
Sap   5:21
curvus
Sir   12:11   38:30
OrM   10
esurire
BelD   31   32
Sir   16:27   22:8   24:21   38:32
ABar   21:1   29:6
1Mc   13:49
PsS   5:10 12
fames
Sap   16:4
2Bar   2:25

236

Jdt	5:10	7:14		
Sir	18:25	48:1		
ABar	21:14	27:6	62:4	70:8
1Mc	6:54	9:12 24 38	13:49	
Tb	4:13			
PsS	13:2	15:8		

famelicus   ܩܦܘܬܐ ܩܦܐ

2Bar	2:18	
Tb	1:17	4:16

menstrua   ܩܦܘܬ

EpJr   28

menstruans   ܩܦܘܝܬܐ

PsS   8:13

abnegare   ܩܦܪ

Sap	12:27	16:16
1Bar	5:9	
ABar	13:12	51:16 59:2
4Esr	5:11	7:37 8:60
4Mc	4:26	5:34 35 8:6 9:23 10:3 15

purgare   ܩܦܪ

4Esr   7:24

infidelis   ܩܦܘܪܐ

Sap   17:10

infidelitas   ܩܦܘܪܘܬܐ

4Esr	7:114
4Mc	9:32

mensura   κόρος   ܩܦܙܪܐ

ABar	29:5
1Esr	8:20

brevis esse   ܩܦܙ

2Bar	2:18	4:33
BelD	40	
Sir	30:5	32:19
4Esr	8:16	12:46
3Mc	4:4	
4Mc	8:19	9:20 12:2
Tb	8:20b	9:4b 10:3b 6b 9b 11:9b

brevis esse   ܐܬܩܦܙ ,

Jdt	7:19
Sir	4:9

abbreviare   ܐܩܦܙ ,

2Bar	4:8
Dn	3:50

acervus   ܩܦܙ ܡ

4Mc   9:20

ܒܪ ܩܘܛܬܐ

brevitas
2Bar   3:1
Sir   12:9   30:23 23   38:18   40:5
Tb   7:17b   10:6b

arare   ܒܪܒ
4Mc   5:31

aratio   ܒܪܒܐ
Sir   7:3

Cherub   ܒܪܘܒܐ
Dn   3:54

aegrotare   ܐܬܟܪܗ
Sap   17:8
Sir   18:19   37:30
4Esr   7:104
1Mc   2:61   6:8
2Mc   9:21
PsS   17:44 45

aegrotus   ܒܪ ܟܪܗܐ
Sap   2:11   9:5   13:17
Jdt   9:11   16:11
3Mc   2:2

infirmitas   ܒܪ ܟܘܪܗܢܐ
ΛBar   21:14 20
4Esr   14:14
3Mc   2:13

morbus   ܟܘܪܗܢܐ
1Bar   6:10
2Bar   2:18
ABar   73:2
4Esr   4:27   7:12 121   9:53
2Mc   9:21 22

praedicare   ܐܟܪܙ
1Mc   5:49   10:63 64
2Mc   3:34   8:36   9:17
4Mc   17:23
1Esr   2:2
PsS   11:2

praeco   ܟܪܘܙܐ
1Mc   10:64

concionatio   ܟܪܘܙܘܬܐ
1Esr   9:3

charta   χάρτης   ܟܪܛܣ
3Mc   4:20

circumvolvere   ܟܪܟ
Sap   14:16

238

```
1Bar    10:1
Jdt     15:12
ABar    6:1
1Mc     3:42    15:14
```

circumire   ܢܐܬܪܝ

```
Sap     7:4
Jdt     2:26    13:10
1Mc     2:45    10:80    16:14
2Mc     6:7              3Mc      1:18 20
4Mc     14:7 8 17
```

circumducere   ܢܐܪ

```
2Mc     4:38    6:10
3Mc     4:11
4Mc     1:29
```

circumdans   ܒܪ ܐ

```
Jdt     10:18   15:3
Sir     50:12
1Mc     13:15
2Mc     12:13   14:21
4Mc     8:3
```

oppidum   ܒܪ ܐ

```
ABar    77:12
```

volumen   ܒܪ ܐ

```
2Bar    1:3 3 14
1Mc     3:48
```

vinea   ܒܪ ܐ

```
Sir     28:24   36:25
1Mc     3:56
4Mc     2:9
1Esr    4:16
```

venter   ܟܪܣܐ ܟܪܣ

```
Sap     7:2     14:14
Sir     1:14    40:1     46:13    49:7     50:22
ABar    62:4
4Esr    4:40    6:21     10:12
1Mc     6:46
2Mc     7:22 27 14:41
3Mc     6:8 8
4Mc     1:27    6:8      7:6      13:18
Tb      4:4
PsS     2:15
```

thronus   ܟܘܪܣܝܐ ܟܘܪܣܝ

```
Sap     5:23    6:21     7:8      9:4 10 12   18:15
2Bar    5:6
Jdt     1:12    9:3      11:19
```

Sir   10:24   11:5   12:12   24:4   38:33
      40:3   47:1   48:6
4Esr   7:33   8:21
1Mc   7:4   10:52 53 55   11:52
4Mc   17:18
Dn   3:55
PsS   17:8

cumulare   ܟܢܫ
ABar   66:5

acervatim   ܟܢܝܫ ܟܢܝܫ
Sap   18:23
1Mc   11:4 4

offendere facere   ܐܟܫܠ
PsS   16:7

offensio   ܡܟܫܘܠܐ
1Mc   1:36   5:4
PsS   4:27

supplicari   ܐܬܟܫܦ
Sap   14:17   19:3
4Esr   8:17   9:44
2Mc   3:18   7:21   12:24 42   13:3   15:14
3Mc   6:14
4Mc   4:11   16:13 24
1Esr   8:53
Tb   3:11
OrM   13a

supplicatio   ܬܟܫܦܬܐ
2Bar   2:19
4Esr   5:22

prospere se gerere   ܟܫܪ
Sap   3:11   4:5   12:4   13:13
Sir   10:4

prosperitas   ܟܘܫܪܐ
Sir   38:31

sollers   ܟܫܝܪ
Sir   18:17

sollers   ܟܫܝܪ
Sir   13:4 6   40:12   41:2

scriptura   ܟܬܒܐ
Sap   15:4
2Bar   4:1
Sir   1:20   39:32   44:5   47:17
ABar   57:2
4Esr   14:44 45
1Mc   1:56 57   12:9 21   14:23 27 43 48

(1Mc) 16:24
2Mc   2:1 4 13 13   6:12
3Mc   2:28 29 30
1Esr   1:4 10 31 31 40   2:18   3:9 13 14
       5:48   7:6 9   8:30   9:45
Tb   1:1   7:13a   9:2b   12:20

ܟܬܒܐ ܕܥܡܝܕܐ ܒܝܬ   ‹‹‹   ܟܬܒܐ
                        ܟܬܒܐ ܕܐܝܕܐ

manuscriptum
Tb   9:5b
scribere   ܟܬܒ
1Bar   1:1   3:6   5:1   8:6
2Bar   1:1 1 3   2:2 28
Su   59a
Jdt   4:6
Sir   24:23   35:1   39:32   50:27
ABar   24:1   50:1   77:12 17 17 19
4Esr   14:22 22 24 25 26 42 42 45 48
1Mc   1:41 50   4:47   8:20 22   10:17 24 59
       65   11:22 29 29 31 31 37 57   12:8 18
       22 23   13:35 37 42   14:18 22 23 26
       15:2 15 19 22 24   16:18 19 24
2Mc   1:7   2:16 23 26 26 28 28 30   8:8
       9:18 18 25 25   11:15 16 17 20 22 23 27
       34   14:27
3Mc   2:27 27 30   3:11 21 25   4:14 14 15
       6:41
4Mc   17:8
1Esr   1:10 22 31 40   2:15 15 19 21 21 21   3:8
       9 10 11 12 16   4:42 47 48 49 54 55 56
       6:7 11 31
Tb   1:6   7:13a   10:8b   12:20   13:1
scribi   ܐܟܬܒ
Sir   1:20   9:7
4Esr   4:23   14:22
1Mc   9:22   10:36   13:40 40   14:43 48
2Mc   2:23   4:9   12:42
3Mc   2:28
1Esr   2:25   5:53   8:8
scribere facere   ܐܟܬܒ
3Mc   4:17 20   6:34 38
scriptura   ܟܬܒܬܐ
4Esr   14:42
1Esr   2:2
conscriptio   ܟܬܒܬܐ
1Esr   8:48

241

ܟܬܒܘܬܐ   ܟܬܒܐ

testimonia   ܟܬܒܘܬܐ
1Esr   6:11
scriptor   ܟܬܒܐ
3Mc   4:17
4Mc   18:15
scriptura   ܟܬܒܘܬܐ
3Mc   2:32
Tb   7:13a
linum   ܟܬܢܐ
Sir   22:18
PsS   8:6
tunica   ܟܘܬܝܢܐ
Jdt   9:1   14:19
4Mc   9:11
humerus   ܟܬܦܬܐ ܟܬܦܐ
Sap   18:24
EpJr   3   25
2Bar   2:21
Sir   6:25
2Mc   12:35   15:30
1Esr   1:4
manere   ܟܬܪ
Sap   18:20
EpJr   46
Jdt   11:17   12:7 9   15:2
ABar   10:3
4Esr   9:37   14:37
2Mc   5:25
Tb   9:4b   10:8b
verberare   ܟܬܫ
Sir   30:14
pugnare   ܐܬܟܬܫ
Sap   15:6   18:21
Sir   4:28 28   12:5   18:19   33:31   37:5 11
          47:6
4Esr   7:92 127
1Mc   4:41   6:20 31 51   7:21   8:27 28
          9:29 44   11:20   12:51 53   13:6   16:3
2Mc   1:12   2:21   4:9   8:17   9:24   10:15
          17 17 19 26   12:27   13:14 19 23
3Mc   1:4 4   7:6
4Mc   6:21   7:4 8   14:15   15:29   16:16
          17:13
aggressus   ܟܬܫܐ
Sir   10:13   23:11

ܟܬܬܐ

ܟܬܬܐ

ܟܬܬܐ

contentio

2Mc   4:9 14 14 18   8:9   12:11   15:21

4Mc   9:18

1Esr   1:28

ܠ

fatigari				ܐܪܐ
Sap	6:14	9:10	15:9	17:17
Jdt	13:1			
Sir	11:11 12	16:27		
ABar	74:1			
4Esr	5:12 14			
1Mc	10:81			
4Mc	3:8	7:13	9:12	
1Esr	4:22			

fatigare		ܐ ܪܠ ،
Sir	13:11	22:13

labor   ܠܐ ܘ ܬܐ

Sap	3:11 15	5:1	8:18	9:16	10:10 17
	15:4 7	16:20	17:17	18:22	19:15
Sir	14:15				
ABar	15:8	45:1	48:50		
4Esr	5:35	7:12 89 92	8:14	9:22 46	
	10:14 24				
2Mc	2:26 27 28				

angelus   ܟܐܟܠ

Sap	16:20		EpJr	6		
1Bar	3:1		BelD	34	36	39
Su	55	59				
Jdt	1:11					
Sir	1:20					
ABar	6:4 5	7:1 1	8:1	21:23	51:5 10 11	
	12	55:3	56:10 14	59:11	63:6	
	67:2					
4Esr	4:1 36	5:15 20 31	6:3	7:1 85 95		
	10:28 29					
1Mc	5:14	7:10 41				
2Mc	11:6	15:22 23				
3Mc	6:18					
4Mc	4:10	7:11				
1Esr	1:48 49					
Tb	5:4 5 6 7 17 22	6:4 6 11 14 16				
	8:3a 15a	11:14a	12:5a 6a 15 21			
Dn	3:49 58					

```
PsAp    1:4    5:5
cor
```
```
Sap     1:1 6    2:2    8:17 21    13:13    15:10
EpJr    19
1Bar    1:6    6:4 8    8:4
Su      35    42b    56a
Jdt     2:2    4:9    6:9    8:7 14 26 27 28 29
        10:16    11:1 8 10    12:16    13:5 19
Sir     1:12 20 28 30    2:12 13 17    3:26 27 29
        4:17    5:2    6:20 26    7:27 29 30    8:2
        19    9:9    10:12 18    11:30    12:16
        13:25 26    14:3 21    16:15 20 23 24
        17:6 7    19:2 10 15 16 26    21:6 14 17
        26 26    22:16 17 18 19    23:2 4    25:7
        13 22 23    26:4 5 28    28:2 29:24
        30:7 16 23 25    31:28    32:16    33:5
        34:5 6 17    36:19 20    37:12 12 14
        38:10 19 20 26 30    39:5 35    40:2 7 20
        26    42:12 18    45:26    46:11    47:8
        49:3    50:23    51:20
ABar    9:1    11:6    14:11    20:3    32:11
        43:1    46:5    48:21    50:1    51:3
        55:4    66:1    67:2 7    70:2
4Esr    3:1 20 21 22 26 28 29    4:2 4 7 30
        5:21    6:36    7:16 48    8:4 6 58    9:27
        36 38    10:25 31 50 55    12:38    13:3 25
        51    14:8 25
1Mc     1:3    6:11    8:25    9:7 14    12:28
        16:12
2Mc     1:3 3 4    2:3    3:16    15:27
3Mc     4:2    5:28 47    6:13
4Mc     13:13    14:11
1Esr    1:21 46    2:20    8:25
Tb      4:13    6:5 7 8 17    8:2    10:6b    13:6
        6b
OrM     11
Dn      3:39 41 87
PsS     1:3    2:16    3:2    4:1    6:1 7    8:3
        14:5    15:5 5    16:6    17:15 27
PsAp    2:7    3:17
confirmare
```
```
1Mc     12:50
2Mc     11:7    15:9
```

4Mc 13:8
se confirmare   ܐܬܠܒܬ݂
Jdt 7:30 11:1 3
4Esr 6:33 7:98 12:46
4Mc 13:11
Tb 7:17 17a 8:21b 10:6b 11:11
fortis   ܠܒܝܒܐ
4Mc 6:5 24 8:15 9:21 28 13:13 15:10
        17:24
1Esr 8:27
fortiter   ܠܒܝܒܐܝܬ
2Mc 11:7
4Mc 3:15
fortitudo   ܠܒܝܒܘܬܐ
1Mc 6:45
2Mc 13:18
4Mc 9:23
confirmatio   ܠܒܒܐ
2Mc 6:28 15:11
incitans   ܡܠܒܒܢܐ
Sir 26:27
capere   ܠܒܟ
2Mc 2:25
4Mc 8:15
possessor   ܠܒܘܟܐ
ABar 9:1
tus $\lambda\iota\beta\alpha\nu\omega\tau\acute{o}\varsigma$ ܠܒܘܢܬܐ
2Bar 1:10
Sir 24:15 50:9
3Mc 5:2 10 45
later   ܠܒܬ ܠܒܢܬܐ
Jdt 5:11
induere   ܠܒܫ
Sap 5:18 18:21
EpJr 11
2Bar 4:20 5:1
Jdt 9:1 10:3 4 4 16:8
Sir 6:31 11:4 5 13:1 27:8 29:8
        40:4 50:11
ABar 6:7 49:3
4Esr 3:21 26 8:6
1Mc 1:28 3:3
3Mc 6:34
4Mc 5:1
1Esr 5:40

vestire   ܐܠܒܫ
EpJr   32
Sir   17:3   45:8
1Mc   6:35   10:62
2Mc   4:25   5:3   10:35   11:8
3Mc   7:5
4Mc   9:26   15:15
Tb   7:16b
induere   ܐܬܠܒܫ
4Mc   3:12
PsS   11:8
vestis   ܠܒܘܫܐ
Sap   18:24
EpJr   10   11   19   32   57
Sir   6:31   11:5   39:26   40:4   42:13
ABar   6:7
2Mc   3:15 25 26 33   8:35   11:8   12:40
3Mc   1:16
1Esr   8:68 70
PsS   2:21
loricatus   ܠܒܝܫܐ
2Mc   3:24   14:21
4Mc   4:10
vestitus   ܠܒܝܫܘܬܐ
4Mc   7:4
patina   ܠܓܬܐ
Sir   31:14   38:26
vapor   ܠܗܓܐ
Sir   43:4
anhelare   ܐܠܗܬ
4Mc   6:11
comitari   ܠܘܐ
Sir   11:18   27:29   41:12
2Mc   6:23
4Mc   1:20
1Esr   4:47
comitari   ܠܘܝ
Sir   41:8
comitatus   ܠܘܝܬܐ
1Esr   8:51
tabula   ܠܘܚܐ
ABar   6:7
4Esr   14:24
detestari   ܠܛ
Sap   3:12   12:11   14:8

EpJr   65
Sir   3:16   4:5 6   21:27   23:14   27:24
          28:13   33:12   41:7
4Mc   4:5
Tb   13:12a
PsS   1:6   3:11
PsAp   1:6
detestari   ܐܠܛܒ
Sir   21:27   34:24
detestatio   ܩܠܘܬܐ
Sap   17:4
2Bar   1:20   3:4 8
Sir   3:9   20:26   23:26   38:19   39:27
PsS   4:16
lambere   ܠܥ
4Mc   10:17
levita   λευίτης   ܠܘܝܐ
4Esr   10:22
1Esr   1:3 5 5 7 9 9 10 13 15 19   2:7   4:55
          5:45 54 56 56 57 60   7:6 9 10 11   8:5
          10 42 46 48 58 59 65 66 92   9:23 37 48
          49 53
subigere   ܠܒ
Sap   15:7
perturbare   ܐܠܒ
1Esr   2:19 24
molestari   ܐܬܬܠܒ
Tb   6:8 8
aptus   ܠܚܡ
PsAp   1:2
minari   ܐܬܠܚܡ
3Mc   2:24
4Mc   9:5
panis   ܠܚܡܐ
Sap   16:20
Sir   7:31   14:10   15:3   20:16   22:8
          29:21   31:33   33:24   34:21   45:20
ABar   20:5   21:1
4Esr   5:18   14:43
1Mc   1:22   4:51
2Mc   1:8   10:3
1Esr   9:2
Tb   1:10 17   2:5   4:16 17   8:19b
          10:7a

minatio   ܠܠܝܐ

4Mc   4:8 24   6:35   7:2   8:14 18   9:32
        13:6   14:9

susurrare   ܠܚܫ

Sir   12:18
PsS   12:4

incantatio   ܠܚܘܫܬܐ

ABar   70:1

susurro   ܠܚܘܫܝܐ

PsS   12:1 4

acuere   ܠܛܫ

Sap   5:20

nox   ܠܠܝܐ

Sap   7:30   10:17   17:2 5 14 20 20   18:6 14
2Bar   2:25
BelD   15
Jdt   6:21   7:5   8:33   11:3 5 17 17   12:5 7
        13:14
Sir   34:2 3 6 8   38:27   40:5 6
ABar   4:4   11:8
4Esr   3:14   5:4 7 16 31   6:12 30 36   7:1 42
        9:44   10:2 3 58   11:1   12:5   14:43 43
1Mc   4:1 2   5:29 50   9:58   12:26 27
        13:22
2Mc   8:7   12:6 9   13:10 15
3Mc   1:2   5:19
1Esr   1:13
Tb   2:9   6:16   7:11 11b 11b 17b   8:4b 9 9b
        10b   10:7a
Dn   3:71
PsS   4:5 18   6:4

gubernaculum   ܠܡܐ

4Mc   7:1 3

stultum se praebere   ܐܬܠܠܠ

4Mc   8:17

portus   λιμήν   ܠܡܐܢܐ

1Bar   8:10
ABar   22:3
4Esr   12:42
1Mc   14:5
2Mc   12:6 9   14:1
4Mc   7:3   13:6 6 7
1Esr   5:53

lampas   λαμπάς   ܐܢܐܬ݂ܐ ܐܢܐܬ݂ܐ

Jdt   10:22

ABar	6:4 5	7:1		
1Mc	6:39			
rapere				ܠܩܒܠ
1Esr	4:23			
praedo		λῃστής		ܠܩܒܠܐ
EpJr	**14**	**17**	**56**	
delectari				ܐܬܒܠܨܬ
EpJr	27			
avidus				ܠܥܒ
4Mc	2:7			
manducare				ܠܥܣ
Sir	29:26	31:16 18		
1Mc	3:17			
Tb	2:5	7:11b 11b 14b		
scintillae				ܠܨܝܬܐ
Sap	11:19			
carpere				ܠܩܛ
4Mc	2:9			
lingua				ܠܫܢܐ
Sap	1:6 11	4:11	10:21	
EpJr	7			
2Bar	4:15			
Jdt	3:8	11:19		
Sir	4:24 29	5:13 14	17:6	19:16
	20:17	22:27	25:8 20	26:5 28:13
	14 15 17 18	32:18	37:18	40:21
	51:22			
4Esr	3:7			
2Mc	7:4 8 10 10 21 27		15:29 33 36	
3Mc	2:17	6:4		
4Mc	10:17 19 19 21	12:7 13	16:15	
	18:21			
PsS	4:4	12:1 2 5	15:5	16:10
studere				ܐܬܠܒܟܘ
Sap	1:4			

251

ܡ

taedet aliquem   ܡܐܢ

ABar   77:26

PsAp   2:4

taedet eum   ܐܡܐܢ

Sir   7:35

Tb   12:6a 13a

vestis   ܡܐܢܐ

Sap   13:13   15:7 7 7   18:21

EpJr   1:15 58

1Bar   3:2 2

2Bar   1:8 8

BelD   14

Jdt   4:3   7:5 18   8:5   10:3 4 5 5   14:2
        11   15:11 11   16:7 19

Sir   11:31   12:5   22:18   38:28 29 29
        43:2 8   45:8   50:11 11

ABar   4:5   6:7   9:1   63:8   66:2

4Esr   4:11   7:88   9:34 38   13:9 28

1Mc   1:21 22 23   2:9   3:3 47 49   4:30 49
        57   6:2 12   9:39   11:24 58   13:29
        29   14:9 10 15   15:26 32

2Mc   4:32 38 48   5:16   7:1   9:16   12:27

4Mc   5:30   6:25   7:4   8:11   9:20   10:5
        7 8 18   11:19   13:6

1Esr   1:39 43 51   2:9 12 13   4:44 57   6:17
        18 25   8:17 55 56 56 56 56 57 59

PsS   11:8   15:5

gratis   ܡܓܢ

Sap   7:14

Sir   20:23   29:6 19

1Mc   10:33

PsS   7:1

consequi   ܐܡܛܝ

4Esr   7:128

tributum   ܡܕܐܬܐ

1Mc   1:29   8:2 4 7   11:28

2Mc   8:36

4Mc   4:17

1Esr   2:18 23   4:6 50   6:28   8:22

habilis   ܡܚܝܠ܁ ⲭ
4Mc   7:1
1Esr   8:3
asina   ܡܣ ⲭⲗⲁ ⲛ ⲟ ⲣⲁⲭⲧⲟ
1Esr   5:42
macula   ܡⲟⲁⲣ
Sap   10:14
Sir   7:6   11:33   33:22   44:19   47:20
1Mc   4:42   9:10
sine macula   ܗ ⲟⲗ ⲭⲗ ⲟ ⲟⲣⲁ ⲡ
Sap   2:22   4:2   10:5 15
Sir   31:8   ABar   54:5
musica   μουσική   ⲟ ⲭⲟ ⲟ ⲟⲭ ⲟ ⲟ
1Esr   4:63   5:2 57
deridere   ⲣⲟ ⲟ ⲭ
Sap   11:15
Sir   4:1   20:17
1Mc   7:34   1Esr   1:49
derideri   ⲣⲟⲭ ⲭⲧⲁ
Sir   30:9
irrisor   ⲭⲟⲟⲣⲧⲭⲟ
Sir   3:28
myrrha   ⲣⲟ ⲧⲟ ⲭ
Sir   24:15
contrectari   ⲭⲟⲭ ⲧⲧⲭⲭ
PsAp   5:3
mori   ܡⲟⲭ
Sap   3:18   4:7 7   8:13   15:3   16:9   17:2
       18:18
1Bar   7:1
2Bar   2:25   3:4   4:1
BelD   8   9   12   12   27
Su   23   28   45   48b
Jdt   6:8   8:2 3   16:22 23
Sir   8:7 7   10:11   11:19   14:13 17 17 18
       16:3   19:10   25:24   30:4 4 17   36:26
       37:31   38:30   41:9   48:11 11
ABar   10:6   21:10   23:4   33:3   44:9   51:3
       66:3   70:8   73:3   74:3   76:5
4Esr   6:56   7:13 29 31 78 96 113 117 119
       8:58 58   10:1 4 18 34 48   12:26 45
       13:24
1Mc   1:5 7 50 57 63   2:37 41 41 49 70
       3:59   4:35   5:12   6:9 16 17 46

(1Mc)	9:10 28 56 57 11:18 18 13:4 49
	14:16 16:20
2Mc	4:7 5:5 9 6:30 7:2 5 9 14 18 25 41
	9:28 12:35 13:7 14:42
3Mc	1:23 2:23 23 3:27 6:10 30
4Mc	1:8 10 4:11 12 15 22 23 5:3 6:22
	27 30 8:10 20 9:1 6 10:2 7 9 12 12
	11:1 13 15 21 12:1 4 4 16 13:9 16
	16:11 12 12 24 25 17:12 18:5
1Esr	8:31
Tb	1:15 19 3:6 9 4:2 3 4 6:15 15
	7:11 8:10 21 10:2 11 11:9a 12:12
	13 14:1b 3b 3b 12a 14 15 15

interficere   ܐܘܒܕ

4Esr	8:13
1Mc	1:60
4Mc	8:24 9:7 18:18

mors   ܩܛܠܐ

Sap	1:12 13 14 15 2:20 24 4:17 5:4
	12:20 16:13 18:12 12 20 19:5
EpJr	17 35
1Bar	6:18 7:4
Su	22 22 41
Jdt	7:27 11:11 12:14 14:5 16:24 25
Sir	4:28 9:9 12 13 10:11 11:14 14:12
	15:17 17 18:22 22:11 27:29 28:6
	21 21 30:5 33:14 23 34:12 37:2 18
	38:19 39:29 40:2 5 41:1 2 3 8
	46:20 48:13 51:2 6
ABar	17:3 19:1 3 8 21:22 23:4 27:4
	54:15 56:6 58:1 76:2
4Esr	3:7 10 10 6:26 7:48 66 69 75 78 92
	126 129 8:38 53 9:12 14:14 34 35
1Mc	1:9 9:23
2Mc	4:37 47 6:19 22 26 26 28 30 31 31
	7:14 29 10:9 13:8 14
3Mc	1:29 3:1 4:2 8 5:9 33 47 51 6:29
	31 7:6 14 16
4Mc	1:9 5:37 6:18 21 30 7:8 15 16
	8:17 18 25 9:29 45 10:1 15 12:19
	13:1 14:4 5 6 20 15:4 10 12 19 26
	16:1 13 17:1 8 10 22
1Esr	8:24
Tb	3:4 4:2 10 6:13 12:9b 14:10a
PsS	7:4 15:8 9 16:2 6

PsS   4:5   5:2

                                    ܩܬܠ ܒܝܬ <<< ܩܬܠ
pestis   ܩܘܬܠ
Sap   18:21
PsS   13:2
mortuus   ܡܝܬ
Sap   3:2   4:19   13:10 18   14:15   15:5 17
       18:12 18 23 23 23   19:3
EpJr   1:7 26 31 70
2Bar   2:17   3:10
3u   43
Jdt   6:4
Sir   7:33   22:11 11   30:4 4   34:25   38:16
       23   48:5 14
ABar   11:6   14:4   21:22   23:5   48:41   50:2
       3   52:2
4Esr   3:5   7:109 119   10:29 30   13:13
2Mc   12:43 44 44
4Mc   15:20 20   18:20
Tb   2:8

                                    ܩܬܝܠ ܒܝܬ <<< ܡܝܬ
mortalis   ܡܝܘܬ
Sap   7:1   9:14   15:17
ABar   21:19 22   43:2
4Esr   7:15
1Mc   10:30
2Mc   9:12
4Mc   14:6
mortalitas   ܡܝܘܬܘ
4Mc   14:5   16:13   18:23
miscere   ܡܙܓ
BelD   11
Sir   9:9
PsS   8:14
misci   ܐܬܡܙܓ
Sap   16:21
2Mc   12:16   15:59
verberare   ܡܚܐ
Sap   5:11   11:3
Jdt   4:10   5:12   6:3   8:27   9:2 10   15:5
       16:6
Sir   10:13   19:12   27:25   48:21
4Esr   8:13
1Mc   1:1 20 30   3:11   5:3 7 19 34 65   6:46
       8:4   9:47 66 66   12:31   14:3

2Mc	3:19	9:5	11:12	12:35	14:41
	15:16				
3Mc	1:5				
4Mc	6:8				
1Esr	4:8 8				
PsS	17:59				

vulnerare   خسر

| 4Mc | 17:22 |
| PsS | 2:30 |

ictus   محوتא

Su	10		
Jdt	5:12	9:13	15:5
Sir	3:28	10:23	21:3	22:19 22	23:10
	25:13 13 23	26:5	28:17 17	34:16
	45:19	48:21		
1Mc	1:30	3:29	5:3 34	7:22	8:4	13:32
	14:36	15:29 35		
2Mc	9:5	10:30	14:43 45
3Mc	2:6		

debilitari   ܡܚܫܠ

| 1Esr | 1:28 |

debilis   محشل

| Sap | 2:11 | 9:14 | |
| 4Mc | 7:20 | 9:5 | 15:5 |

debilitas   محܠܘܬא

| 1Bar | 6:11 |
| 4Mc | 5:25 |

cras   محר

Sir	10:10	20:15
4Esr	10:58	14:38
1Mc	5:27	
3Mc	5:2 20 38 42
PsS	5:15	

pervenire   محؤ

Sap	18:16 20				
1Bar	7:4				
2Bar	1:6				
Jdt	1:14	11:19			
Sir	9:10	13:23	24:31	36:8	37:2
	47:16	51:6			
ABar	6:9	22:3	28:3 3	29:8	30:3 5
	36:4	44:5	55:6	75:6	
4Esr	7:88	12:21 21			
1Mc	3:16 26	5:42	9:10	11:4	13:23
2Mc	4:27	9:3 21			

```
3Mc     4:2    5:49
4Mc     2:3    7:3
Tb      3:17   5:19    6:12
pervenire                                                            ܚܠܕ
Sir     18:20    33:12    34:12
ABar    36:9
4Esr    13:18
2Mc     1:7    9:29    10:27
3Mc     6:31
4Mc     1:9    5:37
metallum                                          ܕܬܚܠܬܐ  ܚܠܬܐ
1Mc     8:3
pluere facere                                               ܐܚܙܝܪ
ABar    21:8    53:3 7    60:1
imber                                                          ܚܙܝܪܐ
Sap     16:16 22
EpJr    52    61
Jdt     8:31
Sir     1:2    18:16    35:20
ABar    10:11    21:8    27:6    59:5    62:4
4Esr    4:49 49    7:41 109    8:43 43
Dn      3:64
PsS     5:11    17:20
aqua                                                            ܚܢܬܐ
Sap     5:22    7:9    10:18 19    11:4 6 7 23
        13:2    16:16 17 19 29    17:18    18:5
        19:7 10 19 19
Jdt     2:7    6:11    7:3 7 12 17 20 21 21 21
        8:9    9:12    10:3    11:12    12:7    16:15
Sir     3:30    6:13    11:32    15:3 16    20:17
        21:13 13    24:14 30    25:25 25    26:12
        12    27:14    28:12    29:21    31:27
        38:5    39:13 26    48:17    50:8
ABar    20:5    21:1    53:1 1 3 3 5 7 7 7 9
        54:8    56:5 8 15 16    57:1 3    58:1
        59:1 12    60:1    61:1 8    62:1 8    63:1
        11    64:1    65:2    66:1 8    67:1 9
        68:1 8    69:1 5    70:1    72:1    74:4 4
        77:22
4Esr    4:49    5:9    6:17 41 41 42 47 48    7:7 8
        40    8:8    14:39
1Mc     9:33 45    11:67
2Mc     1:19 21 31 33    15:39 39
3Mc     2:4
4Mc     1:34    3:11 14
```

258

```
1Esr    9:2
Dn      3:60 77 79
PsS     8:23
```

prostare   ܡܟ

```
4Mc     9:19
```

humiliari   ܐܬܡܟܟܝܢ ܐܬܡܟܟ

```
2Bar    5:7
ABar    36:5 5    44:10    48:35    56:6
4Esr    8:49
2Mc     8:35    9:11
3Mc     5:20 33
Dn      3:37
```

humiliare   ܡܟܟ

```
Jdt     4:9    5:11
ABar    46:1    73:1
4Esr    9:41    10:7    11:32 42
1Mc     8:5 13 13    12:35
2Mc     5:18    9:8    15:12
3Mc     2:20    6:5
Tb      4:19
PsS     11:5    17:24
```

humiliare   ܐܡܟ

```
Sir     4:7
```

humiliatio   ܡܘܟܟܐ

```
Jdt     7:32    13:20 20
4Esr    6:19    9:45    10:7    12:48
1Mc     1:40    3:51
2Mc     6:10
4Mc     11:25
PsS     2:39    3:9
```

humilis   ܡܟܝܟܐ

```
Sap     6:6
Su      31    53
Jdt     6:19    9:11    16:11
Sir     3:20    10:14 15    12:7    19:26    25:20
        31:22
4Esr    11:42
2Mc     4:37
Dn      3:39 87
```

humilitas   ܡܟܝܟܘܬܐ

```
Sap     2:19
2Bar    2:18
Sir     3:17    4:8    26:26    45:4
2Mc     9:27
3Mc     3:15
```

ܥܘܒܠܐ   ܐܬܝܕܬܠܠ

obex   μόχλος   ܥܘܒܠܐ
Sap   17:2
EpJr   17
1Mc   9:50   12:38   13:33
machina   ܐܪܟܒܐ   ܐܪܟܒܬܗܘ
1Mc   6:20 31 37 51 52 52 65 67   11:20
        13:29   15:25
2Mc   12:15
tributum   ܥܠܘܬܐ
1Mc   10:31 34   11:35
despondere   ܝܚܕ
1Mc   3:56
loqui   ܢܠܠ
Sap   1:8   8:12   11:15 15   13:17   17:18
EpJr   7   40   40
2Bar   2:1 7 20 24 28   4:15
Su   5   47   58b   59a   62b
Jdt   2:12   5:22   6:5 9 17   7:24   8:11
        10:9   11:5 5   12:12   14:8 9   15:8
Sir   5:13   11:8   13:11 22 22 23 23   20:6 6
        15   21:17 23 25 25   25:7   26:12
        32:11   36:15   48:12   51:25
ABar   3:6   12:1   14:4 16   20:6   21:2 3
        36:7   39:8   41:2   43:3   48:21 28
        55:1   63:3 6
4Esr   3:3   4:5   5:15 31 33 34 50   6:17 21
        29 36 38 38 48   7:1 3 38 73 130   8:19
        25 37 40 42   9:4 25 28 38   10:19 25 28
        34   11:37   12:1 17 31 32 35   13:21 56
        14:18 43 45
1Mc   1:24 30   2:23   3:23   4:19   7:15 34
        42   9:55   13:17
2Mc   2:28 31 32   4:34   5:25   6:29   14:22
3Mc   2:22 26   4:16 16   6:4 5
4Mc   5:14 15   6:1   11:9   17:8
1Esr   1:49   3:20   4:1 13 33 41   5:6   8:45
Tb   6:13   7:9   14:4 8a
PsS   4:5 10   11:8 9   12:1
dici   ܐܬܝܕܬܠܠ
Sap   7:15
Su   64
ABar   47:2   63:8 10   67:7   70:5
4Esr   6:15   14:41
2Mc   2:9   8:7

                    260

verbum

Sap	1:9 16 2:2 17 20 6:9 11 25 7:16
	8:8 18 9:1 16:11 12 26 18:15 22
1Bar	1:5 4:1
2Bar	1:1 4:37 5:5
BelD	9
Su	47b
Jdt	2:3 3:1 5:5 5 7:24 8:8 28 10:5
	11:5 7 9 9 10 21 13:3 14:19 16:14
Sir	1:20 20 3:8 5:10 12 7:10 14 12:12
	16:24 25 28 18:16 17 29 29 19:6 7 10
	11 12 15 17 20 20:17 20 21:15 22:8
	23:13 15 27:14 28:25 29:3 3 31:22
	22 31 32:6 36:9 39:31 40:2
	42:15 43:5 10 46:13 47:8 22 48:1
	3 13
ABar	6:5 13:2 14:17 15:4 21:4 26 31:3
	32:8 39:2 8 8 42:3 46:7 48:8 26
	28 50:1 51:11 54:1 3 55:1 6
	56:4 68:1 70:1 **72:1** 76:1 77:20
4Esr	3:3 5:19 22 22 31 32 6:15 16 38 43
	7:1 2 71 78 101 116 139 8:2 19 19 22
	22 24 37 9:30 10:40 12:1 18 20 22
	30 31 13:22 28 14:6
1Mc	1:12 30 42 50 2:22 34 55 62 3:14 27
	39 42 5:14 48 6:3 60 7:10 11 15 16
	27 30 33 8:10 22 29 30 9:37 55 71
	10:3 17 22 24 25 46 47 51 63 74 88 11:2
	13:7 35 14:25 15:22 32 36 16:23
2Mc	2:24 25 31 4:1 5:25 6:21 29 7:24
	25 9:5 10:34 12:1 14 14:11 20 22
	15:11 12 17 17 24 37· 39 39
3Mc	2:22 26 3:17 23 30 4:3 16 5:30 35
	6:5
4Mc	1:1 5 12 12 3:1 4:7 13 5:38 7:9
	8:14 14 15 9:28 14:9 14 18 16:14
	18:17
1Esr	1:22 26 45 54 2:1 3:5 5 8 9 15
	4:5 5:6 8:69 9:55
Tb	1:1 5:21 6:16 16 7:10 8:2 10:6a
	12:6 11a 14:1b 4b 11b
OrM	3
PsS	4:2 2 11 14 15 9:2 12:2 16:10 10
	17:27 27 39 41

حَوܠܠܐ   عܠ

sermo   حَوܠܠܐ
Sap   1:11   12:9
Sir   9:9   17:13   21:16 17   23:8
3Mc   5:18
PsS   12:3
implere   ܡܠܐ
Sap   1:7
2Bar   3:32
BelD   14   14
Sir   1:17   15:6   16:7 30   17:7   18:10
       20:27   37:2
ABar   73:5
4Esr   4:38
2Mc   3:30   4:25   5:11   6:4 5 19   9:7
       13:5 16
3Mc   1:16   4:18   5:1   6:19 31
1Esr   8:80
PsS   12:3
impleri   ܐܬܡܠܝ
Sap   2:7   5:7
2Bar   5:7
Jdt   2:8 8   6:4   8:31
Sir   4:17   16:4
ABar   23:5   30:1   40:3
4Esr   4:36 37   11:44
2Mc   3:30
3Mc   5:30 42 47
Tb   8:20a   10:1a   14:5a
explere   ܚܠܡ
Sap   13:13
Sir   27:26   33:16
4Esr   4:40
1Mc   3:49
compleri   ܐܬܚܠܡ
Sap   13:12
PsS   1:2 3   4:15 15
complere   ܚܠܡ
Sap   18:16
Jdt   2:13 13
4Esr   5:8
1Mc   2:55
3Mc   1:2   6:1
4Mc   12:14   15:17
1Esr   2:23   5:70   6:4 4   7:4   8:16 91

ܐܪܬܘܡܠܐ   ܡܠܝܐ

compleri   ܐܪܬܘܡܠܐ
ABar   49:3   61:6
1Esr   1:16   2:18   4:55   6:9 13 27   7:5
        8:21 65
Tb   7:9   12:20a
PsAp   3:15
plenus   ܡܠܐ ܡܠܐ
Sap   3:4   19:7
EpJr   16
Su   14
Jdt   7:13
Sir   1:20 30   19:26   24:25   40:13
ABar   37:1   51:16   53:1
4Esr   4:27 49   6:22   7:6 12 25 68   12:2 30
        14:39 39
1Mc   8:25
2Mc   1:3   7:21   15:17
4Mc   3:15   7:16   10:15   15:13   16:1
        17:18
1Esr   1:21
quantitas quae quid implet   ܡܠܐ
Sap   4:13
4Mc   15:2 17
omnino perfecte   ܡܠܐܝܬ
1Bar   6:9
ABar   68:6
4Esr   12:8
3Mc   5:13
plenitudo   ܡܠܝܘܬܐ
4Esr   8:10
perfectus   ܡܫܡܠܝܐ
Sap   15:3
PsS   6:8
completio   ܫܘܡܠܝܐ
1Esr   1:54 55   2:1   6:19
perfectio   ܡܫܡܠܝܘܬܐ
4Mc   13:19
medicamentum   μάλαγμα   ܡܠܓܡܐ
Sap   16:12
sal   ܡܠܚܐ
Sap   10:7
Sir   20:17   22:15   39:23 26
1Mc   10:29   11:35
1Esr   6:29

263

ܩܠܝܚܐ

ܩܠܝܚܐ

salsus
4Esr   5:9

persuadere   ܦܠܛ
Sap   3:8   6:21   7:30
1Bar   6:4 5
Sir   3:25
ABar   14:13   44:3   51:3
4Esr   4:27   12:14 15
4Mc   1:1   5:6   8:4 28
Dn   3:36

deliberare   ܐܬܪܥܝܠ
Sir   37:10   40:6

consiliari   ܐܬܪܥܝܠ
Sap   4:17
Sir   47:25
ABar   21:25
4Esr   7:66 119   13:41
1Mc   2:41   4:44   5:16   8:15   9:58
        12:35   14:9
2Mc   13:1   14:20

regnare   ܐܡܠܟ
Jdt   1:1 1
4Esr   5:3 6
1Mc   1:1 1 7 10 16 16   6:55   7:1   8:13 13
        9:59 69   10:1   11:9 40 54   12:39
        13:32
2Mc   7:25
3Mc   3:19
4Mc   1:3 5 7 19   2:22 23 24   6:32 34   14:2
        18:2
1Esr   1:20 33 33 37 41 42 44 54   2:1   6:23
        8:1 6 26
Tb   1:15 21
PsS   17:23

rex   ܩܠܬܐ
Sap   6:1 6 24   7:5   9:7   10:16   11:10
        12:14   14:17   18:11
EpJr   1:1 1 17 50 52 55 58 65
1Bar   2:1
2Bar   1:3 4 9 10 11 12 16   2:1 19 21 22 24 24
BelD   1   2   2   2   4   4   6   7   7   8
        9   9   10   11   11   14   14   14   14
        16   17   17   18   19   19   19   20
        21   21   22   24   25   26   26   28
        28   29   30   40   42

264

Su   1:1 1 5 5 6 7 11 13   2:1 4 5 18 19
        3:1
Jdt   4:1   6:2   9:8 12   11:1 7 23   12:13
Sir   7:4 5   8:2   10:3   11:6   16:7
        28:14   38:2 3   39:4 14   40:3   45:3
        25   46:13 20   47:12 14 21   48:8 23
        49:4   50:8   51:1
ABar   1:1 3 3   8:5 5   62:2 6   63:1 3 3
        66:1   67:7
4Esr   12:14 20 23   13:40 40
1Mc   1:1 2 10 13 13 18 29 41 42 44 50 57
        2:15 17 18 18 19 22 23 25 31 31 33 34 48
        3:7 14 26 30 32 37 38 39 42   4:3 27
        6:1 2 8 15 16 17 22 28 33 42 43 48 48 50
        56 57 60 61 62   7:6 7 8 20 25 26 33 41
        8:4 5 6 7 8 12 15 31   9:57 59 69   10:2
        8 15 18 20 25 36 36 37 37 37 40 41 43 45
        48 49 51 55 58 58 59 60 61 61 62 63 65
        58 68 88 89   11:1 5 6 7 8 9 10 14 16
        18 21 22 24 26 28 29 30 32 34 38 41 44
        44 45 46 47 48 49 51 52 57   12:7 13 19
        39   13:15 31 34 35 36 36   14:2 13 38
        39   15:1 2 5 8 11 15 16 19 22 32 32 36
        36 38 39 41   16:18
2Mc   1:10 12 20 24 33 34 35   2:13   3:2 3 6
        7 7 8 9 13 13 32 35 37   4:7 9 10 18 21
        23 24 25 27 28 30 31 36 37 44 45 46
        5:8 11 15 16 18   6:1 7 21 21   7:1 2 3
        9 12 16 25 30 39   8:8 10 10   9:1 19 25
        11:1 14 15 18 22 22 27 27 35 36   12:1
        13:4 4 9 10 13 15 18 22 26   14:8 9 11
        11 12 26 27 29   15:5 22
3Mc   1:3 25   2:2 9 13 27 29 30 31   3:3 7 7
        11 12   4:11 16 17 18 19   5:1 10 11 11
        14 14 15 18 21 23 26 26 29 35 35 36 40
        42 46   6:2 5 16 17 20 22 24 29 30 33
        37 40 40 41   7:1 10 11 13 18 21
4Mc   1:30   3:6 10 12 15 20   4:3 3 4 4 6 13
        14 15   6:4 13   7:10   8:16 21 25
        12:8   14:2   18:20
1Esr   1:3 4 4 7 14 16 19 23 24 24 27 28 31 31
        32 33 35 35 35 38 40 44 49   2:1 2 3 3 9
        15 16 17 18 18 19 20 21 22 23 24 25 25
        3:1 3 4 5 8 9 9 11 13 18 20   4:1 3 5 5
        6 6 12 14 15 28 29 30 31 33 37 42 43 46

(1Esr) 46 47 57 58   5:6 7 53 57 66 68 70 70
6:7 8 13 14 14 16 17 20 20 20 21 21 22
23 24 30 32 33   7:1 4 5 5 15   8:1 4 6
8 9 18 19 21 25 26 28 51 52 55 64 74 74
77

Tb   1:2 18 18 19   12:7a 11a   13:6a 10a 11a
15a

PsS   2:34 36   5:13 22   17:1 5 22 23 35 36
38 47 51

ܦܠܟܐ   ‹‹‹   ܣܝܡ ܦܠܟܐ   ‹‹‹   ܦܠܟܐ

regius   ܡܠܟܝܐ

1Esr   1:51   6:20 31   8:24 64

regnum   ܡܠܟܘܬܐ

Sap   1:14   5:16   6:4 20 21   9:7   10:10
14   18:15

2Bar   2:4   5:6

BelD   1

Su   42b

Jdt   1:1 12   2:12   11:7 8

Sir   10:8   11:5   46:13   47:11 21 21 22

ABar   39:3 5   73:1   77:25

4Esr   12:10 13 13 18 30   13:31 31

1Mc   1:7 10 16 16 41 50   2:10 57 70   3:14
22 27 37   4:52   6:14 17 29 43 47 56 57
7:2 4 8   8:11 18   10:33 34 43 52 53 55
11:1 1 9 11 39 51 52   15:3 4 9 28 29

2Mc   1:7 7   2:13 17   4:7   7:36   9:25 25
10:11 13   11:23   14:6 26 26

3Mc   3:26   6:24 28   7:4 12

4Mc   2:23   3:8   12:6 11

1Esr   1:19 22   2:2 25   4:40 49   5:6 70
8:10 21 28

Tb   1:21   12:7b   13:1 7a

Dn   3:32 32 55

PsS   2:34   5:21   10:9   17:4 57

ܡܠܟܘܬܐ ܣܝܡ   ‹‹‹   ܡܠܟܘܬܐ

consilium   ܡܠܟܐ

Sap   7:15   8:4   9:13 17

EpJr   33

Sir   22:16   30:21   32:19   37:7 11   38:33
40:25   44:4   47:14

4Esr   13:41

1Mc   2:65   5:67   8:4

4Mc   6:16   17:17

Tb   4:18 18

			ܬܠܡܐ
PsS	8:23	17:42	
consiliarius			
Sap	8:9		
Sir	37:7 8		
4Mc	9:2 3	15:25 25	
1Esr	8:11 55		

promissum   ܡܘܠܟܢܐ

Sir	46:1 7		
ABar	48:34	57:2	59:2
4Esr	7:60		
OrM	6a		
PsS	12:8		

aestus   ܠܐ ܡܘܢ

4Mc   15:30 32

divitiae   μαμῶνας   ܡܡܘܢܐ

Sir   7:18   10:8 27   14:3   31:5 7 8   41:2

crinis   ܡܢܬܐ ܣܥܪ

Sir	27:14
3Mc	6:6

manna   ܡܢܢܐ

ABar   29:8

numerare   ܡܢܐ

Jdt	2:15			
Sir	1:2 9 20	18:1	42:16	
4Esr	4:37 37	5:19 36	7:76	11:11
3Mc	3:6	4:18		
Tb	9:4 5b	10:1b		

numerari   ܐܬܡܢܝ

Sap	7:11			
2Mc	3:6			
3Mc	2:26	3:6	4:18	6:5

pondus   μνᾶ   ܡܢܐ

1Mc	14:24	15:18
3Mc	1:4	

pars   ܡܢܝܢ ܡܢܬܐ

Sap	1:16	2:2 25	7:22		
Sir	10:11	14:9	17:17	24:12	26:23
	27:18	41:3	45:22		
ABar	27:1 2 3 4 5 6 7 9 10 11 12 13 14	28:2			
	7	29:3			
4Esr	5:1	6:41 41 42 42 47 50 51 52	7:10		
	9:1				
1Mc	9:11				
2Mc	1:26	8:22 23	12:20 20 20		
3Mc	6:3				

```
4Mc      1:18     18:3
1Esr     1:5 10
PsS      3:15     4:16     5:6      14:3
PsAp     5:4
```

numerus   ܟܠܝܢܐ

```
Sap      4:8
2Bar     3:18
Jdt      2:17 20     5:10
Sir      17:2     18:9     26:1 26     33:9 23
ABar     21:8 10     23:4 5     24:3     28:2     30:2
         30:2     48:6 10 43 46     56:14     59:5 9 11
         63:7 7     69:1     75:6     76:3
4Esr     3:7 29     4:32 36 37     6:3 44     7:52 139
         13:5 11 34
1Mc      5:30     6:30     9:65
2Mc      2:21     8:16
3Mc      5:2     6:34
4mc      16:13
1Esr     2:12     5:9     7:8     8:62
OrM      9b
```

minas   ܟܠܝܬ

```
1Esr     5:44 44
```

cochlear   ܟܠܝܟܬܐ

```
1Esr     2:12
```

satietas   ܟܠܝܬܐ

```
Sir      31:19
```

libra   ܟܝܠܬܐ

```
4Esr     3:34
```

densus fieri   ܐܬܟܡܪ

```
1Mc      6:10
2Mc      3:16
```

debilis   ܟܡܝܪ

```
Sir      2:12
```

contemnere   ܐܬܟܡܝ

```
4Mc      1:9     7:16     13:9
```

intestina   ܟܡܝܢ

```
Sir      4:3     10:10     19:12     22:18     40:29
         48:18     51:21
2Mc      9:5     14:46
```

posse   ܟܢ

```
Sap      7:23 27     11:20     13:18     17:14
EpJr     56
Sir      5:3     12:15     29:20
ABar     48:29     64:10 10     75:4     77:11
4Esr     4:11     5:38 40     7:82     13:52
```

```
2Mc    8:18    12:28
3Mc    5:51
4Mc    1:6 33    2:4 6 6 13 18 20    3:3 3 4 4 10
       17  7:18    8:5    10:6    14:18
1Esr   4:11 17    9:11
Tb     5:2 5    13:2b
```

posse   ܐܡܝܢܐ ܝ

```
1Bar   3:3
Su     26
4Esr   14:22
1Mc    5:40 40 41    6:27    9:9    10:73
2Mc    10:17    13:13
3Mc    2:7    3:6    4:17
1Esr   8:82
Tb     1:15
```

mediatorem se gerere   ܐܡܨܥ

```
1Esr   9:14
```

medium   ܡܨܥܬܐ

```
Sap    7:18    12:5    18:15
EpJr   54
Su     30
Jdt    11:19
Sir    31:21    43:3
4Esr   11:10    12:16
1Mc    9:45    10:63    11:45
2Mc    14:43
4Mc    8:3 12    9:11    11:1 3
Dn     3:50
```

medius   ܡܨܥܝܐ

```
Jdt    9:5
4Esr   11:4 29 33
```

acerbus esse   ܡܪ

```
1Mc    12:51
```

amarum dare   ܡܪܡܪ

```
1Mc    3:7    11:26    12:36 43    13:27 29    14:35
1Esr   6:14
```

exacerbari   ܐܬܡܪܡܪ

```
2Mc    11:1
4Mc    14:19
1Esr   4:31
```

acerbitas   ܡܪܝܪ

```
Sap    8:16
Sir    35:16
```

fel   ܡܪܝܪܬܐ

```
Tb     6:5 7 9    11:4 4b 8a 11
```

amarus   ܡܪ ܠ ܐ

Sap   3:19

Su   35

Sir   4:6   7:11   11:4   25:15   29:5   38:5

ABar   21:13

4Esr   9:41   11:40 45

2Mc   5:8 18   6:3 7   9:5 5 7 21

3Mc   3:1 2   4:4 4 15   5:6 9   6:31

4Mc   4:7   6:7 16   15:16   18:19 22

PsS   2:6 17

amare   ܡܪ ܠ ܐ ܬ

2Mc   7:39

4Mc   6:1   8:1   10:3

amaritudo   ܡܪ ܠ ܘ ܬܐ

4Mc   3:4

dominus   ܡܪ ܐ

Sap   1:1 7 9   3:8 10 14 14   4:17 18   5:7
         15 16   6:3 7   8:21   9:1 13   10:16 20
         11:13 27   12:2 18   13:9   16:12
         18:11   19:9 21

EpJr   1:1 5 6 58 72

2Bar   1:5 8 10 12 13 13 13 14 14 14 15 17 18
         18 19 19 20 20 21 22   2:1 2 4 5 6 7 8
         9 9 9 10 10 11 12 14 15 16 16 17 17 18
         19 22 27 31 33   3:1 2 4 6 6 8 24
         4:9 9 10 12 14 21 22 24 24 25 27 27 28
         28 37

BelD   5   25   34   35

Su   23   35   43b   44   59   62

Sir   1:1 11 12 14 16 18 20 20 28 30   2:7 8
         9 11 14 15 16   3:2   4:12 13 28   5:3
         4   6:4   8:2   9:15   10:4 5 14 15 15
         11:12 14 17 21 21   12:2   16:15
         17:17 25   18:1 23   19:3   23:1 2 4
         24:8 12 23   25:12   26:3 14 25 28
         29:18 19   30:20   34:13 16   35:17 18
         37:11 18   42:16 17   43:5   45:22
         46:3 5 14 17 19   48:3 5 10 20   50:28
         51:1 8 10 11 15 22

ABar   1:1   3:1 1 1 4   4:1   5:2   6:6
         10:4 18   11:3   14:8 8 16 16   15:1
         16:1 1   17:1   23:1 1   24:3   28:6
         38:1   48:2 45 45   54:1 20   77:43

4Esr   3:3 3   4:3 5 6 22 38 38 41   5:23 28
         33 34 35 38 38 41 47 50 56   6:11 11

(4Esr)	38 38 55 55 57 7:3 5 10 17 17 45 45 53
	58 58 75 75 104 111 132 8:6 6 19 20 36
	36 45 45 63 9:29 29 41 10:37 12:7
	7 13:51 51 14:18 31
1Mc	2:21 53 3:22 4:10 24 7:37 41
2Mc	1:8 24 24 2:2 4 8 8 10 22 3:15 24 30
	30 31 33 4:38 5:17 19 20 6:14 30
	7:6 20 33 40 8:2 14 18 27 29 9:5 13
	10:1 4 26 28 11:6 12:36 13:4 17
	14:35 36 15:4 22 29 34 34
3Mc	2:2 2 2 20 21 5:7 35 6:5 10 12 12 15
	15 18 39
1Esr	1:1 2 3 3 4 6 10 16 16 21 22 22 25 25 25
	26 31 37 39 42 43 45 45 46 46 47 49 51
	51 52 54 2:1 2 3 3 5 5 5 6 7 7 9 16 17
	18 20 3:46 60 5:49 56 56 56 57 58 59
	59 64 66 67 68 6:1 2 5 8 12 14 18 19 21
	23 25 26 27 28 32 32 7:4 7 9 13 14 15
	8:6 7 8 9 12 13 13 13 15 17 25 27 45 46
	49 52 53 55 57 57 58 59 60 61 63 64 69
	70 71 75 76 76 78 79 83 86 86 89 90 90
	9:8 13 39 47 48 48 50 52 52
Tb	1:5 2:2 12 13 14 3:2 11 12 14 4:5
	19 19 5:20 7:17a 8:4 5b 7a 15b
	10:12 12a 11:1b 14b 14b 17b 13:4 6a
	10a 11a 13a 14:2a 4b 5b 6 7a 7a 7a
OrM	1 7 7 8 9 12 13
Dn	3:26 33 37 41 43 49 52 57 57 58 58 61 61
	63 65 66 70 72 73 75 77 79 81 82 85 85
	87 88 88^W 88^X 88^X
PsS	1:1 8 2:3 5 16 24 24 26 28 30 33 33 36
	37 37 37 40 41 3:1 3 3 4 4 5 10 16 16
	4:16 17 26 27 28 29 5:1 10 13 17 18 21
	22 6:1 2 3 6 7 7 8 8 8:7 8 37 39 40
	40 9:1 6 9 11 18 20 10:4 4 5 6 7 8 9
	11:3 9 9 9 12:1 4 6 6 6 7 8 8 8
	13:1 1 2 3 11 14:1 2 2 3 6 15:1 8 9
	13 15 16:1 2 3 7 15 17:1 5 12 23 28
	32 35 36 40 43 44 45 51 18:1
PsAp	1:3 3 5 2:5 9 11 16 18 3:1 8 9 13 15
	17 17 19 19 4:4 5:1

ܡܪܐ ܒܪܝ <<< ܒܬܐ ܡܪܐ ܒܪܝ <<< ܒܪܝ ܡܪܬܝ ܒܪܝ
domina   ܡܪܬܐ
Sir   9:9

dominatio   ܣܘܪܗܬܐ
Jdt   2:14
Dn   3:22
margarita   μαργαρίτης   ܣܘܪܓܝܬܐ
Sir   7:19   30:15
resistere   ܣܪܗ
2Bar   1:19   3:21
Sir   30:12   33:27
1Mc   7:19 24   11:14
2Mc   14:6
ad rebellionem incitare   ܐܣܪܗ
2Bar   3:8
2Mc   4:30   5:11 11   13:23
castellum   ܣܝܪܐ
1Mc   1:33   4:2   6:18 24 26 32   9:52 53
        10:6 7 9 32   11:20 21 22 23 41   12:36
        13:21 49 50 51 53   14:7 36 37   15:28
2Mc   4:28   5:5   10:34   15:31 35
                          ܣܝܪܐ ܒܝܬ   <<<   ܣܝܪܐ
repugnans   ܣܘܪܒܐ
Jdt   16:12
Sir   15:8   30:8
3Mc   3:7
repugnantia   ܣܘܪܒܘܬܐ
PsAp   3:12
fugitivus   ܣܪܝܚܐ
1Mc   5:11
procax esse   ܐܣܪܚ
4Esr   13:8
2Mc   3:24   4:2   5:15
3Mc   5:20   7:22
4Mc   8:17
audax   ܣܪܝܚܐ
Sir   3:27   12:7   20:7
audacia   ܣܪܝܚܘܬܐ
Sap   2:12
Jdt   16:10
Sir   15:13   27:13   48:18
2Mc   14:5
3Mc   2:26   3:20 21   6:34
aegrotus   ܣܪܝܐ
Sir   2:4   7:35   31:2   37:30   38:9
purgare   ܣܪܩ
EpJr   23

ܡܟܣ   ܐܬܘܪ

mensurare   ܡܟܣ
Sir   1:3
4Esr   4:37 37   8:23   9:1 1
mensura definiri   ܐܬܡܟܣ
3Mc   2:8
mensura   ܪܬܘܚܡ ܟܣܐܘܟܪ
2Bar   3:25
ABar   16:1   28:2   43:6   59:4 5
4Esr   4:50   6:4
2Mc   4:12
ungere   ܡܣܚ
Sap   13:14
Jdt   10:3 3   16:7
Sir   45:15   46:13   48:8
4Esr   4:37 37   9:1 1
PsAp   1:4
oleum   ܐܚܣܡ
Su   17
Jdt   10:3 5   11:13
Sir   24:13 15   39:26   45:15   50:10
1Esr   6:29
PsAp   1:4
unctus   ܐܚܝܣܡ
Sir   46:19
ABar   29:3   30:1   39:7   40:1   70:9   72:2
4Esr   7:28 29   12:32
PsS   17:36
unctus   ܐܚܝܠܡ
2Mc   1:10
unctio   ܐܬܚܝܫܡ
PsAp   1:4
mensuratus   ܐܬܣܟܝܠܡ
Sir   16:17
OrM   6b
cutis   ܐܟܣܡ
4Mc   9:28   15:15
tendere   ܡܬܚ
ABar   36:8
4Esr   11:2
4Mc   6:6
spatium (temporis)   ܡܬܚܐ
ABar   48:3
4Mc   8:12   9:13
Tb   14:2b

ܡܛܚ   ܡܛܪ

prolongatus   ܡܛܚ
EpJr   17
2Mc   5:3
4Mc   11:18
simile   ܡܛܠ
Sap   5:3
Sir   3:29   6:35   8:8   18:29   20:27   38:33
            39:3 6 7   44:5   47:17   50:27
4Esr   4:3 47
4Mc   18:16
commercium   ܕܡܣܒ ܡܛܠ
1Mc   14:43
piger esse   ܐܬܡܛܢ
Sir   1:20
4Mc   6:24   11:2
tarditas   ܡܛܢܘܬܐ
Sir   5:11
lumbi   ܡܛܢܬܐ
Sir   30:12
metreta   μετρητής   ܡܛܪ
BelD   3

ܢ

```
latrare                                          ܢܚܕ
Jdt     11:19
praedicare                                       ܐܟܪܙ
Sap     14:28    17:7
Jdt     6:2
1Esr    6:1     7:3
Tb      14:5b
propheta                                         ܢܒܝܐ
Sap     7:27    11:1
1Bar    8:12
2Bar    1:16 21    2:20 24
BelD    33
Sir     36:15 16    39:1    47:1    48:1 8 20 22 22
        49:7 10
ABar    33:1    66:4
4Esr    7:130    12:42
1Mc     4:46    7:16    9:27 54    14:41
2Mc     2:1 2 4 13    15:9 14
4Mc     18:10
1Esr    1:18 26 30 45 49    6:1 2    7:3    8:79
Tb      4:12    14:4 5 8a
Dn      3:38 88^W
prophetia                                        ܢܒܝܘܬܐ
Sir     19:20    24:33    35:15    44:3    46:1 13
        20    47:17    48:12
Tb      2:6
scaturire facere                                 ܐܢܒܥ
Sap     19:10
Sir     36:8
4Esr    14:40
fons                                             ܢܒܥܐ
Sap     11:7
2Bar    3:12
Sir     10:13 13    21:13    24:6    50:3 8
ABar    35:2    36:3 4 5 6    39:7    54:13    57:1
        59:7    77:13 15 16
4Esr    4:7    6:24    14:47
Dn      3:77
```

ﬞܓ݂ܕ݁   ܓ݂ܳܕ݂ܐ

                                                                    ﬞܓ݂ܕ݁

PsS   17:21
trahere
Sap   12:22 23   16:4 16   19:4
Sir   28:19
1Mc   1:15   10:82
3Mc   2:6 21 23   5:34
4Mc   4:19   9:26 28   10:12   15:11
Tb   11:15a
trahi   ﬞܓ݂ܕ݂ܗܪ
Sap   11:10   16:1   18:1 1
EpJr   43
2Mc   3:34   13:5
4Mc   6:5   8:2   9:32   14:6   15:32
trahere   ﬞܓ݂ܕ݂ܝ
4Esr   5:34
2Mc   3:26 38 39   6:29   7:15   9:6
4Mc   6:3   9:12   14:13
Tb   3:9   13:2 5a 9a
attractio   ܓ݂ܳܕ݂ܐ
Sap   12:12   19:4 12
2Mc   3:26   5:18   6:21 30 30   7:1 7 12 42
       9:11 28
4Mc   6:6
Tb   13:14a
PsS   10:1 2
trahens   ܓ݂ܳܕ݂ܐ
2Mc   12:35
tempus matutinum   ܩܕܡܝܐ
Sir   50:6
durare   ܐܓܪ
Sir   2:4   9:9   18:11   29:8
ABar   24:2
4Esr   7:74 134
3Mc   5:17
PsAp   2:20
tempus diuturnum   ܢܓܝܪܐ
1Bar   8:12
2Bar   3:14   4:24 35
Sir   1:20
4Esr   7:43
4Mc   18:19
longus   ܢܓܝܪܐ
Sap   15:1
EpJr   2
Sir   5:4

276

4Esr   7:134
OrM   7

longitas   ܠܘܛܬܐ

Sap   4:7
ABar   21:20 21   24:2   48:29   59:6
4Esr   7:33   9:12
1Mc   8:4

faber lignarius   ܢܓܪ

Sap   13:11
EpJr   7   45
2Mc   2:29
1Esr   5:53

expellere   ܐܠܛ

Sir   40:5 8   42:9   ܛܠܛ

abominabilis

2Mc   4:19 40   5:22   7:27.34   10:34

abominatio   ܛܠܘܬܐ

1Esr   7:13

vovere   ܢܕܪ

EpJr   34
Sir   18:23
1Esr   4:43 44 45 46   5:52   8:13 49

votum   ܢܕܪܐ

EpJr   34
Jdt   4:14
Sir   18:23
1Esr   2:6 8   4:43 46   5:52   8:57

rugire   ܢܗܡ

Sap   17:19
EpJr   31
4Esr   11:37   12:31
1Mc   3:4

flumen   ܢܗܪܘܬܐ ܢܗܪܐ

Sap   5:23   11:7   19:10
1Bar   1:1   2Bar   1:4
Jdt   1:6 8   2:8
Sir   24:27 30 30 31   39:22   40:13   47:14
ABar   53:11   76:3   77:22
4Esr   7:4   13:40 44 47
1Mc   3:37   5:37 39 40 41 42 42   7:8   11:7
           60   12:30
3Mc   7:20
1Esr   4:23   8:41 60
Tb   6:2 3
Dn   3:78

PsS   6:5

illuminare   ܢܗܪ
ABar   21:18   53:5 9
4Esr   10:25
4Mc   17:5
Tb   8:9b
illustrari   ܐܬܢܗܪ
ABar   34:1
lucem praebere   ܐ ܢܗܪ
Sap   5:16   17:6 19   18:4
EpJr   18   66
2Bar   1:12   3:34 35
Jdt   14:2
Sir   4:11   7:24   26:17   43:4 8
ABar   12:2   17:4   18:1 2   38:1   53:9
        54:5   59:2   77:13
4Esr   6:2   7:97 125
1Mc   4:50 50   6:39
2Mc   1:8   10:35   13:17
3Mc   2:19   5:23   6:18
lumen   ܢܘܗܪܐ
Sap   5:6   7:10 10 26   16:28   17:4 5 19
        18:1 3 4 4
EpJr   66
2Bar   3:14 20 33   4:2   5:3 9
Sir   3:25   11:21   16:16   22:11   33:14
        34:17
ABar   10:12 12 12 12   18:1 2   19:3   46:2
        48:50   51:3 10   54:13   59:11
4Esr   6:40   7:42 97   10:22 50 55   14:20 47
1Mc   1:21
2Mc   1:32   7:36
3Mc   6:4 7
Tb   10:5   11:4b 13b   14:2b 10
Dn   3:72
PsS   3:16
clarus   ܢܗܝܪܐ
Sap   6:12   7:23 29   8:19   13:2   17:5   18:1
Sir   13:26   26:4   33:7   35:9   38:34   43:7
ABar   53:5 5 6   57:1 3   59:1 12   61:1 8
        63:1 11   66:1 8   68:1 8   69:5 5   72:1
        74:4
4Esr   6:45   7:42
2Mc   14:24

278

ܣܗܪܝ ܐ ܬܘ   ܠܘܚ ܐ

1Esr   8:75
clare

2Mc   2:25
4Mc   3:6
claritas   ܣܗܪܝ ܐ ܬܘ
Sap   8:21
4Esr   8:29
fenestra   ܣܗܪܝ ܐ ܬܘ
EpJr   59
commoveri   ܟܘ ܐ ܬܝܡܪ ܐ
4Mc   5:8
commovere   ܠܘ ܙ
Sir   12:18   13:7   ܐ ܠܘ ܙ
4Esr   3:18
quiescere   ܠܘ ܐ
2Mc   9:18   1Esr   8:75
quiescere facere   ܐ ܠܘ ܐ
Sap   16:11
Sir   29:13   38:7   39:28   47:13
ABar   51:14
4Esr   10:24
1Mc   8:12
2Mc   2:27   12:30
1Esr   1:4
Tb   1:7   12:3a
quiescere   ܐܬܬ ܠܘ ܐ   ܐܬ ܠܘ ܐ
Sap   8:16
1Bar   8:9 11
Sir   5:6   20:21   22:11   23:16   24:11
        31:3 4 21   40:5   44:23   46:19
ABar   48:32   55:1
4Esr   7:91 95   11:46
1Mc   1:3   9:57   11:38 52   14:4
2Mc   4:46   7:38   12:2   13:11
quietus   ܠܘ ܝ ܐ
Sap   4:9   12:7
Jdt   10:21
Sir   22:15
2Mc   4:37   4Mc   13:6
PsS   5:14
leniter   ܬܘ ܝ ܠܘ ܐ
ABar   48:10
2Mc   11:26
placiditas   ܠܘ ܝ ܐ ܬܘ
3Mc   7:6

279

quies   ܢܝܫ

Sap   4:7

Sir   6:28   11:19   21:20   22:13   24:7
              26:10   28:21   33:25   50:15

ABar   11:4   36:3 6   73:1   74:1

4Esr   7:36 38 75 85 95 95   8:52

2Mc   2:22 27 28   9:21   11:36   12:45   14:8
             15:1

4Mc   2:3   3:20   5:11   17:18

1Esr   4:62

Tb   11:3b

quies   ܢܝܚܬܐ

PsS   6:7

dormitare   ܢܡ

PsAp   3:18

somnus   ܢܘܡܬܐ

Sir   31:2

piscis   ܢܘܢܐ

4Esr   5:7   6:47

3Mc   6:8 8 8

Tb   6:3 4 4 5 6 7 17   8:2 3b   14:4

Dn   3:79

PsS   5:11

agitare   ܐܙܝܥ

Sir   12:18   46:2   47:4

2Mc   5:3   11:8

inclinari   ܐܬܙܝܥ

2Bar   4:2

ignis   ܢܘܪܐ

Sap   10:6   11:19   13:2   16:16 17 17 18 19
             22 22 27 27   17:5 6   19:19 19

EpJr   54   62

1Bar   8:13

2Bar   1:2

Jdt   7:5   13:13   16:17 17

Sir   2:5   8:3 10   9:8   11:32   12:14
             15:16   16:6   21:9 18   22:24   23:16
             27:4   28:10 11 12 22 23   36:9   38:28
             28   39:26 29   40:30   43:4   45:19
             48:1 3 9   51:4

ABar   6:4   10:19   21:6   27:10   44:15   48:4
             39 43   53:7   59:2 5   64:7   66:3 4 4
             70:8 8

4Esr   3:19   4:5 9 16 48 50   5:8   7:7 8 38
             8:8 22   10:22   13:4 10 10 27 38   14:39

```
1Mc    1:31 56    2:59    5:5 29 35 44 65 68
       6:31 39 51    10:84    11:4 61    12:28 29
       16:10
2Mc    1:18 19 20 20 21 22 23 32 32 33    2:1 10
       10 11    7:5    8:33    9:7    10:3 36    12:9
       14:41
3Mc    2:5 29    3:29    5:43    6:6 6 6 34
4Mc    5:32    6:24    7:10 12    8:12    9:17 19
       22    10:14    11:18 26    12:11    13:5 9
       14:10    15:15    16:3 9    17:1 3    18:12
       14 20 20
1Esr   1:11 52    6:23
Tb     8:2b
Dn     3:39 46 47 47 48 49 49 50 51 66
PsS    8:2    12:2 5    15:6
```

ܢܘܪܐ ܒܝܬ ⋘ ܢܘܪ   ܡܢܪܬܐ

```
candelabrum
Sir    26:17
4Esr   10:22
1Mc    1:21    4:49 50
2Mc    10:3
```

Naziraeus   ܢܙܝܪ
```
Sir    46:13    1Mc    3:49
```

consecratio Naziraei   ܢܙܝܪܘܬܐ
```
1Mc    3:49
```

rivus   ܢܚܠܐ
```
2Bar   5:7
Jdt    2:24    7:4    11:17    12:7    13:10    16:3
Sir    24:31    40:13 16
ABar   5:5    21:1    31:2    66:4    76:3
4Esr   5:25         1Mc    12:37    16:5 6
```

consolari   ܢܚܡ
```
Sir    48:24
```

nares   ܢܚܝܪܐ
```
Sap    2:2    15:15
4Mc    6:26    15:19
```

augur   ܢܚܫܐ
```
Sir    34:5
```

aes   ܢܚܫܐ
```
Sap    15:9
Sir    12:10    13:2
ABar   64:8 8
4Esr   7:55 56 56
1Mc    6:35 39    8:22    14:18 26 48
1Esr   1:38    8:56 56
```

venator   ܣܝܕ ܬܐ

4Mc   17:24

venatio   ܣܝܕ ܘܬܐ

4Mc   12:17

descendere   ܢܚܬ

Sap   10:6 14   11:23

2Bar   2:17   3:11 19

Jdt   2:27   3:6   5:10   6:14   10:2 10 15

       14:13

Sir   9:7 9   24:30

ABar   6:5 7   29:8   53:4 7 9   56:5 12   73:2

4Esr   4:8 8   13:12

1Mc   2:29 31   10:71   13:29 44   16:14

2Mc   1:23   2:10 10   9:2

3Mc   4:11   6:18

4Mc   16:20   17:13

1Esr   1:27

Tb   2:1   3:17   6:3   14:10a

Dn   3:49

PsAp   4:2

deduci   ܐܬܢܚܬ

4Mc   5:26

deducere   ܐܚܬ

Sap   16:13

2Bar   3:29

Jdt   14:2

Sir   12:16   22:19   30:17   46:5   48:3

ABar   53:8

3Mc   4:9

Tb   3:10   6:15   13:2   14:10b

PsS   17:20

descensio   ܡܚܬܐ

Jdt   13:8

1Mc   3:24

1Esr   2:20

vestis   ܠܒܫܐ

EpJr   30

Jdt   10:7   16:8

Sir   27:8   45:8

1Mc   2:14   4:39   5:14   10:62   11:71

       13:29 45

1Esr   8:68 71

Tb   1:17   4:16   10:10b

stillare   ܢܛܦ

4Esr   5:5

gutta
1Bar   5:3
Sir   1:2
4Esr   6:56
4Mc   9:20   10:8
observare
Sap   6:4   9:11   10:1 5 5 12   14:16
EpJr   69
1Bar   2:2   5:6   7:2 6
Su   12   15   15
Jdt   7:5   9:4   13:3 16
Sir   2:15   4:20   6:26   7:24   10:19 19
        15:15   17:22   20:7 7   21:11   23:27
        27:12   28:1 1 3   29:1 9   32:18 23 23
        24   35:1 2 5   37:8
ABar   4:6   5:2   6:8   8:2   10:18   27:14
        29:4   42:8   44:14   48:49   50:2
        52:1 7   59:2   63:8
4Esr   3:30 35 36   6:42 49 52   7:21 45 72 79
        88 89 93 94 95 121   8:9 27   9:32 33
        12:32 38   13:18
1Mc   4:61   5:18   6:50   8:12 26 28   10:20
        26   11:32   12:34   14:35
2Mc   1:26   10:12   12:42   14:36   15:10
3Mc   2:7   3:3 4   5:5 44   6:6 25 25 26 28
4Mc   2:14   5:29   9:32   12:11   18:7
1Esr   1:26   2:10   3:4 4   4:11 56   8:19 44
        45 58
Tb   1:11   3:15   12:3b
OrM   10b   13
Dn   3:30
PsS   12:6   16:9
servari
Sap   11:26   14:24   18:4 5   19:6
1Bar   7:2
Jdt   7:13
Sir   46:1
ABar   13:3 3   23:4   25:1   27:1   30:2   52:3
4Esr   7:75 75 85 95   8:8 9 9   9:22 34   11:9
        12:21 21   14:34
1Mc   13:12
2Mc   3:1 15 22   12:40   15:4
custodire
ABar   21:12   44:3
2Mc   10:30

```
4Mc      15:31
PsS      6:3
custodia                              ܢܛܪ
Sap      6:18    16:26
ABar     76:2
custos                               ܢܛܘܪ
Jdt      12:7    13:11
Sir      22:27   26:10
1Mc      9:51    11:3    12:27   14:33
3Mc      2:23
4Mc      3:13
custodia                           ܢܛܘܪܬܐ
4Esr     8:9
1Mc      8:26 28   9:53
4Mc      13:13   14:7    15:32
```

ܡܛܪܬܐ ܕܛܘܪܬܐ ܛܘܪ <<< ܢܛܘܪܬܐ

```
custodia                           ܢܛܘܪܐ
2Mc      3:40
vigiliae                           ܡܛܪܬܐ
Jdt      10:11   12:5    14:2
Sir      42:11
1Mc      6:50    10:75   11:66   12:34
2Mc      13:19
custos                            ܡܢܛܪܢܐ
2Mc      3:39
hasta                              ܣܝܐܬܐ
Jdt      6:6     7:10    11:2
Sir      46:2
2Mc      10:30   12:27
mensis Aprilis                       ܢܣܢ
2Bar     1:8
Sir      24:26   50:6
2Mc      11:30 33 38
1Esr     5:6
jugum                               ܢܝܪܐ
Sir      26:7    28:19 20 20    51:17 26
Abar     41:3
1Mc      8:18 31
PsS      2:6     17:32
signum                              ܢܝܫܐ
Sap      5:12 21
4Esr     9:6
nocere                               ܢܟܐ
ABar     48:37
4Mc      18:8
```

ܐܬܚܪܒ

damno affici
Sap   16:27   17:7
ABar   17:4

ܚܪܒ

vulnerare
4Mc   7:20   Tb   6:15

ܢܚܘܒ ܐ

noxius
4Mc   18:8

ܚܘܒܐ

damnum
Sap   19:6
3Mc   6:6 7   4Mc   18:7

ܚܘܒܬܐ

noxius
Sap   11:21

ܐܬܚܒܠ

fallacem se praestare
2Mc   4:26 26

ܢܚܒܠ

decipere
Sir   13:6

ܚܒܠܐ

dolus
Sap   1:5   4:11 20   7:13   14:24 25
BelD   18
Su   14
Sir   1:30   19:26   22:27
ABar   56:2   61:6
4Esr   6:27   9:3   11:40
1Mc   1:30   7:10 27 30   8:28   11:1   13:17
       31   16:13 15
2Mc   1:13   4:7   5:25   13:18   14:22
3Mc   1:2   3:10   4Mc   4:13
PsS   4:10   12:1

ܚܒܠܬܢܐ

fallex
Sir   11:29   28:1
PsS   4:27

ܐܬܢܟܣ

mactari
4Mc   13:12

ܢܟܣ

mactare
Sir   34:20
1Mc   1:47   7:19
4Mc   12:11   16:20

ܢܟܣܐ

opes
Jdt   16:24
Sir   5:1 8   7:8   9:6   14:15   25:21   28:10
       15   29:4 6 18 18   31:3 6   33:20 23
       34:22   40:13   41:1
Tb   8:21b   10:10b

ܢܟܣ

pudet aliqu
2Mc   15:2

pudicus   ܢܟܦ
Su   31
2Mc   4:37   6:28
4Mc   8:3   15:10
caste   ܢܟܦܐܝܬ
4Mc   2:16
pudicitia   ܢܟܦܘܬܐ
Sap   3:15   8:7
Su   14
Sir   11:14
4Esr   7:122
2Mc   3:12
3Mc   1:19
4Mc   5:34
PsS   4:3
abalienare   ܢܟܪܝ
4Mc   3:4   5:31
se abalienare   ܐܬܢܟܪܝ
1Esr   9:4
alienus   ܢܘܟܪܝ
Sap   4:3   19:14
2Bar   1:22   3:10   4:3
Su   22
Sir   14:4   23:23   26:19   29:18   36:3
        45:18   49:5
ABar   6:8
1Mc   1:38 44 2:7 7   3:36 45   5:15   6:13
        24   10:12   12:10   13:51   15:33
2Mc   4:21   5:9   9:28   10:24   14:26
3Mc   1:3   3:17   4:7   6:3
4Mc   15:15
Tb   4:12
PsS   2:2   9:1   17:9 15 15 31
PsAp   2:18

                              ܢܘܟܪܝ ܒܪ <<< ܢܘܟܪܝ
mordere   ܢܟܬ
Sap   16:5 9   17:2
Sir   12:13   21:2
morderi   ܐܬܢܟܬ
Tb   11:8a 12a
morsus   ܢܘܟܬܐ
Sap   17:7
nova luna   νεομηνία   ܢܘܡܠܝܐ
1Esr   5:52 55   8:6 6   9:16 17 37 40

286

lex	νόμος		
Sap	2:11 12 3:14 16 4:6 6:4 18 19		
	9:5 12:5 14:16 16:6 18:4 9		
1Bar	7:2 5 8 9 8:3 14		
2Bar	2:2 28 4:1		
Su	59a 62b		
Jdt	11:12		
Sir	2:16 11:14 15:1 16:26 17:11		
	21:11 23:23 24:23 33:29 35:1 2		
	39:1 8 45:5 5 46:10 11 14 49:4		
ABar	3:6 15:5 17:4 19:3 32:1 38:2 4		
	41:3 44:3 7 14 46:3 5 48:21 24 24		
	27 38 40 47 51:3 4 7 54:5 14 57:2		
	59:2 4 11 66:5 67:6 77:3 15 15 16		
4Esr	3:19 20 22 4:23 5:27 7:17 20 24 44		
	72 81 89 89 94 133 8:12 29 56 9:11		
	19 31 32 32 34 36 37 13:38 42 54		
	14:21 22 30		
1Mc	1:13 14 42 44 49 52 56 57 57 2:13 21		
	26 27 40 42 44 48 50 58 64 67 68 3:21		
	29 48 56 4:42 47 53 6:59 59 9:53		
	10:14 37 13:3 48 14:14 29 15:21		
2Mc	1:4 2:2 3 18 22 3:1 15 4:2 9 11		
	11 17 5:8 15 6:1 1 5 28 30 7:2 9		
	11 23 30 37 8:1 17 21 23 10:26		
	11:24 24 25 29 31 12:40 13:11 14		
	15:9		
3Mc	1:3 12 23 27 3:2 3 23 7:10 12		
4Mc	1:17 2:5 6 8 9 10 12 13 22 3:3 20		
	4:19 19 23 5:4 13 14 16 18 20 21 24		
	25 27 29 33 34 35 6:21 27 30 7:7 8		
	9 8:6 13 24 9:2 3 4 15 11:6 12 27		
	13:8 13 21 23 14:7 15:9 10 29 32		
	16:16 17:9 10 18:1 4 10		
1Esr	1:31 5:50 8:3 7 8 9 12 19 21 23 24		
	84 90 9:39 40 40 41 42 45 46 48 48 50		
Tb	6:13 7:11b 11b 12a 8:7b 14:9a		
PsS	4:10 10:5 12:1 2 3 4 4 14:1		
PsAp	2:14 3:9		

ܢܡܘܣܐ ܒܪ ܢܡܘܣܐ

secundum legem ܠܢܡܘܣܐܝܬ

4Mc   5:16 36

legalis ܢܡܘܣܝܐ

4Mc   7:15

Tb   2:13

legalitas   ܪ ܒ ܐ ܡ ܣ ܐ ܠ

1Esr   1:46   8:67 69 87   9:2

pardalis   ܪ ܡ ܪ

Sir   28:23

ferus   ܪ ܠ ܡ ܪ

4Mc   9:28

acinaces   ܪ ܠ ܝ ܣ

Jdt   13:6 8   16:9

accipere   ܠ ܣ ܒ

Sap   3:13   5:19   6:7   8:18   11:12   12:7
        13:13   14:15   15:19

EpJr   32

1Bar   7:6   8:4 5 9 12   9:1

2Bar   3:29

Su   55b

Jdt   4:1   6:12   12:9 15 19   13:9 18   14:1
        2 3 7   15:7 11 12   16:19 22

Sir   4:22 31   7:23   9:18   11:33   14:9 16
        35:13   38:2   45:23   46:19   50:15 25

ABar   3:2   6:7   10:8 18 19   12:3   13:8
        18:1 2   21:3 23   22:6   27:15   44:4
        46:1   48:24   49:3   51:3   54:7 16
        66:6

4Esr   4:40   5:14 22   6:37 48 48   7:96
        8:33 43 43 56   9:32 33 34 36 47
        14:30 40

1Mc   1:3 19 21 23 23 24 27 31   2:10 48 54
        56   3:12 12 31 41 41   4:18 23 43 47 47
        5:3 22 28 35 51   6:6 12 63   7:47
        8:8 18 26 28   9:19 40 53   10:30 42 84
        11:12 17 24 48 56 60 62   12:31   15:3
        33 34   16:16

2Mc   1:14 19 21 35   2:1   3:7   4:7 25 39
        41 49   5:16 21   6:7 15 24 25   7:11
        8:6 25 30 31   9:29   10:1 3 20 27
        11:7   12:39   13:22   14:9 18 25 25
        15:5

3Mc   1:23   4:6   6:24 32   7:10

4Mc   2:18   4:5 6   5:11 15   6:18 29
        8:6   11:3   12:4 11   18:23

1Esr   1:32 39 51   3:13   4:23 39 61   6:19
        9:12 45

Tb   1:9   4:12 12 12 13   5:2 3   6:5 13 16
        17   7:10 11a 12a 13a   8:2a 7a 21a
        9:2   11:4a   12:5   14:3a

ܐܠܝܘܒ

ܠܘܬܐ

PsS   2:19   4:7 10 21 25   5:4 5   17:6
accipi   ܐܠܝܘܒ
Sap   16:14   17:17
1Bar   8:9
ABar   3:8   31:5   46:7   48:30 30
1Mc   2:11
3Mc   7:8
1Esr   2:13   4:44   6:31
susceptio   ܠܘܣܒ
ABar   56:6
simulatio   ܢܘܣܒ ܒܐܦܐ
Sap   18:16
2Mc   6:25
                          ܢܘܣܝܘܢܐ ܐܠܬܐ < << ܢܘܣܒ
tentare   ܢܣܝ
Sap   1:1   2:17 25   3:5
Jdt   8:12 13 25
Sir   18:23   27:17   34:10 10 11   37:27
        39:4
3Mc   5:40   4Mc   9:7
Tb   5:5 6
periculum   ܠܘܣܢ ܐ
Sir   6:7   33:1
4Mc   7:25
tentatio   ܠܘܣܢ ܐ
Sap   18:20 25
Jdt   8:27
Sir   2:1   4:17   13:11   44:20   48:7 12 25
        49:2
1Mc   2:52
Tb   12:13b
fundere   ܠܘܦ\
Sir   50:15
4Esr   4:49
3Mc   4:6   4Mc   6:26
dorsum (montis)   ܢܘܒܪ
Sap   4:19
Jdt   3:9   4:5
corvus   ܠܓܒܐ
EpJr   21   54
sonus   ܠܓܬܐ
4Mc   15:21
sordes   ܠܘܬܐ
2Mc   1:36   5:9

289

Dn   3:46
flare   نوح
Sap   11:19   15:11   17:14
Sir   28:12   43:4
4Esr   3:5
inflari   ܐܬܢܦܚ
1Esr   9:48 55
naphtha   νάφθα   ܢܦܛܐ
Dn   3:46
cadere   ܢܦܠ
Sap   6:9   7:3 25   13:16   16:11   17:9 19
           18:18 23
EpJr   26   54
Jdt   3:28   4:11 13   6:6 9 18   7:11 14 22
           8:3 19   9:1   10:8 23   11:6 11   13:15
           17   14:3 6   15:2 3 5 5 6   16:3 11
Sir   2:7   3:31   6:12   8:1   9:3   12:15
           13:21 21   15:4   24:22   25:19   27·27
           28:23 26   29:19 19   34:16   42:13
           50:17
ABar   8:1   25:3 3   28:3   39:7   44:10
           46:6   48:22   64:8   67:8   68:1 3
           70:6 6
4Esr   4:11   10:1 22   12:18 18 28   13:11
1Mc   1:5 18 30   3:11 23 23 24 25   4:15 15
           34 40 45 55   5:12 22 28 34 54 60 67
           6:8 42 46   7:18 32 38 43 44 46   8:10
           9:1 17 18 21 40 49   10:50 85   11:74
           12:37   16:8 10
2Mc   3:24 27   5:12   6:13   7:27   8:7 35
           9:7 9 21   10:4 35   12:22 34 39 40
           15:24 26 28
3Mc   1:2 5 16   2:22   6:31   7:14
4Mc   1:24   4:11   6:17   12:1   15:20 20
           16:21
1Esr   8:17 88   9:47
Tb   11:9 10b 13a   12:16   14:10a
PsS   1:5   3:5 13   4:18
status cadentis   ܢܦܠܐ
ABar   27:10
casus   ܣܘܡܩܘܬܐ ܢܦܠܬܐ
Sap   3:13   4:19   10:1
1Bar   6:13
2Bar   4:31 32 33
Jdt   8:19

```
Sir    11:30   25:7
ABar   27:4    68:6
4Esr   3:1   7:23 68   10:48
2Mc    9:7
4Mc    1:11
PsS    3:13   15:5
excutere
4Mc    5:11
se excutere
Sir    22:13
sors
Sir    14:15   25:19 20
exire
```

```
Sap    1:11   4:4 16   14:1   16:14
EpJr   16    54
1Bar   6:3   8:3
2Bar   2:24   5:6
BelD   10    13    14    14    14    21
Su     5    13    19    45    56b
Jdt    1:6   2:5 6 7 10 14 19 20 21   5:5 9
              6:12   7:12 13 15   8:33 36   10:6 9 10
              20 22   11:17 18   12:6 7 13   13:9 10 20
              14:2 2 2 8 11 17   15:3 4 5 9
Sir    5:7   7:25   14:22   19:10 22   22:2 26
              23:24   24:3   29:27   32:16   33:31
              34:4   39:6 8   40:1   42:11   44:23 23
ABar   6:1   29:7   30:2   33:2   36:3   47:1
              56:4   63:7   64:4 5   73:6
4Esr   5:14   6:40 43 47   7:78   9:29
              10:32   11:10   12:17   13:27   14:2
1Mc    1:1 10 11   2:33 34   3:11 13 16 45
              4:13   5:33 59 65 67   6:21 31 49 61
              7:1 24 31 33 35 39 41 46   9:29 36 39
              64 65 65 67   10:2 57 63 86   11:2 15 41
              60   12:33 41   13:44 49   14:36   15:4
              10 14 25 41   16:3
2Mc    2:4 6   3:8 18   4:34 34 34   5:26
              6:27 31   7:7 40   8:9 20 21   9:5
              12:26 33   13:26   14:46
3Mc    1:17 18   3:2 6 16   4:11 12   5:4 47 48
              7:11 16 17
4Mc    3:13   8:22   18:7
1Esr   1:23   4:58 61   8:6
Tb     1:7   5:17 18   8:11b 14 20   9:3a
              10:1b 7b 12b   11:4b 9b 16a   14:10b 10b
```

```
PsS     9:1   15:7    PsAp    1:6    5:4
educere                                       نقف
Sap     13:12          Tb      1:7
educere                                       نقהr
Sap     10:3 10        EpJr    2    9
1Bar    7:7
2Bar    1:8 19 20    2:11
BelD    3
Jdt     5:8 12 14 16    6:11    7:6    13:1 15
Sir     7:25    22:26    28:14 15
ABar    64:2   66:3
4Esr    5:37    6:53    14:4
1Mc     11:66 68    12:27    13:11 17 48 50    14:32
2Mc     3:27    14:46
3Mc     2:7 23    3:7 7    6:6 7
1Esr    2:9    6:17 17 25    8:90    9:20
Tb      8:3b    9:5a
PsS     7:4
PsAp    5:3
expensa                                       نقףהr
BelD    3    8
1Mc     10:39 45    14:32
2Mc     4:19    9:16
1Esr    6:24
exitus                                  نقףהr  نقs
Sap     3:2 3    11:15
Jdt     13:3
Sir     30:24    50:5 11
exitus                                        نقסs
Sap     2:1 5 17    7:6    8:8
2Bar    4:26
Jdt     1:4
Sir     22:21    25:25    38:23
ABar    51:16
4Esr    4:7    6:1 24    13:44 47
1Mc     11:46
PsS     4:16
animus                                        نقף
Sap     1:4 11    2:1 13 22    3:1 13    4:14    5:3
        7:27    8:1 17 18 19 21    9:3 15    10:1 7
        16    11:13    12:1 6    13:16 17    14:5 11
        26    15:8 11 14    16:9 14    17:1 2 8 15
EpJr    6    14    48    49    53    54    56    57    67
1Bar    7:10    8:9 11 12
2Bar    2:18 18    3:1
```

```
Su      14    35    61b
Jdt     4:9   7:27 27    8:9 24    10:15     11:2
        12:4 17    13:20    14:19    16:9
Sir     1:30    2:1    3:18    4:2 5 7 20 22 27
        6:2 4    7:5 7 7 14 14 17 20 21    9:2 6
        10:28 29 29    13:12    14:2 4 5 6 9 10 16
        16:17 30    18:29 30 31    19:3 4 26
        20:22 27    21:2 25 27 27    22:2    23:6 12
        16 18    24:1    25:1 2    26:27    27:16
        29:5 20    30:13 21 21 23    31:20 21
        32:23    33:31    35:16    36:18    37:2 8 8
        12 20 22 23 24 27 28    38:23    39:1
        40:29    41:2    50:25    51:2 3 26 26 29
ABar    3:3 8    19:4    21:1 3 23    30:2 2 4
        35:5    36:8    38:3    46:5    51:15
        52:7 7    54:15 19 19    56:10    66:1 5
        74:1
4Esr    3:29    4:20 31 34 35 41 50    5:14 22
        6:37 48 48    7:32 59 75 76 80 84 85 93
        99 99 100 139    8:4 47 49 51    9:1 38
        40 41 41    10:36 45 50    12:5 8    14:34
1Mc     1:48    2:38 40 50    3:21    4:35    6:44
        8:27    9:2 9 14 44    10:33    11:23
        12:50 51    13:5 28    14:29 36
2Mc     1:3    2:25    3:15 16 17 28    4:21 37
        6:11 19 20 28 30    7:12 18 37    8:11 17
        21    9:18    10:13 25 26 27    11:9    12:4
        13:14    14:19 38    15:17 17 17 30 39
3Mc     1:4 29    2:20 24 31 32 33    5:34 50
        6:6    7:12
4Mc     1:20 26 28 33    2:1 8    3:3 15    5:26
        33    6:11 14 15 17 26 29 29    7:4    8:9
        15 22 28    9:3 7 23 25 26    11:3    12:20
        13:13 13 15 19 20    14:1 6 6 20    15:5
        18 25    16:5    17:1    18:23
1Esr    4:21
Tb      1:11 12    5:19    6:18    8:20b    13:6a 7
        14a    14:11a
OrM     9b
Dn      3:40 86
PsS     2:15 27    3:1 9    4:15 19 25    5:14
        6:5 8    9:7 9 12 19    12:1 6    16:1 2 3
        11 12 12 14    17:1 19 19    18:5
PsAp    2:3 17    3:5    4:1 3    5:2 3 6
```

ad animam pertinens   ܠܘܩܒܠܗ
4Mc   1:32
respiratio   ܠܘܩܒܐ
1Mc   8:26
OrM   9a
rixari   ܠܨܐ
Sir   8:16 16   31:31
rixa   ܠܨܘܬܐ
Sir   8:16   27:21   29:6
1Mc   7:28
2Mc   12:3
plantare   ܠܥܒ
Sap   12:10   13:11 13
Sir   3:28   10:15
ABar   22:6 6   36:2   51:3
4Esr   3:6   8:41
1Mc   3:56
3Mc   3:22
4Mc   2:21   13:18
1Esr   4:9 9 16
se plantare   ܐܬܠܥܒ
Sir   3:14
ABar   57:2
4Esr   8:52
4Mc   15:6
planta   ܠܥܒܬܐ
Sap   7:20
Sir   3:28   40:19
ABar   22:6
4Esr   8:41 41   9:21 22
4Mc   1:28
PsS   14:3
splendere   ܠܨܕ
2Mc   8:8
vincere   ܐܬܠܨܝܕ
1Mc   16:23
victoria   ܠܨܝܠܐ
1Mc   5:56 61 67   9:22   10:15   16:23
2Mc   14:18
splendidus   ܠܨܝܠܐ
Sap   7:22
4Mc   9:13 23   15:24   17:5   18:3
clare   ܠܨܝܠܐܝܬ
4Mc   6:30

gloria   ܢܣܝܟܬܐ
4Mc   9:8 31
libare   ܢܣܟ
4Mc   3:16
libatio   ܢܣܟܐ
4Esr   5:26
libatio   ܢܩܣܐ
1Mc   1:22 45
1Esr   6:30
femina   ܢܩܒܬܐ
Jdt   9:10   13:15   16:3
Sir   22:3
purus   ܢܩܕܐ
Sap   8:20
ulcisci   ܐܬܢܩܡ
Sap   11:5   12:27   16:1 9   18:8
4Mc   10:21   14:20
caverna   ܢܩܥܐ
ABar   73:6
adhaerere   ܢܩܦ
Jdt   7:2 12 12
1Mc   3:1   6:21   10:26
2Mc   15:28
3Mc   5:48   7:3
1Esr   7:1   8:14
appendere   ܐܩܦ
Tb   8:5b
adhaerere   ܐܬܢܩܦ
1Mc   8:1
consequenter   ܢܩܦܐܝܬ
1Esr   7:6 9
convenienter   ܢܩܦܐܝܬ
1Esr   5:48 68   8:12
pulsare   ܢܩܫ
Sap   11:2
Jdt   14:14
Sir   13:2   14:24   24:4 16   29:4
impetus   ܢܩܫܐ
1Mc   6:41
2Mc   3:25
palmes   ܢܘܪܒܐ
Sir   24:17 17
securis   ܢܪܓܐ
EpJr   14

ܠܒܝܟ   ܢܬܟ

debilis   ܠܒܝܟ

Sir   4:29

                  ܐܠܬܐ   <<<   ܠܬܐ

flare   ܠܒܕ

EpJr   60

4Esr   6:1   11:2

flatus   ܠܒܕܐ

Sir   9:13   27:20

PsAp   5:3

excoriare   ܠܒܛ

4Mc   9:28   15:15

pelle exui   ܐܬܠܒܛ

4Mc   15:20

spiritus   ܠܒܝܬܐ

Sir   9:13   33:20

4Esr   7:29 78

osculari   ܠܒܕ

3Mc   5:49

1Esr   4:47

Tb   7:6   9:6b   10:11b 12 12b   11:11b 13b

aquila   ܠܒܝܐ

ABar   77:19 20

4Esr   11:5 7 23 38 45   12:1 3 11 17 24 31

        14:17

trahere   ܠܬܟ

ABar   41:6

aequipondium   ܠܬܟܐ

4Esr   3:34

trahere   ܠܬܕ

4Mc   15:21

PsS   13:3

trahi   ܐܬܠܬܕ

Sap   1:12

4Mc   13:17

decidere   ܠܬܝ

Sir   14:18

2Mc   9:9

decutere   ܐܠܬܝ

Sir   6:3

lacerare   ܢܬܟ

1Esr   8:68

ܣ

modius   ܣܐܬܐ
4Esr   4:5
senescere   ܣܐܒ
Jdt   16:23
Sir   8:6 6   11:14   32:9
4Esr   5:49 55   14:10
1Mc   16:3   2Mc   5:24
4Mc   5:31
Tb   8:7   14:1b 3a 3a 13a
argentum   ܣܐܡܐ
EpJr   3   7   9   10   38
Jdt   5:9   10:22
Sir   26:18   40:25   47:18   51:28
4Esr   7:55 56 56
1Mc   1:23   2:18   6:1   8:3   10:60   11:24
        13:16   16:11 19
2Mc   2:2   3:11   4:8 24
4Mc   3:20
1Esr   1:34   2:6 8 12 12 13   4:18 19   5:44
        6:17 25   8:13 14 16 55 56 56 57 59 61
PsS   17:37
calceus   ܣܐܘܢܐ ܣܐܘܢܐ
Jdt   10:4   16:9
PsS   2:2
velum reticulatum   ܣܒܟܐ
Jdt   10:4
portare   ܣܒܠ
4Esr   7:18
4Mc   9:9   10:10   11:1   15:22   16:8   17:7
scala   ܣܒܠܬܐ
1Mc   5:30
portio   σύμβολα [Lag ܣܘܒܟܐ]   ܣܒܟܐ
Sap   2:9
satiari   ܣܒܥ
Su   32
Jdt   7:21
Sir   12:16   32:13   37:24   42:25   50:10
1Esr   3:3

محبֿ

ܣܒܥ

```
Tb      12:9a
PsS     4:19    5:14
satietas
```

ܣܒܥ

```
Sir     18:25
ABar    21:14
4Esr    9:26
PsAp    2:13
putare
```

ܣܒܪ

```
Sap     2:22    13:2 3    14:29    17:2 3 3 5 7
EpJr    63
1Bar    6:22
2Bar    4:22
Jdt     6:9    14:14
Sir     22:31   23:20    40:29
ABar    4:2    12:3    21:20    48:37    63:3
               67:2 3    77:9
4Esr    5:6 12    10:3
2Mc     2:29    4:21 32    5:11    8:35    9:8 10
               13:23
3Mc     1:26    3:11    5:5 49
4Mc     1:33    2:13    5:18 18 19    8:11
Tb      10:7b
putari
```

ܐܣܬܒܪ

```
Sap     3:2
4Esr    7:99    11:16
2Mc     1:13
3Mc     1:29    5:6
4Mc     13:14
sperare
```

ܣܒܪ

```
Sap     2:13
1Bar    8:9
Sir     2:6 7 9    18:14    48:10
ABar    70:5    77:7
4Esr    7:18
1Mc     2:61    5:14
2Mc     2:18    7:11    12:44    15:7
3Mc     2:33
4Mc     4:13
1Esr    2:18
Tb      10:7a
PsS     6:8    9:19
PsAp    3:20
sperare
```

ܐܣܒܪ

```
ABar    44:11
2Mc     3:22    7:16 19
```

298

```
4Mc    9:7    14:11
Tb     6:18    8:16a
PsS    17:3 37
```
spes   ܣܒܪܐ
```
Sap    3:4 11 18    5:14    12:19    13:10    14:6
               15:6 10    16:29
Sir    16:13    27:21    34:13    38:21
ABar   25:4    30:1    48:19    51:7    57:2    59:10
               70:5
4Esr   7:120
2Mc    3:29 31    6:20    7:14 20 34    9:20 22
               12:43 45    14:3
4Mc    17:4
1Esr   8:89
PsS    5:13 16    8:37    15:2    17:38 38 44
               18:3
```
opinio   ܡܣܒܪܢܘܬܐ
```
4Mc    5:18    7:9
```
nuntius   ܡܣܒܪܬܐ
```
Sap    5:9
ABar   46:6    54:9    77:12
4Esr   11:16
```
nuntius   ܡܣܒܪܢܐ
```
PsS    11:2
```
tolerare   ܣܝܒܪ
```
2Bar   4:25
Jdt    7:4 30
Sir    6:20    26:7
ABar   11:3    21:9    44:7    48:17 50    51:2
4Esr   3:30    4:27    5:45 45    7:18 89    8:8
               10:15    12:19    13:23
1Mc    2:28    5:18    6:30 30    7:18 20 32 35
               9:9 12
4Mc    5:23    6:7 9 7:22    9:6 6 7 22 28    10:1
               11 16    13:12 12    14:12    16:1 17 19 21
               17:3 10
1Esr   2:18
Tb     11:11b
OrM    5
PsS    14:1    16:13 15
```
vesci   ܐܘܟܠ ܣܝܒ
```
2Mc    5:27
OrM    5a
```
cibus   ܣܝܒܪܬܐ
```
Jdt    12:10
```

Sir   38:17
ABar   48:50
1Mc   6:53 57
3Mc   6:30
abstinens   ܡܣܝܒܪ ܠ
2Mc   6:20
tolerantia   ܡܣܝܒܪܢܘܬܐ
1Mc   7:38
4Mc   9:8 30   15:23   17:12 23
PsS   2:40
multus esse   ܣܓܝ
Sap   3:17
Jdt   5:10   9:7
Sir   1:4   2:18   3:6 27   6:5   11:10   16:2
         21:13   24:29   25:25   28:10 10   32:11
         49:13
4Esr   3:12   4:26   5:2 10   7:111 137
3Mc   5:2
4Mc   16:10
1Esr   8:72
OrM   9   9b
PsS   10:1
augere   ܐܣܓܝ
Sap   10:10
2Bar   2:34
Sir   1:10 18 30 30   9:9   11:9   14:21
         16:11   18:9 12   23:3 10   26:10   27:1
         28:10 10   30:7 22   33:28   34:10   35:1
         37:29 30   38:26   44:21   47:23 24
4Esr   3:12   4:25   7:136   8:56
1Mc   1:9   3:3 30   14:15
2Mc   2:32
3Mc   6:4
OrM   10a
Dn   3:36
PsS   17:37
PsAp   2:17
multus   ܩܦܠܐ ܣܓܝ
Sap   3:5   4:13 16   6:2   7:22   8:10 15
         11:15 18 19   15:1 9   16:2 27   18:5 20
         19:10
EpJr   2   5   18   24   46
1Bar   1:7   8:4
2Bar   1:12   2:27 29   4:12 34
Su   34

300

```
3Mc     1:4 5 9    2:4 7 12 13 22 25 26 26 30
        3:1 7 8 15 16 20 21 27    4:2 3 4 5 13 15
        16 16 17 19    5:1 2 7 12 17 18 25 30 32
        45 46 48 48 51    6:5 5 14 26 33    7:1 3
        6 6
4Mc     1:7 21 25 28    3:1 10    4:3 11    5:4 4
        7:4 15    10:1    11:3    14:13    15:5
        16:5 8 9    18:9 15
1Esr    1:28 47    2:8 8    3:21    4:14 26 27
        5:61    6:8 13    8:7 88 88    9:11
Tb      1:3 6 16 18    2:2    3:5 6 10    4:4 13 21
        6:18    8:16a 19b    10:3a 10b    11:19b
        12:8a    13:11a    14:10b
OrM     7
Dn      3:40 42
PsS     2:31    4:33    5:16    8:2 2 20    17:37
PsAp    2:1    3:10
valde
1Esr    4:25
multitudo
Sap     4:3    6:26    18:4 5
1Bar    4:3    5:1 2 3    7:10 11
2Bar    2:13
Su      4
Jdt     2:5 17 18 20    5:3 9    7:2 4    9:8 11
        13:1
Sir     1:16    5:4    6:19    7:9    13:11 11 26
        16:1 4    18:32    20:5 8    22:13    26:5
        28:10    33:27    34:19    51:3
ABar    3:8    10:12    23:4    27:9    30:2    36:4 6
        39:7    40:1    48:4 36 36 43    56:4 14
        59:6 11    63:1 6
4Esr    5:27    7:61 96 139 139    8:63    9:22
        10:10 11 13 24 28    12:3    13:5 9 10 11
        12 13 28 39 41 47 49
1Mc     1:40    3:20    4:8    6:41
2Mc     2:24 24    5:5    8:16 24    9:11
3Mc     3:9    4:5    6:14
4Mc     3:7
1Esr    8:88    9:2 4 6 10 11 11 12 38 40 41 45
        48 49
Tb      4:8
OrM     7    9    10    10a    14
Dn      3:42 43
PsS     1:3    4:3
```

PsAp   2:2 11
multitudo   ܣܓܝܐܘܬܐ
Sap   4:8
Sir   11:10   25:5   31:30   37:30   49:1
        51:3
procumbere   ܣܓܕ
EpJr   5   5
BelD   4   5   5   23   24   25
Jdt   3:8   4:13   5:8   6:18   8:18   10:8 23
        13:17   14:7   16:18
Sir   50:17
4Esr   7:78
1Mc   4:55
4Mc   5:12 24   11:5
1Esr   9:47
Tb   5:14
veneratio   ܣܓܕܬܐ
Sap   14:20
3Mc   3:7
cultor   ܣܓܘܕܐ
4Mc   11:23
uva   ܣܓܘܠܐ
ABar   17:3   29:5 5
4Esr   9:21   12:42
lacerare   ܣܕܩ
Jdt   9:1
4Mc   9:11
lacerare   ܣܕܩ
4Esr   9:38
1Mc   2:14   3:47   5:14   13:45
2Mc   4:38
1Esr   1:56   8:70
disponere   ܣܕܪ
Jdt   16:14
Sir   45:5
4Esr   12:32   13:37
4Mc   1:21
se disponere   ܐܣܬܕܪ
1Mc   6:40
2Mc   15:20
ordo   ܣܕܪܐ
Sap   18:24
Sir   45:20   50:12
ABar   59:11
1Mc   6:40

303

2Mc	15:17 20 21
ordo	ܣܗܕܘܬܐ
1Esr	1:28
testari	ܣܗܕ
ABar	19:3
1Mc	2:37
3Mc	5:19 6:10
testari	ܐܣܗܕ
Sap	17:11
EpJr	44
1Bar	7:2 2
Su	21 26 34 41 43 43b 51 61b
Jdt	7:28
Sir	19:30 46:19 19
ABar	19:1 46:6
4Esr	7:94 8:23
1Mc	2:56
2Mc	3:36
testis	ܣܗܕܐ
Sap	1:6 4:6
Dn	3:88^W
testimonium	ܣܗܕܘܬܐ
Sap	10:7
1Bar	7:7
Su	49b
Sir	31:23 36:15
ABar	13:3
4Esr	7:94
4Mc	6:32 16:16
PsS	10:5 5
luna	ܣܗܪܐ
EpJr	59 66
Sir	27:11 39:12 43:6 7 50:6
ABar	10:12
4Esr	5:5 6:45 7:39 58 59 95 110 110
4Mc	17:5
Dn	3:62
holocaustum	ܣܘܬܐ
Jdt	16:16
contaminare	ܣܝܒ
Sap	7:25
ABar	66:4
1Mc	1:47 62 2:12 4:45 54
2Mc	5:16 6:2 7:1
3Mc	2:2 14 4:16 7:15

```
4Mc     4:26    5:19 25 27 36    7:6 25    8:11 28
        11:17    13:2
1Esr    1:47    8:80
Tb      2:9     3:15
PsS     17:51
se contaminare                                          ܐܘܠܕ ܒ
1Bar    3:2
ABar    66:2
4Esr    10:22
1Mc     1:63    3:51    4:44
2Mc     8:2     10:5
3Mc     1:29
contaminatio                                           ܣܘ ܒ ܐ
2Mc     6:5
3Mc     2:17
pollutio                                               ܣܘ ܒ ܝܘ ܐܬ
1Esr    8:80
saepire                                                ܣܘ ܟ
Sir     28:24
saeptum                                                ܣܘ ܓ ܐ
Sir     36:25
ABar    54:5
loqui                                                  ܐܘܠ ܘ ܬ ܗ
Sir     9:4
ramus                                                  ܣܘ ܟ ܐ
Jdt     15:12
Sir     24:16 16    50:10
ABar    55:1    77:18
2Mc     6:7     10:7    14:4
finis                                                  ܣܘ ܦ ܐ
1Bar    8:14
Jdt     2:20
4Mc     2:19
OrM     6a      9b
perfici                                                ܐܘܠܕ ܝܘ
ABar    11:2    54:9    75:2
4Esr    7:3     8:21
2Mc     3:6
equus                                                  ܣܘ ܣ ܝ ܐ
Sir     30:8    33:6
ABar    64:8 8
2Mc     3:25    11:8
PsS     16:4    17:37
perire                                                 ܣܘ ܦ
Sap     5:13
```

```
Jdt     7:14 22 25    8:31
ABar    70:8
```

perdere   ܐܣܘܦ

```
Sap     11:21   16:16
Jdt     7:13
Sir     45:19
2Mc     8:18
```

finis   ܣܘܦܐ

```
Sap     3:17 19   4:5    6:1    8:1 1   16:5
        18:20   19:1 4
2Bar    3:17 25
Jdt     2:9   11:21 21
Sir     36:17   44:21
ABar    48:5 50   54:1
4Esr    13:45
1Mc     1:3    3:9    8:4    14:10
PsS     1:4    17:34
```

finis   ܣܘܦܐ

```
Sap     18:5
```

se lavare   ܣܚܐ

```
Su      15   17
Sir     34:25
Tb      2:5
```

natatio   ܣܚܘܐ

```
1Mc     9:48
```

lautio   ܣܚܘܬܐ

```
Sir     34:25
```

subruere   ܣܚܦ

```
Sap     18:15
1Bar    3:3
BelD    22
Sir     10:14 17    13:23
ABar    5:3    7:1 1    36:4    63:3    64:2    67:7
4Esr    10:2    11:42
1Mc     1:31    2:25    6:7
2Mc     11:9    12:15 15    14:33
3Mc     2:3
4Mc     8:14    17:2
PsS     17:8
```

subruere   ܣܚܦ

```
1Bar    3:1
Sir     48:6
1Mc     2:45    4:38    5:27 65 68    8:10    9:54
        62    11:4
```

2Mc	4:12	9:14	10:2
4Mc	7:9		
Tb	8:15b		

everti   ܐܘܒܕܬ

Sap	18:18
ΛBar	77:9 10
4Esr	10:21

ordo   ܣܘܒܪܐ

PsS	13:6

destructio   ܣܘܒܕܐ

1Mc	2:49	3:43
2Mc	13:3	

ruinae   ܣܚܝܦܘܬܐ

Sir	49:13
1Mc	9:62

palatium   ܣܚܝܬܐ

1Esr	6:22

aberrare   ܣܛܐ

2Bar	4:12			
Jdt	5:8			
Sir	9:9 9	24:19	35:3	51:23
1Mc	2:22	5:46	11:43	13:6
3Mc	7:10			

apostata   ܣܛܝܢܐ

2Mc	5:8
3Mc	7:12 14

aberratio   ܣܛܝܘܬܐ

Sap	4:20
1Mc	2:15

vinculum   ܣܛܪܐ

1Mc	3:41

latus   ܣܛܪ

1Mc	5:41	15:25
2Mc	12:21 22	
3Mc	5:14	

imperator   στρατηγός   ܣܛܪܛܓ

1Esr	4:47

satrapes   σατράπης   ܣܛܪܦܐ ܣܛܪܦ

1Esr	3:1 2 20	4:47 49	

senex   ܣܒ

Sap	2:10 22	4:16		
2Bar	1:4	4:15		
Jdt	4:8	6:16 21	7:23	10:6	11:14
	15:8			
Sir	6:34	8:9	25:2 4	41:2

```
ABar    31:1    44:1    46:1
1Mc     1:26    11:23    12:6 35    13:36    14:9 20
        21 22 28    15:17
2Mc     1:10    4:44    5:13    8:30    11:27 34
        13:13    14:37
3Mc     1:8    3:27    4:5    6:1
4Mc     4:9    5:6    6:2 6    7:1 10 13 16 25
        8:4    9:6 6    16:17    17:9
Tb      12:4a
PsS     2:8    17:13
```

anus

```
4Mc     8:2    16:1 14    17:9
```

senectus

```
Sap     2:9    3:17    4:8 9
1Bar    6:12
Sir     6:18    25:3    46:9
ABar    19:6
4Esr    5:50 53    14:16
2Mc     6:23 25 27    14:42    15:13
4Mc     5:4 11 12 33 36    6:12    7:15    8:19
        16:14
Tb      3:10    14:13b
```

ponere

```
Sap     4:15    5:18    6:24    8:12    10:14 21
        13:15
EpJr    9    26    42
1Bar    6:3    7:1 6
2Bar    3:17    4:30    5:2
BelD    11    14    15    36
Su      34    35
Jdt     10:4 4 4 5    11:10 19    15:3 11 11 13 13
        16:2
Sir     1:20    3:4    5:12    6:32    8:3    16:20
        17:11 22    20:14    21:17    29:10 11
        30:18    31:16    39:5    45:7 12 15 20
ABar    6:6    19:1    27:1    35:4    40:1    52:7
4Esr    4:3    5:32    6:5    7:3 4 6 7 8 9 14 74
        77 83 89 91 92    8:33    12:37    14:8 14
        20 26
1Mc     1:35 35 53    4:43 46 51 61    6:35 57
        7:49    9:52 53    10:65    11:13 66    13:33
        14:23 26 33 34 35 44 48    15:41
2Mc     1:8 31    2:5 25    3:10 11 15    4:11 11 19
        7:1    8:31    11:4    12:4 14    13:14
        15:36
```

```
3Mc     2:1 27    4:17    5:12 13 18 25
4Mc     1:10    2:12    3:15    4:3    5:3 9 16
        6:15    8:5    9:4 24 30    11:3    12:4
        13:15    14:16    15:2    17:12 21    18:5
1Esr    1:3 39    2:9    3:8    4:30    5:69    6:17
        22 25    8:8 24
Tb      1:14    4:9    6:5 17    7:9    8:2 2b
        9:5b    10:6b    12:?a
OrM     7a    8    8
PsS     1:1    2:6    9:9 18    17:6 7
componi                        ܐܬܘܣܦܬ ܐܬܬܣܦܬ
BelD    13    18    21
Sir     50:2
ABar    52:3
4Esr    4:42    7:20 32 45 72    9:34 34
1Mc     10:30 38    11:37    14:49
2Mc     3:6 13    5:16
3Mc     3:23
1Esr    6:8 18 25
opes                                   ܣܘܦܪܐ
2Bar    3:17
Sir     1:17 20    3:4    6:14    20:30    29:11
        40:17    41:12
ABar    6:5    8:54 55
1Mc     1:23
2Mc     5:18
4Mc     4:4
Tb      4:9    12:8
PsS     9:8
adjuvare                                ܣܥܪ
Sap     16:17
Jdt     5:21    6:2
ABar    48:18 24
adjutor                               ܡܣܥܪܢܐ
Jdt     9:11
gladius                                 ܣܝܦܐ
Sap     18:16
2Bar    2:25
BelD    26
Jdt     6:6    9:7
Sir     21:3    22:21
1Mc     3:12    6:46
2Mc     5:3    12:22    14:31
3Mc     5:43
1Esr    1:50 53    3:21    4:23    8:74
```

PsAp   1:7
clavus   ܡܪܗ ܗܘܡܪ
Sir   14:24   27:2
exspectare   ܣܟܝ
Sap   8:12   12:22   17:13 17   18:17
EpJr   72
1Bar   6:4
Sir   11:21   36:16   47:16   51:7
ABar   14:4 12 13 14   22:6   51:13   55:6
        75:5
4Esr   7:66 117   8:59   11:46
2Mc   7:17 30   8:11   9:25   12:44 45   13:3
        15:8 20
3Mc   1:17   2:33   3:10 11 22   4:1 2   5:5 26
PsS   3:5
exspectatio   ܣܟܘܝܐ
Sir   14:25   23:25   24:16 16
ABar   51:7   55:6
2Mc   3:21 29
stultus   ܣܟܠܐ ܣܟܠܘܬܐ
Sap   14:11
Su   48
Sir   4:26   6:20 22   7:5   8:17   14:9
        18:18   19:11 12 23   20:14 16 20 24
        21:15 18 19 20 22 23 26 27 27   22:1 3 5
        7 8 11 12 13 14 15 18   23:8   25:2
        27:11 12 13   31:7 30   37:19   50:26
        51:23
ABar   70:5
4Mc   5:8 9   8:16   16:23
peccare   ܐܣܟܠ
Sap   11:17   12:2   15:2 2 13
2Bar   2:12
Jdt   5:20
ABar   55:7   77:9 9 10
2Mc   14:28
peccatum   ܣܟܠܘܬܐ
Sap   2:12   4:20   11:24   12:19   18:18
1Bar   8:12
2Bar   3:5 8
Sir   4:25   8:15   20:31   21:24   23:13
        25:18   30:13   47:23
4Esr   6:5   8:27
2Mc   11:30
3Mc   2:19   3:9 21 28   6:10

OrM	10b	13a

docere   ܦܚܕܠ

4Esr   14:13

PsAp   2:7

intelligere   ܐܬܪܚܕܠ

Sap   3:9   4:14 17   6:1   9:11   12:25 26

2Bar   3:21

Jdt   8:14

Sir   2:10   3:22 29   4:11   6:37   14:21
          17:6 8   23:19 27   36:20   38:28 33 33
          39:1 3 7 7 12 32   51:20

ABar   14:15   27:15   28:1   43:1

4Esr   6:15   7:71 84 95   8:51   9:2 12

1Mc   7:11

2Mc   4:6   5:6 17   7:28   14:30

4Mc   3:6

Tb   3:8   11:6a

intelligentia   ܣܘܟܠܐ

Sap   4:9   6:19   11:15

EpJr   41

2Bar   3:9 14 20 23 23 28

Jdt   11:21

Sir   4:24   38:28   47:14

ABar   38:1   51:3 4   56:4   75:3

4Esr   14:41

prudens   ܣܟܘܠܬܢ

Sap   7:23

2Bar   2:31

Jdt   8:7

Sir   9:17   10:25   19:22   21:21

ABar   46:5   48:33

4Esr   7:19

prudentia   ܣܟܘܠܬܢܘܬܐ

Jdt   8:29

Sir   1:6   14:20   15:3   24:26   25:4   39:6
          44:3

ABar   15:5   44:14   48:9 36   51:7   54:17
          59:7   61:4   66:2

4Esr   5:9   8:12   13:55   14:47

1Esr   1:31

pauperem facere   ܣܟܢ

Jdt   8:16

pauper fieri   ܐܬܣܟܢ

Sir   13:3   22:25   26:28

Tb   4:21

pauper   ܡܣܟܢܐ
Sap   2:10   18:11
EpJr   27   37
Sir   4:1 1 3 4 8   7:32   10:22 23 30   11:1
        14 26   13:2 3 18 19 21 22 23   18:32 33
        21:5   25:2   26:4   29:8 22 28   30:14
        31:4   34:20 21   35:8 10 14 16 17
        38:19 19
ABar   70:4
1Mc   14:14
2Mc   4:47   8:28 30
3Mc   1:3   5:5 47   6:3
PsS   5:2 13   10:7   15:2   18:3
exiliter   ܡܣܟܢܐܝܬ
2Mc   15:38
paupertas   ܡܣܟܢܘܬܐ
Sap   16:4
Sir   2:4 5   10:31 31   11:12 18   13:24
        18:25   19:1   22:23   25:9   31:29
        40:4   49:12
PsS   4:7 17   5:18 20   16:13 14
culter   ܣܟܝܢܐ
4Mc   16:20
1Esr   3:18
claudere   ܣܟܪ
Jdt   16:3
Sir   20:29   27:16
ABar   51:4
1Mc   2:36   5:47
2Mc   2:5   14:36
PsAp   5:5
claudi   ܐܣܬܟܪ
1Mac   9:55
clausio   ܣܟܪܐ
4Mc   13:6
scutum   ܣܟܪܐ
Sap   5:19
Sir   29:13   37:5
2Mc   15:11
sera   ܣܟܪܬܐ
EpJr   17
Sir   28:14   49:13
repudiari   ܐܣܬܠܝ
Sap   16:29
PsS   2:5

312

repudiare

Sap	3:11	4:18	9:4	11:25	13:10
Jdt	7:15	11:2 22	14:5		
Sir	35:18	41:15			
ABar	51:14 16	54:17			
4Esr	7:37	8:56			
1Mc	3:14	11:11			
2Mc	1:27	5:7	6:25		
3Mc	3:23	4:16			
4Mc	5:8				
PsS	2:10 30 32				

coturnix   ܣܠܘ܂

Sap	16:2	19:12

ascendere   ܣܠܩ

EpJr	20				
1Bar	2:1	6:3	8:11		
2Bar	3:29				
Su	55a	59a			
Jdt	4:3 7	5:24	6:5	7:18	12:8	13:10
	14:11				
Sir	11:5	21:5	29:6	30:25	35:17
	48:17				
ABar	14:11	36:6	53:1 11	56:3	
4Esr	3:1	4:8 15	6:41	11:1 43	12:7 11
	13:5 25 32 51				
1Mc	1:20	3:15 15	4:35 37	5:31 54	
	6:48	7:1 33	9:8 38 66	10:1	13:2
	45	16:1			
2Mc	1:21	2:4	4:21	5:5 5	6:10	7:5
	9:1 4 21 23 25	10:28 36	12:4 22		
	14:43				
3Mc	1:6	5:9 26 48			
4Mc	4:4 10	6:26	15:18		
1Esr	1:29 38	2:5 7 14 17	4:47 49 63		
	5:1 3 4 7	8:3 5 27 28			
Tb	8:18b	12:20a			
Dn	3:38 47				
PsS	2:2				

ascendere   ܐܣܩܠ

Tb	12:20b

adducere   ܐܣܩ

Sap	6:20	10:19	16:13	19:12
2Bar	1:10	3:30		
BelD	42			

Jdt   4:5   5:24   6:14
Sir   23:16
ABar   6:3   29:4   40:1   54:7   75:8
4Esr   3:17   13:3   14:4
1Mc   1:4   2:24   4:36 53   5:2   7:2   8:2 4
       7 11:28
2Mc   1:18   2:9   3:35   8:36   9:4 25   10:3
3Mc   5:43
4Mc   8:18 26
1Esr   1:13 36 49   4:6 6 52
Tb   5:14   12:15a   13:2
ascensio   ܟܘܡܪ
Sir   46:16
ascensio   ܟܘܡܪܐ
Jdt   4:7   6:7 12
Sir   21:9   25:20
1Mc   3:16
ascensus   ܟܘܡܠ
Jdt   4:4   7:1 7   14:11
venenum   ܡܪܐ   ܡܪܝܪܐ
Sap   1:14   13:14
Sir   6:16   38:4
2Mc   2:29
Tb   11:11b 13b
simile   σεμίδαλις   ܡܪܝܣ
BelD   3
2Mc   1:8
PsAp   2:10
occaecari   ܐܘܟܪ
Tb   14:2b
caecus   ܡܘܪ
EpJr   36
caecitas   ܡܘܪܘܬܐ
Tb   14:2b
fulgere   ܡܪܩ
Sir   1:13   3:31   5:10   9:9   22:23
       34:16   40:1
3Mc   5:39
Tb   8:6a   9:6b
PsAp   3:19
accumbere   ܐܣܡܟ
Sir   11:20   15:4   26:12   32:1 1
3Mc   5:16
Tb   2:1

conviuium ܣܘܒܪܐ
3Mc 6:31
fulciens ܣܘܒܪܐ
Sir 34:15
conviua
Sir 44:6

ܣܘܒܪܢ ܒܪ ‹‹‹ ܢܣܘܒܪ ܣܒܪܐ

sinister
EpJr 14 Jdt 2:21
ABar 77:26
4Esr 7:7 11:35
1Mc 2:22 5:46 6:45 9:16
1Esr 4:30 9:44
ruber ܣܘܒܪܐ
Sap 11:7 19:7
hirundo ܣܘܢܝܬܐ
EpJr 21
odisse ܣܢܐ
Sap 11:25 12:3 14:9
1Bar 1:1
Jdt 5:17
Sir 1:30 2:15 11:2 12:6 15:11 13
16:28 19:19 21:6 23:11 16 27:13
24 24 28:7 31:13 35:3 40:29
ABar 70:3
4Esr 3:16 5:30 30 7:79 10:23 11:42
1Mc 9:26 11:21
2Mc 3:1 9:24
3Mc 5:3
4Mc 9:3 11:4 4
Tb 4:15 13:12a
PsS 7:1 12:6
in odio esse ܐܣܢܝ
1Bar 6:12
Sir 9:18 13:10 20:5 8 8 31:16 37:20
42:9
ABar 21:14
odiosum reddere ܐܣܢܝ
Sir 12:18
inimicus ܣܢܐܐ
Sap 5:17 10:19 11:3 12:22 15:14
16:4 8 18:4
1Bar 8:9
Sir 6:1 4 13 12:8 10 16 18:31 19:8
20:15 23 23:3 25:7 14 28:26

(Sir)   29:6   30:3   34:16   35:20   36:7 9 10
        37:2 10 11   46:1 6 16   47:7   50:4
ABar   3:5   5:1   8:2   13:9   24:4   52:6
4Esr   3:30
2Mc   10:26
4Mc   2:14

malus   ܣܘܠܬܐ ܣܒܪ
Sir   10:7   13:22   14:12
4Mc   2:16   15:25

odium   ܣܒܪܬܐ
ABar   73:4
1Mc   7:26
2Mc   14:39
3Mc   2:32   3:7 19 22   7:4

rubus fruticosus   ܣܒܪ
4Esr   14:2 3

indigens   ܣܒܝܩܐ
3Mc   2:9
4Mc   2:8
Tb   2:2

inopia   ܣܒܝܩܘܬܐ
Sir   32:2
2Mc   14:34
Tb   4:13

inopia   ܣܘܒܩܢܐ
1Esr   4:54 55

galea   ܣܢܘܪܬܐ
Sap   5:19
2Bar   5:2
1Mc   6:2 35

tinea   σής   ܣܣܐ
Sir   42:13

aggredi   ܣܒܪ
1Esr   4:49

visitare   ܣܥܪ
Sap   6:16   7:23
Jdt   4:15   13:20   16:17
Sir   7:35
ABar   20:2
4Esr   6:18
1Mc   16:14
2Mc   13:8 9 13   15:5
3Mc   1:4 14   3:15
4Mc   1:25   2:17   5:6 13   9:12   11:4
       18:5

```
1Esr    2:22    6:22
PsS     3:8 14     9:8     15:4
PsAp    5:6 6
```
visitari   ܐܬܚܙܝ
```
2Mc     11:36        1Esr    2:18    6:20
```
visitator   ܣܥܘܪܐ
```
Sap     1:6
2Mc     3:39    4:1 2
```
visitatio   ܣܥܘܪܘܬܐ
```
1Esr    6:5
```
opus   ܣܥܪ ܢ
```
Sap     3:9     4:15    19:14
Jdt     11:11
Sir     14:2
1Mc     3:26    13:34
2Mc     3:30
3Mc     1:27
4Mc     2:4 6
1Esr    4:18 19     8:67 91     9:13 16
Tb      2:8     7:9
PsS     10:5    11:2 7
```
crines   ܣܥܪܐ
```
BelD    27    36        Jdt     9:2
Sir     27:14
2Mc     7:7
3Mc     6:6            1Esr    8:72
```
hordeum   ܣܥܪܐ ܣܥܪܬܐ
```
Jdt     8:2
```
labium   ܣܦܬܐ ܣܦܬܐ
```
Sap     1:6
Jdt     9:9
Sir     1:29    6:5     12:16    22:27    51:22
4Esr    13:10
1Mc     5:40    11:1
4Mc     5:36    7:10
Dn      3:36
PsS     12:4 4    15:5 5    16:10
```
porticus   ܣܦܐ
```
1Esr    9:38
```
satis esse   ܣܦܩ
```
Sap     14:22    18:25
Jdt     12:2
Sir     31:12
4Esr    7:8     10:55 56    12:43
1Mc     2:33
```

2Mc	5:15	6:17	7:42
3Mc	2:26		
4Mc	6:28		
Tb	5:20		
PsS	2:24	16:12	

evacuare   ܩܘܩ

Jdt   7:20

evacuare   ܐܬܘܩܩ

Jdt   7:21

vacuus   ܩܘܝܟ

4Esr	6:22	7:25 25	
PsS	4:19		

inanitas   ܪܬܘܩܘܩ

3Mc   6:6

ripa   ܪܩܬ

1Mc	7:1	15:11

scriba   ܪܩܬ

1Mc	5:42	7:12
2Mc	6:18	
4Mc	5:4	
1Esr	2:15 16 21 25	8:3 22 25

scriptura   ܪܩܬ

Sir	1:20	24:23	50:27
ABar	24:1		
4Esr	6:20	12:37	
2Mc	2:23 23		
4Mc	13:21		

sapphirus   σάπφειρος   ܪܝܩܩ ܪܝܩܐܩ

Tb   13:16a

saccus   σάκκος   ܩܩ

Jdt	4:10 12 14	8:5	9:1	10:3
Sir	25:17			
1Mc	2:14	3:47		
2Mc	3:19	10:25		
PsS	2:21			

rubrum facere   ܩܘܬ

Sap   13:14

color ruber   ܪܬ ܩܘܬ

Sap   13:14

obloqui   ܩܒܬ

Sir	4:25	20:15

storea   ܪܬܝ ܩ

Jdt   16:8

terrere   ܩܬܪ

4Mc	9:5	10:14

ܐܬܪܬܖܐ   ܡ ܒ ܟܐ

terreri

4Mc   5:37   8:11 14   14:9   17:7

OrM   4b

discindere   ܣ ܖ ܚ

Sap   4:12

Sir   5:15   15:11   23:22   25:22

1Esr   6:32

corrumpi   ܐܬܣܖܚ

4Esr   9:35

2Mc   7:7   3Mc   3:29

turbare   ܣ ܖ ܚ

2Mc   7:5   8:24

1Esr   1:53

impius   ܣܖܘܚܐ

Sir   19:9   22:26

peccatum   ܣܖܘܚܝܐ

Sap   14:25   16:5   18:4

Su   63

Sir   10:6   30:11

foetere   ܣ ܖ ܝ

2Mc   9:9

foetens   ܣ ܖ ܐ

2Mc   9:10

foetor   ܣ ܖ ܝܘܬܐ

4Mc   6:25

PsS   8:23

axis   ܣ ܖ ܐ

4Mc   9:20

Sirenes   σειρῆνες   ܣܖ̈ܝܢܘܣ

ABar   10:8

4Mc   15:21

virgulta   ܣܖ̈ܝܥܝܬܐ

Sir   14:25

sugere   ܣ ܖ ܦ

4Esr   8:4

spoliare   ܣ ܖ ܣ

Sir   29:18

4Mc   9:26

exinanire   ܣ ܖ ܩ

Sir   13:5   30:7

se exinanire   ܐܬܣܖܩ

4Esr   7:120

1Mc   9:68

inanis   ܣ ܖ ܝܩ

Sap   3:11   13:1   15:4

```
EpJr     7      44
1Bar     2:6
Sir      19:15    29:7    34:1 23    38:24
ABar     48:34
4Esr     4:19     7:22
2Mc      4:15     7:34
3Mc      6:11              4Mc      16:7
```

frustra   ܣܘܟܪ ܟܝ

```
Sap      1:11             Sir      35:4
1Mc      6:12             2Mc      4:48     7:18     8:3
3Mc      6:3 12           4Mc      16:8
```

vanitas   ܣܘܟܬܐ

```
Sap      15:8
Sir      34:1
ABar     14:4     19:8     21:17    41:4     44:10
4Esr     4:16     9:22
3Mc      6:6
```

stupa   ܣܘܟܬܐ

```
Sir      11:32
```

hiems   ܣܬܘܐ

```
Sap      16:29            4Esr     7:41
1Esr     9:6
```

hiematus   ܣܬܘܝ

```
1Esr     9:11
```

occultare   ܣܬܪ

```
Sir      7:14     23:18
```

se occultare   ܐܣܬܬܪ

```
1Mc      11:16            2Mc      5:9
```

secretum   ܣܬܪ

```
EpJr     5
Sir      22:22    27:25    51:7
3Mc      5:34
4Mc      6:3      9:28
Tb       1:17
```

secretum   ܣܬܝܪܬ

```
Su       64               Sir      39:3 7
```

propugnator   ܣܬܪܝ

```
Sir      34:16
```

evertere   ܣܬܪ

```
Sir      34:23
1Mc      6:62     9:54
4Mc      4:24     11:24    17:9
1Esr     6:15
```

deleri   ܐܣܬܬܪ

```
4Esr     10:21
```

ܚ

sinus   ܚܘܒܐ

4Esr   7:36

laborare   ܚܒܬ

Sap   1:13   2:23   3:14   5:3 20 23   6:7
        7:14   8:2 5 6 11   9:1 2 9   10:7 8 16
        11:8 25 25   12:5 5 12 19 21 22   13:3 3
        4 13 13 15   14:2 2 5 8 11 15 15 17 19
        20 22 22 23 31   15:7 9 13 16 16 17
        16:2   17:3 7 11

EpJr   33   45   47   62

1Bar   1:5 7   2:2   3:3   4:4   5:2 2   8:2

2Bar   1:21 22   2:11 23 26 27   3:35   4:7 8
        10

BelD   13   27

Su   14   18   22   22   27   28   41   43
        43a   46b   52 53 57 57   61b   64

Jdt   1:4 5 14   2:12 13 27   3:2 3 3 10   4:1
        8   5:11   6:21   7:24 28 31   8:5 14 23
        26 30 34   9:5 14   11:2 4 6 11 14 15 16
        22 23   12:4 10 14   13:5 16   14:2 5 8
        8 10 18   15:10 10

Sir   1:20 20   2:14   3:1 31   6:4   7:1 6 10
        10:26   11:7   12:1 3 19   13:6 6 7
        14:16 16 19   15:1 11 20   16:3 13 14
        18:18 31   19:13 13   20:4   23:25   24:7
        8   27:6 10   28:24 24 25   29:23   31:9
        20 30   32:12 17 19 19   33:8 9 11 27 29
        34:13 26   35:1 2 3 5 5 19   36:8   37:3
        11 11   38:17   39:17   41:11   42:11
        15   43:2 5   44:20   46:3 7   48:14 16
        22   49:3 13   50:22 28   51:29

ABar   1:2 2   4:3 7   5:1 4   8:1   10:19
        14:7 15 18   21:4 6 7   25:1   29:5 5 5
        46:6   48:7 29 42   49:1   52:5   53:7
        54:2   56:3 3 13   58:1   60:1 1 2
        62:1   64:3   68:2   69:4   74:1
        77:11 12 21

4Esr   3:18 20 26 26 28 31 33   4:6 14 14 15 15
        25 31 32   5:7 9 11 40 41 43   6:20 38

(4Esr) 41 48   7:11 13 21 47 50 62 70 70 82 118
119   8:1 31 63   9:31 32 32 47   10:14
18 19 28 32 59   11:39   12:4 18   13:28
29 34 44 57   14:21 21 48

1Mc   1:2 13 15 18 24 34 42 50 52   2:18 18 32
33 34 40 40 51   3:3 14 15 29 50 60
4:27 44 49 53 56 60   5:16 35 40 57 61
62 67   6:12 20 22 24 27 28 31 44 49 52
58 59 60 60   7:7 9 22 22 23 24 49   8:2
2 3 15 30 31 32   9:10 37 64 70 71
10:4 4 5 11 11 15 16 23 23 27 46 56 58
62 69   11:4 5 20 26 26 27 28 33 38 40
40 42 43 51   12:18 22 36 46   13:3 9 17
29 29 30 32 34 37 37 43 46 48 52   14:6
11 35 35 36 36 39 44 46   15:3 21 25 28
29 34 35   16:1 15 17

2Mc   1:3 4 9 18 18 22 32 34   2:12 13 16 16
3:4 7 8 24 30   4:2 18 20 25 28 29 31
5:6 7 21 21   6:6 8 8 14 21 22 27   7:16
24 24 28 31   8:27 27 29 33   9:4 4 14
15 21   10:3 3 4 7 8 11 28 38 38   11:2
3 14 26 36   12:3 4 8 12 31 43   13:2 17
23   14:6 12 18 20 23 25 26 33 40
15:2 5 7 9 21

3Mc   1:7 11   2:4 5 9 9 10 20 27   3:10 15 18
19 20 21   4:1 12 16   5:1 4 15 19 43 43
45 46   6:22 24 30 31 32 32 33 33 35 36
36   7:9 9 15 19 19 20 22

4Mc   1:12   5:9   6:15 20 29   7:9   8:5 11
11:12   13:6   18:16

1Esr   1:1 6 17 19 19 37 42 45   3:1 18 20 20 23
4:4 4 11 17 17 35 39 46 57 57   5:3 50
56 70   6:21 27   7:6 10 14   8:16 27
91 92   9:9 10 15

Tb   1:3 16 22   3:5 5 6 10   4:3 5 6 6 7 8 8
11 15 16 21   5:1   6:14   7:11b 11b 16
17b   8:6 6 6b 11b 16a 17a 19   9:6b
10:7a   11:11b 11b   12:6 7 8 9 12b 13a
22b   13:6 6 6 6a   14:2 6b 7a 10a 10a
11a   15b

OrM   1a   2b   10   10b

Dn   3:27 28 30 31 31 42 50

PsS   2:7 9 11 11 14 27 40   3:5 4:38   5:5
6:9   8:14 25   9:5 7 7 9 9   11:9   12:2
6   15:6 9   17:12 16 16 17 21

322

PsAp   1:2

fieri   ܥܒܕܬܐ

Sap   14:4

EpJr   44   45   45

2Bar   2:2 2

Su   61b

Jdt   7:11   11:4 17   15:5

Sir   33:10   39:18

ABar   14:18 19   35:5   36:7   51:2   56:6 9

          59:4

4Esr   5:8   6:43   7:11   9:2 22

fieri   ܥܬܬܒܕܬܐ

1Esr   2:18

servum facere   ܥܒܕܝ

Sap   17:2   18:22   19:13

2Bar   4:32

Su   56a

Jdt   5:11

ABar   12:3   58:1   66:1   67:2

4Esr   14:3

1Mc   8:8 11 18

2Mc   1:27 28   4:12

3Mc   2:6

4Mc   2:16

se subjicere   ܥܬܬܥܒܕܬܐ

Sap   8:14   14:21   16:24   19:6

Jdt   16:14

ABa   17:4   39:3   42:4   46:5   48:19

          53:11   54:5 14   67:2   72:5   73:6

          75:7

4Esr   7:84 89 98   8:26   10:22   11:6

2Mc   9:12   13:11 23

3Mc   2:13

4Mc   3:2   13:2

servus   ܥܒܕܐ

Sap   7:16   9:4 5 5   12:7 20   18:9 11 21

          19:6

2Bar   1:20 21   2:20 24 28   3:32

Jdt   2:2   3:2 4   5:5 5 11   6:3 6 7 10

          7:12 16 27   8:7   9:2   10:20 23 23

          11:4 20   12:5 10   13:1   14:18

          16:12

Sir   7:20 21   10:25   18:13   33:24 27 30 31

          34:16   36:15 17   37:11

ABar   4:4   14:15   48:11   54:6   70:9
4Esr   3:23   5:45 56   6:12   7:75 102 104
       134   8:6 24   10:37   12:8   13:14
       14:31
1Mc   1:6 8   3:41   11:60   16:16
2Mc   1:2   7:6 33 34   8:29 35
4Mc   12:11
1Esr   1:28 28 54   2:16   4:26   5:1 41 41
       6:12 20 26 30   7:2   8:5 22 48 48 79
Tb   3:2 11   9:2a   10:10b   12:6 7a
Dn   3:33 35 40 44 85
PsS   2:41   10:4   12:7   17:23

servitus   ܥܒܘܕܬܐ
Sap   14:21
1Mc   2:11   6:23   8:11 18
2Mc   5:14
3Mc   2:28
1Esr   8:76 76
Tb   4:14

opus   ܥܒܕܐ
Sap   1:12 16   2:4 12 12   3:11 14   6:3 19
       7:17 26   8:4 18   9:4 9 11 12   10:10
       11:1   12:4 4 19   13:1 7 9 10 10 10 11
       13 19   14:5 8 8 10 20   15:4 7   17:19
EpJr   10   49   50   50   62   62
1Bar   6:2   8:2
2Bar   2:9 33
BelD   5
Jdt   8:34   13:4
Sir   1:9 2:11 18   3:8 23   7:36   10:12 26
       11:4 14 20 21   14:19 19   16:12 14 15
       26 27 29   17:8 19   18:1   19:30
       23:19   24:22   26:3 28   27:6   28:17
       31:22 26   32:23   33:13 15 22   35:6
       37:3 11 23   38:8 26 27 27 28 29 30 31
       34   39:15 16 19 33   40:17 17   41:11
       42:15 15 16 22   43:2 4   44:12   48:15
       49:2   51:30
ABar   2:2   14:7 7 12 17 18   24:4   40:1
       48:14 34 38   51:7   54:1 18   55:7
       57:2   60:1   63:3   69:4
4Esr   3:8   6:40 43 54   7:24 35 77 119   8:2
       7 13 31 32 33 33 36   9:7 17 19   10:37
       54   13:23 37   14:21 35

```
1Mc      1:22    2:47    3:4 7    4:51    9:54 55
         10:11 41    14:35 42    16:23
2Mc      3:11 36    4:16    7:36    8:33    11:26 29
         12:1
3Mc      1:27    2:8    3:17 19 23    5:34    6:24
4Mc      1:30    2:9    5:38    7:9    16:14 24
1Esr     1:21    4:11 17 17 36 37 39    5:44 52 56
         56    6:9 9 10 26    7:3 9 15    8:83
         9:11
Tb       4:6 14    11:12    12:21b    13:9a
Dn       3:27 45 57
PsS      2:17 38    4:8 18    6:3    8:8    9:7
         16:9    17:10 44    18:1
PsAp     2:6 9    3:10
```

creatura   ܚܒܝܬܐ

```
EpJr     50
```

facinus   ܚܒܝܬܗ

```
2Bar     3:18
Jdt      3:10    14:13
Sir      4:29 30    38:34
ABar     74:1
1Mc      3:32
2Mc      2:24    4:8 15 16 20 21
3Mc      7:2
1Esr     1:23 31
```

factor   ܚܒܘܕܐ

```
Sap      14:8 10
1Bar     5:2
Sir      27:9
ABar     48:46
4Esr     5:33    8:60    11:46
1Mc      2:67
2Mc      13:6    15:2
4Mc      5:25
```

creatio   ܚܒܘܕܘܬܐ

```
4Mc      14:7
```

incitatio   ܚܒܘܕܘܬܐ

```
4Mc      3:3
```

activus   ܚܒܘܕܢܐ

```
2Mc      4:1
```

effectus   ܚܒܘܕܘܬܐ

```
2Mc      3:29 32
3Mc      4:21 5:12
```

subactio   ܚܒܝܫܘܬܐ

```
Jdt      8:23
```

ABar   58:1
2Mc   2:22
3Mc   2:28 29
crassus   ܟܬܒ
Jdt   10:3
4Esr   5:23
tumor   ܟܒܬܟܒ
4Mc   3:17
transgredi   ܟܒܬ
Sap   2:4 7   5:9 9 10 10 14 15 21   6:22
        7:18   10:8   11:12   14:5 6   19:8
EpJr   33
1Bar   1:3   5:6 8 9 9   6:6 6 9   7:2   8:10
        10
2Bar   3:30
Su   26
Jdt   2:13 24 24   5:15 18 21   7:31   8:30
        11:10 19   13:10 14   15:5 11
Sir   7:16   12:14   17:15 31   23:11   27:3
        29:19 26   34:11   35:17   42:19
ABar   4:3   15:6   17:2   19:8   20:1 1
        21:5 9 19   23:2 3   24:3   43:2   44:9
        11   48:6 31 47 50   51:1 13 16   53:2
        56:2 2   73:2   75:7   76:3   77:4 22
4Esr   3:7 19 23 33 33   4:5 9 23 24 45 46 48
        48 50   5:11 31 55   6:12 20   7:5 9 11
        14 33 46 113 136   9:1 29 29   11:40
        13:20 26 44 47
1Mc   2:44   3:37   5:6 24 41 43 46 48 51 52
        66   7:8 18   9:23 48 48   12:4 10 14 30
        32   14:45   16:6 6 6 6
2Mc   1:20 22   6:1   14:45
3Mc   1:4   5:26   6:24   7:12
4Mc   3:12   5:17 20 27   8:13   9:1   11:3
        13:15   16:24   18:14
1Esr   1:15 42 46   4:5   8:72 79 84
Tb   1:21   4:5   13:1b
OrM   10b
Dn   3:29
PsS   2:13 13 39   11:6 7   12:1 2 3 4 4
transire facere   ܐܟܪܒ
Sap   8:9   11:25   16:3
Sir   16:28   18:22   22:19 20 22   28:6
        38:10 21   39:31   47:4
ABar   19:3   48:2   56:5 6   66:2

4Esr	3:21	14:30			
1Mc	2:22				
2Mc	4:11 12	7:2			
1Esr	2:9	4:48	5:53 53 66	6:31	8:23 24
	72				
PsAp	3:12				

transitus   ܒܓܢ ܒܒܐ

Sap	2:5	3:14 16	4:6	
1Bar	1:1			
2Bar	3:30			
Jdt	1:9			
4Esr	13:40			
1Mc	7:8	9:34 42	11:60	
4Mc	4:19	5:13		
PsS	6:5	8:16		

transiens   ܒܥܒܪܬܐ ܒܥܒܪ

EpJr	43
Jdt	11:13
1Mc	10:77
4Mc	15:23

transitus   ܒܥܒܪܬܐ

praevaricatio   ܒܥܒܪ ܢܡܘܣܐ

ABar	56:5

volvere   ܒܥܛ

Jdt	13:9	15:11

vitulus   ܒܥܠܐ

ABar	62:1
1Esr	8:63
Tb	1:5

celeritas   ܒܥܓܠ

2Mc	6:23	12:21
3Mc	5:25	
4Mc	14:10	

celeriter   ܒܥܓܠ

Sap	6:5 15				
2Bar	4:22 24 25				
Su	26 45				
Sir	19:4	21:7 22	48:20		
ABar	21:25	44:10	46:1		
4Esr	5:43	8:14	11:20 26 27		
1Mc	2:40	6:27	11:22		
2Mc	2:18	4:31	5:21	7:37	9:4	14:27
3Mc	2:20	3:1	5:43 43	6:9	
4Mc	4:5 22	10:21	12:10		

PsAp   4:6
currus   ܟܠܬܐ
Jdt   15:11
supervenire   ܟܒܪ
4Mc   14:12
pervenire facere   ܐܟܒܪ ,
4Mc   1:12
PsAp   4:5
vituperare   ܟܒܠ
4Mc   2:19
tempus   ܟܒܢܐ
Sap   8:8
1Bar   4:4   6:1 6   8:12
BelD   13   15
Jdt   9:2   12:16
Sir   2:11   3:31   4:17 20 23   5:7   6:8
         8:8   10:4 26   11:19   12:5   18:26
         20:7 7 19 20   22:6 6 23   23:11   26:4
         29:2 2 3 5 5   31:28   32:4 11   33:8
         35:20   37:4 22   39:17 31 34   40:5 17
         23 24 27   41:1 2   51:30 30
ABar   6:1   20:1   21:15   36:9   42:6 6 6
         44:12   48:2   53:5   54:1
4Esr   3:23   4:37   12:9 20   14:5 26
2Mc   1:22   8:26
3Mc   5:12 15
4Mc   3:19
PsS   2:35
PsAp   2:17   4:4
juvare   ܒܪ ܚܒܪ ܒܪ
Sap   13:16   14:1   19:21
EpJr   57
1Bar   8:2
2Bar   4:17
Jdt   6:21   7:25   8:15 17
Sir   5:8
ABar   48:24
1Mc   3:2 53   8:16 27   10:6 47   12:1 15 53
2Mc   3:4 28   4:4 36   6:11   8:8   10:29
         11:7 15   13:10   14:41
3Mc   1:4 16   2:12   3:8   5:25 51   6:11
4Mc   3:4   14:18
1Esr   2:6 8   6:2   7:2
Tb   12:1a
PsS   16:3 5

in memoriam revocare   ܐܥܗܕܗ

2Mc   8:17   15:8
4Mc   17:8   18:14
1Esr   6:22

memor   ܥܗܝܕܐ

1Bar   7:7 8
ABar   23:3 3   31:4   48:7   77:11 11 11
2Mc   9:21 26   10:6
1Esr   3:19 20 21 22   4:21
Tb   1:12   2:2   6:16

memoria   ܥܘܗܕܢ ܠܐ

Jdt   8:6
Sir   32:11
ABar   50:1
4Esr   14:40
1Mc   8:22
2Mc   2:13 25   6:17 31   7:20
1Esr   2:19

commode   ܥܕܠܐ ܝܟ

silva   ܥܒܐ

Sap   13:11
EpJr   62
2Bar   5:8
ABar   10:8   36:2 2 2 4 4 5 6 7 9   39:1 2 5 6
        8   73:6   77:14
4Esr   4:13 14 15 16 19 21   5:23   9:21
        11:37   12:31
1Mc   4:37   9:45

consuetudo   ܥܝܕܐ

BelD   14
Jdt   13:10
1Mc   10:89
2Mc   4:11   11:25   12:38
4Mc   8:7   13:21 26   18:5

dies festus   ܥܐܕܐ

Jdt   8:6   10:2
Sir   43:7
ABar   61:5
2Mc   10:6
1Esr   1:17   5:50 51   7:14
Tb   1:6   2:1 6

dies festus   ܝܘܡܐ̈ ܕܥܕܐ̈

1Bar   7:8
2Bar   1:14

330

ABar   66:4
1Mc   1:39 45   10:21 34 34 34   12:11
2Mc   1:9 18   6:6 7   10:6   12:31
PsS   2:1
ecclesia   ܥܕܬܐ
PsS   10:7
PsAp   2:1
impedire   ܥܘܟ
4Mc   1:4   16:11
impediri   ܐܬܥܘܟ
ABar   70:6
insidiae   ܥܘܩܒܐ
1Mc   1:36
impeditor   ܡܥܘܩܒܐ
4Mc   2:6
foetus   ܥܘܠܐ
Sir   19:11
ABar   22:7
4Esr   4:40   5:8
sceleste agere   ܐܥܘܠ
1Bar   5:3
Sir   15:20
ABar   48:40   54:21   62:7   77:10
4Esr   3:8   7:72 126   8:35   14:31
1Esr   9:7
PsS   8:9
scelus, scelestus   ܥܘܠܐ ܥܘܠ
Sap   5:23
2Bar   3:5 7 8
Su   22   23   26   43b   51   53   59   59
        59   60
Jdt   5:17 21   6:5   7:24
Sir   5:8   7:6 26   8:11 14 16   9:12   10:3
        23   11:9 21 30 30 32 34   12:6 14   13:1
        17   15:7 9 12   16:3 4 6   20:2 7 17
        21:6 7 9   26:28   27:10 14   28:9
        29:15   31:26   32:18 21   33:5 6   34:8
        18   35:18 18 19   36:19   37:2 8 11 11
        38:10   39:25   41:5 6 7 8 9   47:20
ABar   14:7   27:12   39:6   54:17
4Esr   3:29 34   5:2   6:19   7:68 138 139
        8:27 38   12:31 32
1Mc   1:11 14 34   2:44 48 62   3:5 5 20   7:5
        9:23 58 69   10:61   11:21 25   14:14

331

ܢܟܠܐ ܕܝܢ   ܐܬܬܥܝܩ ܐܬܥܝܩ

2Mc   3:4   4:10 13 14 35 36 48   6:21   8:33
           14:36 42

3Mc   1:16 25 27   2:4 17   5:24 27 46   6:3
           12 27

1Esr   4:36 37 37 37 37 39 40

Tb   13:5a

OrM   9   9b   12b

Dn   3:32

PsS   1:8   2:1 17 38 38 39 39   3:11 13 15
           4:1 12 13 15 21 27 27   9:3 5 9   12:1 6
           13:4 5 6   15:6 7 9 11   16:8   17:13 20
           22 24 26 27 36

PsAp   2:15

inique   ܢܟܠܐ ܕܝܢ

Su   28

2Mc   8:3 16 17

impietas   ܥܘܠܬܐ

2Mc   14:5

1Esr   4:37

Tb   4:5   12:8a

PsS   2:3 13 14   4:11

pullus   ܒܢܐ

Sir   30:8

fastidium movere   ܐܟܣܒ

Sir   26:1 26

fatigatus   ܒܣܝܪܐ

1Mc   3:17

aves   ܦܪܚܬܐ

Sap   5:11

Sir   11:3   20:9   27:19   34:2   50:10

ramus   ܣܘܟܬܐ

4Mc   1:28

taedet aliquem   ܣܘܬ

Sir   18:22   25:2

moerore affici   ܐܬܬܥܝܩ ܐܬܥܝܩ

1Bar   1:5   4:4

2Bar   4:33

Jdt   8:9

Sir   6:25   7:10   8:9   50:25

ABar   6:2   10:14   30:2   32:5   55:8
           75:8

4Esr   7:61 80   13:17

1Mc   3:31   4:27   10:22 68   14:16

2Mc   10:12   13:25   14:28

3Mc   6:34

```
4Mc     16:12
1Esr    9:52 53
Tb      3:1 10    7:7     10:3a     13:14a
dolore afficere                                              ܐܟܒ
1Bar    3:7
2Bar    2:18    3:1
Sir     22:13    51:10
4Esr    9:38 40    10:8 39 50
1Mc     3:7    15:40
2Mc     8:32
3Mc     7:9
4Mc     1:22
1Esr    8:68 69
Tb      4:3    10:12a
angustiae                                                    ܒܚܩܐ
Sap     2:1    8:9    11:13    18:10
1Bar    3:6 7    5:1
Sir     2:11    3:15    5:8    18:20 24    22:18 23
        37:4    38:18 19 21    40:24    51:3 10 12
ABar    10:7    11:5    31:4    32:6    36:10
        51:14 16    56:6    67:2    70:6    73:2
4Esr    7:117 131    10:7
1Mc     6:4 8 9 13
2Mc     1:7    4:37    5:6    6:3    8:35    14:14 40
3Mc     2:10 12    3:8    6:31 32
4Mc     1:23    3:21
1Esr    3:19
Tb      2:5    3:6    7:17a    10:7b
PsS     4:17
angustus                                                     ܒܚܝܩܐ
Sir     10:22    21:27    35:14
palea                                                        ܒܢܝܐ
Sap     5:14
occaecare                                                    ܥܘܪ
Sap     2:21
2Mc     8:24
occaecare                                                    ܐܥܘܪ
3Mc     5:42
caecus                                                       ܥܘܝܪܐ
3Mc     4:16    5:27
caecitas                                                     ܥܘܝܪܘܬܐ
3Mc     4:16
validus fieri                                                ܐܬܟܝܠ ܐ
2Mc     9:4 6    15:6
3Mc     3:11    7:22
```

4Mc	4:21				
vis						ܚܣܝܢ
Sap	7:20				
1Bar	6:12	8:10			
BelD	36				
4Esr	5:55				
4Mc	2:3				
validus						ܚܣܝܠܐ
3Mc	3:8				
4Mc	2:15	12:12	14:11	15:32	16:3
vehementer						ܚܣܝܠܐܝܬ
Sap	5:22				
4Mc	3:15	5:32	8:1	13:21	
robur						ܚܣܝܠܘܬܐ
2Mc	8:20				
3Mc	1:26				
resistere						ܚܣܢ
4Mc	6:30	7:4	9:15	16:23	
nere						ܚܒܠ
ABar	10:19				
annulus						ܚܒܩܐ
BelD	11	14	14		
Jdt	10:4				
1Mc	6:15				
Tb	1:22				
fascia						ܚܒܝܩܘܐ
Sap	7:4				
delere						ܚܒܛ
ABar	54:22	66:2			
1Mc	3:20 35 42	5:2 9 10 15	6:12	7:26	
	8:9	13:1 20	14:7 14 36		
2Mc	8:9	11:12			
3Mc	2:19				
PsS	2:19	3:8	13:9		
deleri						ܐܬܚܒܛ
Sir	23:26				
PsS	17:5				
surdus						ܚܒܛ
ABar	54:2				
2Mc	2:24				
reddere						ܚܒܩ
Su	14				
Tb	11:9b				
reddere						ܢܚܬ
1Esr	1:2	5:79	7:9		

vestiri	ܐܠܒܫܘ
2Bar 5:2	
1Esr 3:6	
vestis	ܠܒܘܫܘܬܐ
2Bar 5:2	
novus amictus	ܠܒܘܫܐ
Jdt 10:7	
Sir 50:11	
vestitus	ܠܒܘܫܐ
2Mc 3:25	
fumigare	ܬܢܢ
Sir 22:24	
vapor	ܬܢܢܐ
Sap 18:21	
Sir 24:15 43:4	
ABar 35:4 67:6	
oleum cedrinum	ܡܫܚ ܐܪܙ
Sir 28:11	
oculus	ܥܝܢܐ ܥܝܢ ܥܝܢܬܐ

Sap	3:2 4 9:9 16 11:23 15:15 17:4
	18:12
EpJr	16 18
1Bar	8:7
2Bar	1:12 22 2:17 18
Su	9 35 64
Jdt	2:11 3:2 3 4 6:11 17 7:3 12 23 27
	10:4 14 12:14 16:9
Sir	1:29 3:25 7:33 8:16 12:16 14:1
	3 9 10 15:19 16:5 21 17:6 13 22
	18:15 18 20:14 29 21:7 22:19
	23:4 19 26:9 11 27:1 10 22 30:3 30
	31:13 13 13 23 31 34:16 17 35:10
	36:4 4 22 37:29 38:28 29 40:22
	43:4 44:25 45:1 51:27
ABar	3:2 5:3 28:6 35:2 2 55:5
4Esr	4:44 6:11 7:102 104 8:42 9:38
	10:55 12:7
1Mc	1:12 2:23 4:12 5:30 6:10 8:21
	9:39 10:60
2Mc	3:16 8:24 9:21 10:30 11:4 12:42
3Mc	4:8 5:30 47 6:15
4Mc	5:30 6:6 26 7:25 15:1 19 18:21
Tb	2:10 10 10 3:12 5:21 6:9 7:2
	10:5 11:4b 4b 4b 7a 8a 11 11b 11b 12a
	13a 17b 14:2b

ܚܒ ܒܬܐ

OrM   9a   10a
PsS   4:4 5 11 15 22   8:31   17:9   18:2
PsAp   2:16
palam   ܚܒ ܒܬܐ
Sap   4:20
ABar   55:5
fons   ܟܣܐܠ
Jdt   12:7
ABar   35:2
4Mc   3:10   13:20
vigilare   ܙܝ
1Mc   12:27
vigilare   ܐܬܟܐܬܙܝ
2Bar   2:9   4:21   5:5 5
Sir   40:7
ABar   10:8   12:4   25:4   37:1   53:12
4Esr   5:14   7:31 35 37   11:8 8 29 37   12:3
       31   13:13
1Mc   13:7
2Mc   8:4   13:10
3Mc   5:15   4Mc   5:10
1Esr   3:3 9 13
PsS   3:2   PsAp   3:18
excitare   ܐܥܝܪ
Jdt   14:3 13
Sir   22:7   36:7
ABar   48:37
4Esr   4:37   7:31
2Mc   7:21   13:4   15:10
1Esr   2:2
vigilantia   ܥܝܪܘܬܐ
PsS   3:2   4:17   16:4
impedire   ܟܠܐ
Sap   2:12   10:20
impediri   ܐܬܟܠܝ
Sir   5:7
impeditio   ܟܘܠܝܐ
Sap   19:7
qui impedit   ܡܟܠܝ ܠܐ
4Mc   1:3 30
intrare   ܥܠ
Sap   1:4   4:20   8:16   10:16   14:14
EpJr   2   16
2Bar   3:15
BelD   13   19   21

```
Su      26    36    38
Jdt     6:6     12:9 13 15 16    14:13 15 17
Sir     11:30 30    12:15    15:20    21:22    25:7
        26:12    27:2    35:14 17    44:20
ABar    8:2    10:13    77:22
4Esr    7:5 80 99 124    10:1 4 17 18 48 55
        13:43
1Mc     1:21    3:45 46    6:46    7:2 36    8:19
        10:83    11:46    12:3 48 48    13:12 47 49
        51    15:8 14 40    16:16
2Mc     1:16    3:13 14 24 24 28    4:15 38 40
        5:12 15 18 26    8:6    10:18 36    11:5
        12:4 17 28    13:13 23    14:43
3Mc     1:10 11 12 13 15 22 26    2:28    3:17 18
        5:21 43 46
4Mc     8:26    12:4    14:15
1Esr    1:47    3:15    8:80 89    9:3
Tb      4:10    5:10 18    6:15 17    7:11    8:13a
        10:7b    11:15    12:9b 15a
PsS     4:6 19    8:18 20
```

introducere   ܥܠܠ

```
2Bar    5:6
Jdt     6:14    10:22    12:5
Sir     6:24 24    11:29    46:8    48:17    51:26
4Esr    3:6
1Mc     4:49
2Mc     6:5
4Mc     11:10
1Esr    8:59
Tb      7:1 15 16    8:1    9:5b    12:12a
PsAp    3:1
```

causa   ܥܠܬ ܥܠܠܬܐ

```
Sap     14:27    17:13
ABar    54:19
2Mc     4:47    11:19    13:4    14:29
3Mc     4:19    5:18
4Mc     1:11 12 16    12:15
1Esr    2:19
```

fructus   ܥܠܠܬܐ

```
Sir     1:16 17    6:19    11:3    16:29    24:19 25
        26:21
ABar    10:9
1Mc     3:49    14:8
4Mc     1:29
Tb      1:6 7    5:14
```

introitus   ܡܥܠܬܐ
1Esr   8:60
introitus   ܡܥܠܢܐ
Sap   17:17   19:16
BelD   13   21
Jdt   4:7   5:1   7:22
4Esr   7:4 7 12 13   13:43
1Mc   14:6
2Mc   12:21
PsS   4:16   11:6
PsAp   2:8
initiatus   ܥܠܝܠ
4Mc   15:16
aetate provectus   ܒܥܠ ܒܫ̈ܢܝܐ
2Mc   4:40   5:24
introitus   ܡܥܠ
2Mc   8:26
introductio   ܡܥܠܬܐ
PsS   8:19
procella   ܥܠܥܠܐ
Sap   5:14 24
Sir   22:18   48:9
4Esr   13:10 10 27 37
4Mc   15:20
psS   8:2
superare   ܥܠܒ
ABar   48:38
injustus   ܥܠܘܒܐ
Sap   10:11
injuria   ܥܠܘܒܘܬܐ
Sap   10:11 11
2Mc   4:50
oppressus   ܥܠܝܒܐ
Sir   5:3
uter   ܙܩܐ
Jdt   10:5
ara   ܥܠܬܐ ܥܠܘܬܐ
Sap   3:6
Sir   34:18 19   45:16
1Mc   1:47 54 59   2:23 24 25 45   5:68
2Mc   10:2
exaltare   ܥܠܕ
1Mc   14:37
2Mc   4:24

sufferri   ܐܬܟܠܝ
4Esr   6:26   8:19
1Mc   2:58
superbus fieri   ܐܬܚܬܪ
2Mc   5:23   11:4
superior   ܥܠܝ
Sir   24:3 4   44:20
1Mc   3:37   6:1
2Mc   9:23 25
Tb   8:3
PsAp   2:3 9 10 14
pars superior   ܥܠܝܬܐ
Tb   3:17
excelsus   ܥܠܝܡ
Sir   33:22
ABar   77:21
3Mc   2:15
1Esr   2:17
superbia   ܥܠܘܝܐ
4Mc   5:21 26   9:30
aeternum praedicare   ܥܠܡ
4Mc   5:31
1Esr   2:19 22
aeternitas   ܥܠܡܐ
Sap   1:14   2:24   4:2   5:20   6:24   7:6 17
           8:5 7   9:3 9   10:1   11:18 23   13:2 8
           14:6 14 23   17:3   18:24
1Bar   6:1 6 8   8:10 14
2Bar   3:16   4:10 14 24   5:2
Jdt   9:8
Sir   1:1 2 15   2:10   3:18   4:16   11:33
           14:17   15:6   16:7 27   17:8 12 27
           18:1 10 10   21:5   23:20   24:9   37:14
           38:34   39:2 4 9 22   40:12   41:7
           42:19   43:6   44:2 17   45:26   48:25
           51:2 8
ABar   3:1 7   4:1   5:2   14:2 13 13 16 18 18
           18 19   15:7 8   20:2   21:4 6 19 24
           40:3   44:12 15   48:2 15 50 50   49:3 3
           51:3 8 10 14 16   54:1 3 21   56:2 3 3 4
           57:2   59:8   69:1 4   70:2   73:1 5
4Esr   3:9 18 34 35   4:1 11 24 26 27 36   5:1
           44 49   6:1 7 20 25 55 59 59   7:11 12 13
           30 31 47 50 70 74 112 113 132 137   8:1 2
           17 41 50 52   9:2 3 5 8 13 13 18 18 19 20

(4Esr) 10:8 45 47   11:39 40 44   13:20 45
        14:10 16 20 22
2Mc   1:25   3:12   6:27 31   7:7 9 14 23 40
        8:18   12:15   14:14 25 46
3Mc   6:12
4Mc   5:25   6:20   8:22   12:19   15:31
Tb   1:4   4:12   6:18 18   7:13a   8:15a
        13:4a 6a 10a 10a 18a   14:5a 5a
PsS   8:7 31   17:21

in saeculum

Sap   3:8   4:19   5:16   6:21   10:24   12:10
        14:6 13
EpJr   71
1Bar   1:6 7
2Bar   2:35   3:3 3   4:1 7 8 9 22 22 23 29
        5:1 4
Su   42b
Jdt   8:13   13:19 20   14:13   16:17
Sir   1:12 18 20 20 20   2:9   7:36   11:17
        12:10   16:13 28   19:7 8   32:24   35:7
        37:26   39:9   40:17   41:11   42:21 22
        23   44:12 13 17   45:15 24   47:11 11
        13   49:12   51:30
ABar   5:2   6:9   32:4   40:3   43:1   44:12
        59:2   66:6   73:1
4Esr   3:15 17   8:20   9:31   12:47
1Mc   2:51 54   3:7   4:24   6:44   8:23
        13:29   14:41
2Mc   7:9   14:36
3Mc   7:16
4Mc   9:9 15 23   12:12 12   13:15   15:3
1Esr   4:38   8:83
Tb   1:6   3:2 6 9   6:18   8:5   12:17a 18a
        13:6b 12a 14a
OrM   13   15
Dn   3:26 52 52 53 54 57 88^z
PsS   2:35 38 41   3:13 15 16   7:8   8:38 38
        40   9:18 20   10:5 8 9   11:8 9   12:7
        13:9   14:2 3   15:6 13 15   16:3   17:1
        3 4 39 51   18:1
PsAp   3:20

perpetuo

Sir   1:20
1Esr   5:58
Tb   3:11 11   11:14a   13:1a

ܠܥܠܡ ܥܠܡܝܢ

in saecula saeculorum
2Bar	3:12 32				
Su	42b				
Jdt	15:10				
Sir	1:20	3:1	24:9	36:17	51:20
4Esr	14:48				
1Mc	2:57				
3Mc	7:23				
4Mc	18:24				
1Esr	4:38				
Tb	13:4b				
OrM	15				
PsAp	2:20	3:20			

puer   ܛܠܝܐ

2Bar	3:19	4:15					
Su	21	26	26	34	37	39	40	54a
	58						
Jdt	2:27	6:16	7:23	10:9			
4Esr	10:22						
1Mc	1:26	2:9	14:9				
2Mc	3:26 33	5:13 24	7:12 24 25 30				
	10:35	12:15 27	13:15	15:17			
3Mc	3:12						
4Mc	8:4 26	9:13 22	11:24	13:7	14:8		
	9 12	16:17					
1Esr	8:58						

puella   ܛܠܝܬܐ

Jdt	10:17	12:13	16:12
4Esr	5:50		

juventus   ܛܠܝܘܬܐ

1Bar	8:10	
Sir	15:2	26:19
4Esr	5:53 55	14:10
3Mc	4:6 8	
4Mc	18:8	

populus   ܥܡܐ ܥܡܡܐ

Sap	1:6	3:8	4:15	6:2 21 24	8:10 14	
	9:7 11	10:15 15	12:6 12 19 21			
	14:11	15:14 15	16:2 20	17:2		
	18:4 5 7 13	19:5 8 21				
EpJr	3	4	50	66		
1Bar	3:3	5:3	6:5			
2Bar	1:3 4 7	2:4 11 13 29 29 30 35 35				
	4:3 5 6 12 15 15					

Su   22   28   28   30   41   61b   63   64
     64

Jdt   1:6   3:8   4:1 3 8 12 13 14   5:5 6 11
     20 21 22 23   6:1 2 5 16 18 19   7:7 10
     11 26 35   8:9 11 18 20 22 29 30 32
     10:19   11:2 10 13 14 22   12:3 8   13:5
     17 17 20 20   14:6 7 10 17   15:9 10 11
     14   16:2 14 17 17 18

Sir   7:15   9:17   10:1 2 3 8 8   12:15 19 21
     13:5 6   16:6 9 17   17:17   24:1 6 12
     26:5   28:14 14   29:18   30:19   31:9
     33:18   35:18 19   36:2 3 3 9 12 17
     37:26   38:33   39:10 11 22   42:11 11
     44:15 19 21 21   45:3 7 15 23 26   46:6
     6 7 12 13   47:4 5 17 23   48:15   49:5
     50:1 4 13 16 17 22 25 25 26

ABar   1:2 4 4 4 6   4:1   5:5   6:1 2   8:5
     10:2 5   13:5 11   14:1 2 5   21:21
     31:1   33:2   34:1   40:2   41:3   42:4
     5   43:3   44:1 1 3   45:1   46:1 2
     48:19 20 20 23 24   58:1   60:2   62:7
     63:2 3   66:4 4   67:2 5 6 7   68:2 5 7
     70:7   72:2 2 3 4 5   76:5   77:1 3 5 11
     11 22

4Esr   3:7 8 12 16 22 32 33 35 36   4:23 23
     5:5 16 27 27 27 30 40   6:54 56 57 58
     7:37 108 110 129   8:15 26 45   9:3
     10:39 39   12:34 38 40 40 50   13:11 31
     33 37 41 48 49 49   14:3 13 19 23 24 27
     45 46

1Mc   1:3 4 11 13 13 14 15 30 34 41 42 51 52
     2:7 10 12 18 19 23 40 44 48 57 66 68
     3:3 5 10 25 26 41 42 43 45 48 52 54 55
     58 59   4:7 11 14 17 31 45 54 55 59 58
     60 61   5:1 2 4 6 9 10 12 15 16 18 19
     19 21 22 30 38 42 43 43 45 46 53 57 63
     6:18 19 24 44 53 57 58   7:6 18 19 22
     8:20 23 25 27   9:29 35 37 73   10:5 7
     25 26 46 80 81   11:25 30 33 38 42 42
     12:3 6 35 44 53   13:2 3 6 6 7 36 41 42
     14:4 6 14 20 22 23 25 28 28 29 30 30 32
     32 35 35 35 35 36 40 46 47   15:1 2 2 9
     17 35 39 40   16:3 6 6 7 17

2Mc   1:26 27 27 29   2:7 17 21 22   3:21 30
     4:2 5 13 35 36 48   5:4 5 6 8 19 20 20

(2Mc5) 26   6:4 8 9 12 14 16 31   7:37 38   8:2
        5 16 23 32   9:4 14   10:2 4 5 14 21
        11:2 25 27   12:5 13 27 42 43   13:2 10
        10 11 11 14   14:8 8 9 14 15 18 20 23
        30 30 34 38 46   15:1 8 10 12 14 24 30
        30 31

3Mc   3:6 6 8 9 15 19 20 21   4:1 7 12   5:6
        13 34 46 48   6:3 3 5 9 13 15 26 28 33
        7:13

4Mc   1:11   2:19   3:7   4:1 7 18 19 24 26
        6:28   7:11   9:24   12:18   15:29
        16:16 20   17:8 10 22

1Esr   1:4 7 10 11 22 32 34 47 47 49   2:5
        4:10 15 40 41   5:3 9 45 49 49 59 62 62
        69 70   6:15 32   7:13   8:10 13 64 66
        66 67 84 88 89   9:9 47

Tb   1:3 10   3:4   4:13 19   13:3 5 6a 11a
        14:6a 7 7 7a

Dn   3:37

PsS   1:8   2:2 6 20 24   5:13   7:3 6   8:2
        14 27 35   9:2 4 16 17   10:7   17:4 16
        17 22 25 27 27 28 28 31 32 34 40 41 48
        49 50 51

PsAp   2:19   3:10   5:1

                      ܟܡܪ ܒܪ <<< ܟܡܪ
                                    ܟܡܪ

se mergere
Jdt   12:7

columna   ܟܡܘܪܐ
Sap   10:7   18:3
Jdt   8:11   11:14   13:6 9
Sir   24:4
ABar   2:2
3Mc   7:20
4Mc   17:3

obscurus   ܟܡܘܠܐ
2Mc   1:22

laborare   ܟܡܠ
Sir   6:19   11:11 12   16:27   31:3 4
        51:27
ABar   74:1
4Esr   5:12
1Esr   4:22

vexare   ܐܟܡܠ
Sir   7:20

labor   ܥܒܠܐ

Sap	9:16
Sir	6:19 34:23
ABar	15:8 56:6
4Esr	3:33 5:35 37 7:12 96 11:32 40
	12:24 13:38
2Mc	2:23 25 26 27 28 28
4Mc	7:22 16:19 17:14

claudere   ܥܒܝ

Tb	11:11b

profunditas   ܥܒܝܘܬܐ

Sap	4:3 10:19 16:11 19:7
Jdt	8:14
ABar	14:8 54:3 59:5 76:3 3
4Esr	13:52 3Mc 2:7 6:4 8
PsAp	4:6

profundus   ܥܒܝܩܐ

Sir	12:16 21:10 22:7 39:2
ABar	48:5 54:12
4Esr	7:7
4Mc	3:20

habitare   ܥܒܝܪ

Sap	1:4 4:10 7:28 12:3 14:17 17
1Bar	3:4
2Bar	1:4 2:23 3:13 20 4:35
BelD	2
Su	1
Jdt	1:6 7 7 10 2:28 28 4:1 11 5:4 5 8
	9 15 16 19 7:10 11:2 14:4 15:8
Sir	14:25 22:15 25:16 16 37:12 38:32
	41:6
ABar	11:2 23:4 51:10 56:15 67:5
	77:22
4Esr	4:21 5:38 6:51 7:89 8:17 20
	9:18 11:40 13:41 46
1Mc	5:2 21 9:73 10:10 34 13:53 54
	14:8 34
2Mc	1:14 3:1 4 5:27 10:6 12:8 13 27
3Mc	3:1 1 15 6:36
1Esr	2:6 15 15 21 8:67
Tb	5:17 11:17b 14:4b 10a 12b
PsS	17:29 31

habitare facere   ܐܥܒܪ

1Mc	14:34 37
1Esr	8:81 89 9:7 36

ܐܬܬܟܣܪܝ

ܟܣܪܐ

considere
ܐܬܬܟܣܪܝ

1Esr 5:45
habitatio

ܡܥܡܪܐ

Sap   1:12   2:1 4 5 15   3:17   4:9   5:4 8 9
       12:7   14:21 24   15:9 9 10 12 12
       18:22
1Bar   3:7
Sir   10:2   31:4
ABar   14:12 16   73:5
4Esr   3:2 9 12 28 34 35   10:47 59   11:5 32
incola

ܥܡܘܪܐ

2Bar   1:15   4:9 12 24
Jdt   1:6 7 8 11 12   2:28 28   3:4   4:6 10
       5:14 22 22   7:13 20   15:6
Sir   16:8   23:27   33:11
ABar   1:4   25:1 3   48:32 40   54:1   61:7
       70:2 10   71:1
4Esr   3:25   4:39   5:1   6:18 24 26   7:72
       74 137   8:50   9:20   11:34   12:24
       13:30   14:16 20
1Mc   1:28   3:18 34 50 60   4:10 40 55
       5:47   6:3 12   9:46   10:75 76
2Mc   3:20   7:11   12:14   14:34   15:23 33
PsS   8:23
habitatio

ܟ ܥܡܘܪܐ

4Mc   4:22
domicilium

ܡܥܡܪܐ

Sap   9:8
2Bar   2:16
Jdt   3:3
ABar   44:15   64:7
2Mc   33:9
3Mc   2:15
PsS   12:3

ܡܥܡܪܐ < < < ܒܝܬ ܡܥܡܪܐ
ܥܡܪܬ ܒܗ

terra habilitabilis

1Esr   2:3
gramen

ܥܡܝܪܐ

4Esr   9:27
lana

ܥܡܪܐ

Jdt   8:1
Sir   22:18   42:11

pecus
Jdt   2:17 27   3:3   8:26   11:19
4Esr   5:26   7:65
Tb   8:19b   10:10b
PsAp   1:1   4:3

nubes

Sap   2:4   5:21   19:7
EpJr   61
1Bar   5:9
2Bar   3:29
Sir   13:23   24:4   35:16 17 20   40:13
        50:6 7
ABar   29:7   53:1 2 3 7 8   56:3 5
4Esr   4:49   7:40   11:2   13:3 20
2Mc   1:22   2:8
PsS   3:73

respondere

2Bar   3:33
Su   48   59a   59a
Jdt   6:17 18   8:31   14:15   15:14
Sir   2:10   4:8   8:1 2   9:3 14   18:20
        32:15   46:5 5
ABar   5:1   14:1   15:1   16:1   17:1   18:1
        19:1   23:1 2   24:3   25:1   26:1
        27:1   28:3   29:1   31:3   34:1   39:1
        41:1   42:1   46:1   48:26 42   50:1
        52:1   75:1   76:1   77:11 15
4Esr   4:1 3 3 5 5 13 19 20 22 26 33 34 36 38
        40 41 44 47 50 52   5:23 33 36 42 43 44
        45 46 51 56   6:1 7 8 11 13   7:3 10 17
        19 45 49 54 58 59 62 70 75 76 100 101
        102 104 106 112 116 127 132   8:1 4 37
        42 46 62   9:1 14 17 41 42   10:5 17 32
        38   12:10 40 45   13:21 51   14:2 18 23
1Mc   2:17 19   8:19   10:55   13:8   15:33
2Mc   6:23   7:2 8 11 14 18 30   9:12   14:6
        43   15:4 5 14
3Mc   1:14 15   5:19 39
4Mc   3:9   8:13   11:13   12:8
Tb   7:11b
PsS   5:14   7:7
PsAp   3:17

responderi

Sir   3:5

canere	خلــر
Jdt 15:14	
responsum	حـلـبـد
Sir 4:24	
1Mc 13:35 14:23	
4Mc 13:21	
uva	حـنـبـد حنـبـد
Sir 39:26	
ABar 29:5	
1Mc 6:34	
cedere	حلـذ.
Jdt 13:19	
Sir 42:20	
ABar 77:16	
PsS 16:6	
humilis	حلـ قـ
4Esr 11:42 14:13	
mansuetudo	حلـ قـهـ
Sir 10:28 18:25 25:9	
capra	حلـ
1Esr 1:7	
ramus	حلـقـ
Sap 4:4 5	
fraus	حلـ
Sir 41:12	
herba	حـقـنـ
Sap 19:7	
ABar 5:7	
2Mc 5:27	
PsS 5:11	
sollicitari	حلـثـقـهـ
Sir 3:23	
difficilis	حـقـ
2Bar 4:26.	
pinnae	حـنـثـهـ
Jdt 14:1	
Sir 50:2	
duplex	حـقـهـ
Sap 11:12	
sepelire	خـقـر
4Mc 17:9	
Tb 12:13	
flos	حـقـهـ
Sap 2:7 4:4	
Sir 1:20	

negotium   ܥܩܘܒܬܐ

Tb   10:6b

amplecti   ܥܩܦ

3Mc   5:49

Tb   11:9b

pulvis   ܥܦܪܐ

Sap   7:9   15:10 13

EpJr   16

1Bar   6:16

Sir   10:10   11:12   17:1 32   33:10   40:3
           47:18

ABar   35:5   36:10   42:8   48:45

4Esr   3:4   7:32 62 63   8:2   9:38

1Mc   2:63   3:47   4:39   11:71

2Mc   10:25   14:15

3Mc   1:18

repugnare   ܥܨܐ

ABar   1:3   48:2

4Esr   7:22 76 81 99 130   11:6

2Mc   14:29

3Mc   1:22   2:28

4Mc   2:8 16   4:26   5:2 27   7:25   8:8
           10:6   18:5

cogi   ܐܬܥܨܝ

4Mc   11:1   15:7

vis   ܥܨܝܢܐ

4Mc   9:19

vinctura   ܥܨܒܐ

Sir   27:21

conculcare   ܥܨܪ

Tb   11:4b 11b

torcular   ܥܨܪܬܐ

Sir   33:16

torques   ܥܩܐ

Sir   32:6   50:9

investigare   ܥܩܒ

Sap   6:22   9:16

2Bar   3:23

Su   28   48b

Sir   3:21   11:6

ABar   14:8

4Esr   5:34   9:13   12:4

1Mc   9:26

2Mc   2:30

4Mc   3:13

investigari   ܐܬܥܩܒ
Sap   5:11
ABar   20:4   21:9 10   44:6
4Esr   6:5 44   9:19
calx   ܥܩܒܐ
Sir   12:17
4Esr   6:8 9 10 10
vestigium   ܥܩܒܬܐ
Sap   2:4   5:10 11
BelD   19   20
Jdt   6:4
Sir   10:16   13:26   26:18
examinatio   ܥܩܒܐ
ABar   59:11
4Esr   6:34
investigator   ܥܩܘܒܐ
Sir   14:22
qui investigari possit   ܡܬܥܩܒܢܐ
OrM   6b
palpitare   ܐܬܥܩܣ.
4Mc   15:15
dolo uti   ܐܬܥܩܡ
Sir   19:25
aculeus   ܥܘܩܣܐ
4Mc   14:19
evellere   ܥܩܪ
Jdt   2:24   3:8
Sir   3:9   10:15 16 17   33:12   39:28
         49:6
ABar   34:4 6   39:7   51:3
1Mc   5:51
2Mc   9:4   12:7
4Mc   15:24
PsS·   15:7 9 9 9
evelli   ܐܬܥܩܪ
Sap   3:15   4:4
1Bar   3:1
ABar   32:3   36:8   64:4
PsS   14:3
diruere   ܥܩܪ
Sir   12:17
radix   ܥܩܪܐ
Sap   4:3   7:20   15:3   16:12
Jdt   7:12

Sir   1:20   3:9   10:15   16:19   21:4
      23:25   24:5 16   39:14   40:15   44:11
ABar 51:3   59:7
4Esr 3:22   5:28   8:41 53   9:26   12:51
1Mc   1:10
2Mc   5:27
1Esr 8:75 84 85 86
Tb   5:14
PsAp 3:14
sterilis   ܥܩܪܬܐ ܥܩܪ
Sap   3:13
ABar 10:14
4Esr 5:1   9:43   10:45 46
deletor   ܥܩܘܪܐ
4Mc   3:5
scorpio   ܥܩܪܒܐ
Sir   26:7   39:30
1Mc   6:51 (Cer)
4Mc   11:10
caverna   ܥܩܬܐ ܥܩܬܐ
Jdt   16:23
ABar 21:1
2Mc   2:5   6:11   10:6
frigus   ܥܪܝ
4Esr 3:19   7:41
Dn   3:69
spondere   ܥܪܒ
Sir   8:13 13   29:14 20
fidejussor   ܥܪܒܐ
Sir   29:14 15
fidejussio   ܥܪܒܘܬܐ
Sir   29:18 19 19
rosae frutex   ܥܪܒ ܘܪܕܐ
Sir   24:14
ovis   ܥܪܒܐ
Jdt   2:17
1Esr 1:7 8 9
Tb   1:6   7:9
corvus   ܥܘܪܒܐ
ABar 77:24
PsS   4:22
cribrare   ܥܪܒ
BelD 14
alveus   ܥܪܒܐ
BelD 33

350

occidere (sol)   ܪܒ܊

1Mc	10:50	12:27
3Mc	4:15	
Tb	2:4 7	10:7b

occidens   ܡܥܪܒܐ

2Bar	4:37	5:5 5
Jdt	2:6 19	5:4
Sir	39:17	
ABar	21:3	
PsS	11:3	17:14

cribrum   ܪܒܠܐ

| BelD | 14 | 14 |

asinus ferus   ܪܒܢܐ

| Sir | 13:19 | |

implicatio   ܪܒܘ ܠܐ

| 4Mc | 14:13 | |

formido avium   ܪܒܘ ܠܐ

| EpJr | 69 | |

nudus   ܪܒܝܠܐ ܪܒܝܠܬ

Jdt	14:15	
Sir	29:28	
Tb	1:17	4:16

praeputiatus   ܥܘܪܠܐ

| ABar | 66:5 | |
| 2Mc | 10:4 | 13:11 |

praeputium   ܥܘܪܠܘܬܐ

| Jdt | 14:10 | |
| 1Mc | 1:16 | |

locus asper   ܪܒܣܐ

| 2Bar | 4:26 | 5:7 |
| PsS | 8:19 | |

astutus   ܪܒܥܐ

| Sir | 6:32 | 19:25 | 32:17 |
| Tb | 4:18 | 6:12 | |

astutia   ܪܒܥܘܬܐ

| Sir | 19:23 | |

lectus   ܪܒܣܐ ܪܒܝܣܬܐ

Sap	3:13				
Jdt	8:3	10:21	13:2 7	15:11	23:18
Sir	40:5	46:19			
4Esr	12:26				
1Mc	1:5	6:8			
Tb	8:4a	14:11			

vapor   ܪܒܘܠܐ

| Sap | 2:4 | |

Sir   24:3   45:5
devertere   ܢܕܪ
Sir   29:27
4Mc   6:34   7:2
fugere   ܢܕܘܪ
Sap   1:5   10:6 10   12:2 20 24   14:6   17:3
        10
EpJr   54   67
Su   39
Jdt   5:8   7:19   10:12   11:3 16   14:3
        15:2 3
Sir   21:2   22:1   29:14   40:6
ABar   39:6 6   41:4   70:9
4Esr   4:42   7:96   8:53   9:7   10:3
1Mc   1:18 38   2:28 43 44   3:5 11 24   4:5
        14 22   5:9 34 43   6:4 45   7:32 44
        9:10 18 33 40   10:12 43 49 64 73 82 83
        84   11:16 46 55 69 72 73   12:29
        15:11 21 37   16:8 10
2Mc   4:26 42   5:5 5 7 8 8   6:26 26   7:31
        35   8:13 24 33 35   9:29   10:15 18 20
        32   11:11 12 12   12:22 22 35 37   14:14
3Mc   4:11   7:9
4Mc   4:1   8:18   12:17
Tb   1:18 21   2:8   6:18   8:3   13:2
PsS   11:6   17:18 27
in fugam conjicere   ܐܕܘܪ
2Mc   9:4
fugitivus   ܩܕܘܪܐ
Sap   19:3

                 ܐܕܘܪܐ ܒܠܝ ‹‹‹ ܐܕܘܪܐ
fascia   ܩܕܘܪ ܐܬܕܘܪ
Sir   22:16
4Mc   8:12   9:11
invalescere   ܚܙ
Sir   1:3   23:3   30:12   31:11   36:22
ABar   50:4
1Mc   6:54   10:50
PsS   17:46
firmare   ܚܙܪ
1Mc   15:39
fortis fieri   ܐܬܚܙܪ
Sap   2:10
Jdt   1:13   9:7
Sir   3:12   6:27   13:7

```
1Mc      1:34 62    2:64    4:35    6:6     7:25
         8:2 5 10 12 13 19    10:45 49 52    11:49
         60
2Mc      4:50    5:5    14:5    15:17
3Mc      2:32
PsS      7:6
```

firmare

```
Jdt      4:5    5:1
Sir      36:22
1Mc      4:61    6:26    8:31    9:17 52    12:38
         13:10 53    14:10 33 34 37
2Mc      14:6    15:17
```

firmitas

```
Sap      5:11    6:3
1Bar     5:8    6:11
Jdt      5:3 15    9:8 9 10 11    13:11    16:10
         35:18    49:5
ABar     48:35
4Esr     6:3
1Mc      1:58    2:46    4:32    6:47    9:14
2Mc      10:34    12:28    15:21 24
3Mc      2:4    6:12
PsS      2:40    7:6    17:42
PsAp     2:4 6 14
```

validus

```
Sap      5:2    10:18    14:5
EpJr     35    53    57
1Bar     3:1
2Bar     2:11    4:21
Su       26    39
Jdt      2:5 24    3:6    16:6
Sir      6:28    8:12 13    16:5    39:20    41:1
ABar     70:4
1Mc      1:4 17 19 20 29 33    2:42 66    3:15 17
         4:7 30    5:6 26 31 38 46    6:37 41 57
         8:1 6    9:6 50    13:43
2Mc      3:34    4:12    8:30    10:18 24 29 32
         12:13 18 27 27    14:1
3Mc      1:4    2:6    5:48 51    6:2 4 5
4Mc      4:5
PsS      2:7 33    4:28    5:4    8:2    15:3    17:44
PsAp     3:15
```

incusare

```
Su       28    43a
```

oppressio   ܟܒܫܘܬܐ
Sir   7:25

paratus esse   ܛܝܒ
Sap   9:8
Jdt   1:13
ABar 52:7   54:13   70:7
4Esr 7:70   8:60   9:18   14:24
1Mc   4:35   10:6 21   12:27 28
3Mc   5:19 20 29 38 44   6:22
4Mc   5:32   18:20

parare   ܛܝܒ
ABar 4:3   32:1   48:6
4Esr 13:36
1Mc   5:39   7:29
4Mc   4:22
PsS   6:1   7:9

parari   ܐܬܛܝܒ
ABar 23:4   56:6   66:7
4Esr 8:52
1Mc   1:16   5:11   6:33
2Mc   10:15
1Esr 9:42

paratus   ܛܝܒܐ
Sap   8:8   12:18   17:20   18:4   19:1
1Bar 8:8
Su   42a   55a
Jdt   9:6   10:12
Sir   3:31   33:6   42:19 23   48:10   49:12
ABar 5:1   10:3   14:1   15:7 8   21:5 9 17
       23:6   24:3 4   25:1   28:6 7   29:3
       32:1 5 6   44:8 11 13   48:6 7   52:3
       54:4 15 15   56:2   57:3   59:11
       65:1   69:2 3 4 4   70:1   72:1 3   76:1
4Esr 4:32 45 46   6:19 20 20 46   7:13 16 42
       47 75 84 87 96 96 97 97 98 113 122 125
       126 136   8:1 18 46 46 52 59 63   9:2
       10:52 54   13:37 46   14:21 24 25
1Mc   3:28   4:35   13:13 37
2Mc   1:18   2:16   6:20   7:2 14 20   8:11
       12:45
4Mc   8:26   9:1   10:11   12:7 16   17:1
       18:22

parate   ܕܛܝܒܐ ܗܘ
3Mc   1:23   2:31

paratio   ܥܬܩ

Sap   12:27

2Mc   15:17 21

3Mc   5:27 47   6:16

progredi   ܥܬܕ

Su   52

ABar   51:9 16

veterare   ܐܥܬܕ

Sir   9:10   11:20

vetus   ܥܬܩܐ

Sap   2:10

Sir   9:7 10   25:4   31:25   40:20   50:15

dives esse   ܥܬܪ

Sap   10:10 11

Jdt   5:9   15:6

Sir   11:18

PsS   1:3

divitem facere   ܐܥܬܪ

Sir   11:21   19:1

divitiae   ܥܬܪܐ

Sap   7:8 11 13   8:5 18

EpJr   34

1Bar   6:16

Sir   3:17   10:30 31 31   11:18   13:24   14:3

        18:25   20:21   29:22   30:15 19   37:14

        38:21 21   40:8   59:7   61:4

1Mc   4:23   6:1

2Mc   3:6 7 7   8:25

PsS   1:4   5:16

dives   ܥܬܝܪ

Sap   8:5

Su   4

Jdt   8:7

Sir   7:6   10:23 30   11:14   13:2 3 9 18 19

        21 22 23   25:2   26:4   30:14   31:1 3

        6 8 12   32:1   41:1

ABar   70:4

1Mc   6:2

2Mc   3:11

1Esr   3:18 20

PsS   18:2

ܦ

pulcher					ܩܐ ܠܪ
EpJr	42				
4Mc	6:17	8:2	10:12 15		
1Esr	1:10				
pulchritudo					ܩܐ ܠܘ ܚܕܪ
Sap	6:10				
OrM	5b				
fructus					ܩܐܪܝ
Sap	3:13	4:5	10:7	15:4	16:19 22 26
	19:20				
Sir	23:25	27:6	37:22 23		
ABar	10:9 10	22:5 6	29:5 7	32:11	62:4
	73:7	77:23			
4Esr	3:20 33	4:30 31	6:28 44	7:13 123	
	8:6 10	9:29 31 32	10:12 14		
1Mc	10:30	11:34	14:8		
4Mc	16:7				
PsS	15:5				
fibula					ܩܐ ܒܘ ܠܪ
1Mc	10:89	11:58	14:44		
coercere					ܩܕܘ
2Mc	5:3	10:29			
frenum					ܩܕܘ ܐܪ
ABar	12:4				
obviam venire					ܩܕܘ
Jdt	3:4	10:11	33:1		
1Esr	9:4				
Tb	7:1				
occursus					ܩܕܘ ܠܪ
ABar	27:9				
corpus					ܩܕܝܪ
Sap	1:4	2:3	8:20	9:15	18:22
2Bar	3:1				
BelD	32				
Jdt	13:9				
Sir	11:12	30:16 25	38:16	44:14	47:19
	49:14				
ABar	63:8				

4Esr	3:5	5:14	7:78 100	8:8	11:10 23
	45	12:3 17			
1Mc	11:4				
2Mc	3:17	6:30	7:5 7 23 37	9:9 9 29	
	12:39	14:38	15:30		
3Mc	6:20				
4Mc	1:27 28 35	3:18	7:13 18	10:20	
	11:12				
1Esr	3:4 4				
Tb	1:18	10:10a			
PsS	2:31	4:7			

corporalis   ܩܘܝܘܒ ܝ

4Mc	1:32	3:1

cadere   ܩܕ.

1Esr	4:27

vestis sacerdotalis   ܩܕ.ܬܐ

Sap	18:24

aratrum   ܩܕ.ܠܐ

Sir	25:8	38:25

errans   ܩܕܡ ܐ

Sir	26:8
2Mc	3:19
3Mc	1:19

refrigerare   ܩܦܚ

Sir	30:23
4Mc	3:10

intumescere   ܐܩܦܚ

Sir	29:5

exspectare   ܩܣ

ABar	1:2
2Mc	15:19

laqueus   ܩܣܐ

Sir	9:13	27:20 26 29
1Mc	1:36	5:4
Tb	14:10 10a	

lascivum reddere   ܩܣܒ

Sir	23:6 15 16

lascivum facere   ܐܩܣܒ

Sir	19:2	23:4

lascivia   ܩܣܒܐ

Sir	23:4 6

aequare   ܩܣܡ

Sap	13:1

aequare   ܩܣܡ

Sap	7:8	13:8

4Esr   4:31   7:57 59   8:49
2Mc   2:26
PsS   13:6
comparari   ܐܬܚܫܒ
ABar   42:6   51:10
4Esr   6:44   7:61
comparatio   ܩܘܡܐ
Sap   14:15
EpJr   1
Sir   23:12
1Mc   8:22   11:31 37   12:5 18 19   14:20 23
        23 27 49   15:24
3Mc   3:30
figulus   ܩܪܝܐ
Sap   15:7 7
EpJr   15
Sir   13:2   33:13   38:29
PsS   17:26
fossa   ܩܘܬܐ
4Esr   5:8
intelligentia   ܩܘܠܐ
PsS   17:43
discedere   ܩܪܒ
Sir   32:11
3Mc   5:36
Tb   11:19b   12:1b
dies festus panum non fermentatorum   ܩܪܝܒܐ
2Mc   12:31
1Esr   1:10 17   7:14
patera   φιάλη   ܩܘܠܥܐ   ܩܘܠܥܐ   ܩܠܥܐ
1Mc   1:17 22   3:34   6:30 34 35 35 37 43 43
        6:46   8:6
2Mc   11:4   13:2 15   14:12   15:20 21
3Mc   5:1 1 2 4 10 20 23 26 29 31 38 42 45 45
        46 47 48   6:21
1Esr   2:12
persuadere   ܐܩܦ
Sap   16:8
Jdt   12:11
Sir   3:25
1Mc   1:11   11:28
2Mc   2:32   4:19 34 45   7:24 25 26   9:26
        11:24   12:3   13:26   14:25
3Mc   1:25   3:8 10   4:19   7:3
4Mc   2:6   8:5 5 5 10 16 20 25   9:10 18

(4Mc)   11:24   12:4

Tb   1:22

part. act.   ܩܘܦ

4Mc   8:11

1Esr   4:46

part. pass.   ܩܘܦ

ABar   23:2   54:5

4Esr   10:35

2Mc   2:31

4Mc   5:16 25   7:22   18:22

Tb   14:4a

oboedire   ܐܬܬܦܩ ܐܬܬܦܩ

Sap   13:7   16:18

1Bar   7:6

2Bar   1:18 19   4:14

Jdt   2:11

4Esr   7:130 131   10:20

3Mc   1:11 12 22 26

4Mc   1:35   4:13   6:4   8:2   12:5 6   15:4
         18:1

1Esr   8:90

persuasio   ܦܝܣܐ

2Mc   4:34

4Mc   6:1

persuasio   ܦܝܣܬܐ

1Bar   8:12

1Esr   8:4

oboedientia   ܬܫܬܡܥܢܘܬܐ

4Mc   5:16   8:8 17   9:2   12:4   15:9

garrulus   ܦܩܝܪ

Sir   8:3   9:18   26:27

insipidus   ܦܩܝܗܐ

Sap   2:21   12:23   15:5

4Esr   10:6

4Mc   5:11

insipiditas   ܦܩܝܗܘܬܐ

Sap   12:24

2Mc   12:44

vincire   ܦܩܪ

1Bar   3:4

ABar   8:5

2Mc   14:27 33

3Mc   3:25   6:19 25 26   7:5

vincire   ܦܩܪ

3Mc   4:7 9 10   5:5

ܐܬܦܬܠ *(header word top left)*

implicari ܐܬܦܬܠ
ABar   40:1
vinculum ܩܬܪܐ
4Mc   11:10
maculare ܦܠܦܠ
1Bar   8:15
ABar   39:6   44:9
2Mc   14:46
se maculare ܐܬܦܠܦܠ
ABar   21:19
4Esr   7:68
4Mc   9:20
proverbium ܦܠܐܬܐ
Tb   3:4
dividere ܦܠܓ
Su   59b
Jdt   7:7   9:4   16:24
Sir   1:9   45:22
3Mc   6:31
4Mc   13:18
dividere ܦܲܠܸܓ
Sir   16:16 26   17:2 6   44:2
ABar   69:2
4Esr   12:21
1Mc   1:6   6:35   16:7
2Mc   8:21 28 28 30 30 30   12:20
PsS   17:30
dividi ܐܬܦܠܓ
Sir   10:18   47:21
1Mc   9:11
dividi ܐܬܦܠܓ
Sir   44:23
ABar   27:1
1Mc   5:20
2Mc   8:13
dimidium ܦܠܓܐ
Sap   18:14
Su   7
Jdt   12:5
Sir   29:6
ABar   12:2   62:5   63:3   64:5   77:17 19
4Esr   11:17   13:40 45
1Mc   3:34 37
2Mc   10:31
Tb   8:21 21b   10:10   12:2 4b 5

361

ܩܠܬܗ   ܩܠܬ

dimidium   ܩܠܬܗ
Sir   45:22
4Esr   12:18
1Mc   3:29
1Esr   8:28
divisio   ܩܠܬܐ
1Esr   1:5
tympanum   ܩܠܬܐ
Jdt   3:7   16:1
1Esr   5:2
phalanx   ܩܠܬܐ
1Mc   6:35 38 45   9:12   10:82
colere   ܩܠܚ
2Bar   1:12 12 22   2:21 22 24
Jdt   3:8   8:22   11:1 7 17   16:14
Sir   7:20   10:25 27   13:4   25:8   33:27
         41:2
ABar   14:7   44:4   62:3   77:7
4Esr   7:37 124
1Mc   3:5   6:23   14:8
2Mc   5:12   14:39
3Mc   6:6
4Mc   1:29   9:23
1Esr   1:4   8:76
Tb   4:14 14
PsS   17:32
servire   ܐܬܦܠܚ
4Esr   6:42
laborare   ܐܦܠܚ
4Mc   16:14
1Esr   4:6
operarius   ܦܠܚܐ
Sap   14:25   17:17
Jdt   10:20   12:10
ABar   10:9
1Mc   2:15 17 31   3:5
2Mc   3:24   12:35   15:28
3Mc   3:12   4:11
4Mc   3:7 12 12   6:4 23   9:11 16 26   11:9
         15:20   17:1 23
servitus   ܦܠܚܘܬܐ
4Mc   4:3   9:23
versutus   ܦܠܝܚ
1Mc   13:27

362

cultura   ܩܘܠܬܐ
Sir   25:22   27:6   32:13   33:24   35:1
4Esr   7:84   8:6
1Mc   1:43   2:19 22
2Mc   4:11   11:29   12:1
3Mc   2:28 31   3:5 7   6:1
4Mc   3:20
1Esr   1:2 4 15   8:48
PsS   4:12

effugere   ܦܠܛ
Sap   1:8
Sir   6:35   16:13   23:4
1Mc   9:9
2Mc   5:8
3Mc   5:13 18   6:8

servari   ܐܬܦܠܛ
Sir   20:21   23:14   27:19   33:1
2Mc   11:12
3Mc   7:9

plateia   πλατεῖα   ܦܠܐ ܘܦܠܛܘܬܐ
1Mc   1:55   2:9
Tb   13:17a

philosophia   φιλοσοφία   ܦܝܠܘܣܘܦܘܬܐ
4Mc   1:1 1

os oris   ܦܘܡܐ
Sap   1:11   8:12 12   10:20 21   12:9
BelD   27
Su   61b
Jdt   2:3 6 27   5:5 5   10:3   15:13
Sir   5:12   6:5   9:18   14:1   15:5 9 10
         17:6   20:15 20 24 29   21:3 5 17 25 26
         26   22:22 27   23:7 8 9 13   24:2 3
         26:12 15   28:14   29:24   30:18   35:6
         36:18   39:5   40:30   48:12   51:25
ABar   6:10   36:7   54:8   59:10
4Esr   7:73   9:28   13:27   14:38 39 41
         13:4 10
1Mc   2:60   5:28 51   7:46   9:55
2Mc   8:18   14:36
3Mc   2:20   4:16
4Mc   1:26 45
1Esr   2:1   4:19 31 46
Tb   13:6a
Dn   3:33 51
PsS   8:40   17:27 39

PsAp   4:2 5   5:5
se vertere   ܦܢܐ
3Mc   1:1
4Mc   8:14
Tb   2:9 13 14   4:14   6:18
reddere   ܦܪܥ
Jdt   7:30
Sir   5:12   8:9
ABar   42:8   50:2 22   66:2
4Esr   13:3
1Esr   1:48   2:21   6:12
Tb   5:1
vertere   ܐܦܪܥ
Sir   14:21   41:12 12
ABar   21:23
2Mc   14:46
3Mc   1:23
4Mc   1:12
redire cogi   ܐܬܦܪܥ
2Bar   2:30   4:2 28
Jdt   5:19   8:11 36
Sir   5:19   39:1 24   51:7
4Esr   7:133   9:39
1Mc   11:73
2Mc   9:11   12:1
3Mc   5:3 35   6:3 9   7:8
1Esr   1:28   6:25
Tb   2:14   3:3   4:14   13:6 6 6a   14:2b 6
        10a
vesper   ܦܢܐ
1Mc   10:80
1Esr   5:49   8:69
phantasia   φαντασία   ܦܢܛܣܝܐ
ABar   27:9   48:34
pentecoste   πεντεκοστή   ܦܢܛܩܘܣܛܐ
2Mc   12:32
Tb   2:1
patera   πίναξ   ܦܝܢܟܐ
1Esr   2:12
delectari   ܐܬܦܢܩ
Sir   24:19
4Mc   8:7
laetificare   ܐܦܢܩ
Sir   30:7

deliciae   ܩܘܠܐ
1Bar   6:5 15
4Esr   7:38 96 123   8:52
oblectatio   ܩܘܠܬܐ
Sir   6:28   18:32   31:3 28   37:24 29   41:1
tabula   πινακίδιον   ܦܘܠܚܬܐ
1Mc   8:22   14:18 26 48
vola manus   ܦܚܐ ܦܚܘ
ABar   4:2
4Esr   7:8
permittere   ܐܦܣ
2Mc   4:9 10
4Mc   1:33   4:17 18   5:14 18 26
exercitus   φόσσα   ܦܣܐ
1Esr   4:56
deformare   ܦܣܠ
1Esr   6:24
lapis deformatus   ܦܣܝܠܬܐ
Jdt   1:2
psalta   ψάλτης   ܦܣܠܛܘܣ ܦܣܠܛܘܣ
1Esr   5:41
incedere   ܦܣܥ
Sir   2:12   9:13
gressus   ܦܣܥܬܐ
Sir   19:30
resecare   ܦܣܩ
Sap   13:11 13
Su   55b
Jdt   3:8   16:9
Sir   35:18 18
ABar   25:4   48:19
1Mc   15:6
2Mc   1:16   15:30 33   7:4 10
4Mc   2:13   3:3   4:23   9:17   10:18 18 18
       19 21   12:13   18:21
1Esr   4:9 9   5:53
PsAp   1:7
decidere   ܦܣܩ
Jdt   5:22
4Mc   10:6
abscindi   ܐܬܦܣܩ
EpJr   43
4Mc   15:20 20
PsS   2:20

decisio ܦܘܩܐ
1Mc   15:6
4Mc   4:23 24
desparatio ܦܘܩ ܣܒܪܐ
Sir   27:21
decretum ܦܘܩܕܢܐ
2Mc   2:31   10:10
breviter ܒܦܘܩܕܢܐ
Sap   14:14
2Mc   2:23 25 26 26 28 31 32 32
decretum ܦܘܩܣܢܐ
Sir   38:22
pistacia   πιστάκια   ܦܘܩܬܐ
Su   54
opus ܦܘܠܐ
Sap   15:6
Sir   19:1
oscitare ܦܥܪ
1Esr   4:19
excavatus ܦܥܝܪ
1Esr   4:31
PsAp   4:6   5:5
pascha   πάσχα   ܦܨܚܐ
1Esr   1:1 1 6 6 7 8 9 11 16 17 18 19 20
      7:10 12
laetificare ܐܦܨܚ
4Mc   8:3
servare ܦܩܝ
Sap   10:6 9 15   16:11
EpJr   35   36   53
2Bar   2:14   4:21
Su   23
Sir   11:12   29:20   31:6   50:4
1Mc   4:11   11:48   12:15
2Mc   1:10   2:18
3Mc   5:8   7:6
1Esr   8:60
Tb   4:10
PsS   12:1   17:51
PsAp   3:19   4:1 4   5:2
servari ܐܬܦܩܝ
Sap   16:15
Sir   19:24   26:29   28:19   34:12   37:18
      46:8
ABar   51:7 14   63:9   70:8 8 8 9

```
4Esr   7:27    11:46
1Mc    2:44 59 60    6:53
2Mc    9:22
3Mc    6:29
```
liberator
```
Sap    16:16
Sir    8:16
```
mutus   ܩܐܬܐ

EpJr   40

garrulus   ܩܢܢܐ

```
Sir    18:33
```
quaerere   ܩܒ݂ܐ.
```
Sap    11:26
1Bar   2:2
2Bar   1:20    2:9 28    5:7
Su     18    32
Jdt    2:13 15 16    5:18    6:10    7:1 16
       10:9 9    12:1 6 7
Sir    15:20    17:14    24:7 23    39:31    45:3
       46:14 14    48:22
ABar   4:7    6:6    8:1    10:4    20:3 6    21:1 5
       26    24:4    32:7    33:1    43:3    48:6 8
       46    63:6    77:25 25
4Esr   3:4 7    5:20 56    6:19 41 42 45 46 53
       7:21    8:6 10    9:2 26    10:60    11:5
       12:51    14:5 13 19 27 31 37
1Mc    1:51    3:28 34 42    4:5 27 41    5:19 42
       49 58    6:62    7:9 12 26    8:16    9:54
       55 63    10:37 62 81    11:2 23    12:17
       23·27 43    14:14    15:6 28 29 41    16:5
2Mc    1:21 21 31    2:1 2 4    3:7    4:38    5:12
       26    7:3 4 5 10    8:9 23    9:4 7 8
       12:5 40    13:4 10 21    14:13 16 22 27
       15:3 4 5 30
3Mc    1:1    3:1 25    4:13    5:1 3 16 19 21 27
       29 37 40    6:30    7:8 18
4Mc    5:2 26    8:1 2 11    10:17
1Esr   1:49    2:22 24    4:57    5:49 50 68    6:4
       10 22 23 26 27 31 33    8:10 19 45    9:53
Dn     3:30
PsS    17:6 11
```
quaeri   ܐܬܩܒ݂ܠ.
```
Sap    3:13
EpJr   1    61    61    62
Su     18
```

```
Sir     7:31    34:6
ABar    6:8     17:2    54:17    77:24
4Esr    5:13
3Mc     3:2     5:4 20 45
4Mc     9:11
1Esr    6:18    7:1
```

praeceptum

```
Sap     9:9     11:7    14:16    16:16    18:16 16
        19:6
1Bar    2:2     5:6     7:1 1 7
2Bar    1:18 18 19    2:12    3:9    4:1 13 13    5:8
Su      3    55
Jdt     2:13
Sir     1:20    6:37    7:10    10:19 19    15:15
        23:27    28:7    29:1 8 19    32:23 23    35:1
        5    39:18    45:17
ABar    4:3     33:1    44:3    51:11    57:2    61:6
        77:4 26
4Esr    3:7 19 33 35 36    5:20    7:11 21 24 37 45
        46 72 84    8:14 23    9:32    12:44    13:20
1Mc     1:49 50 51 60    2:18 19 21 23 31 33 53 68
        6:23    10:14    14:44    15:6
2Mc     1:3 4    2:2    3:8 13    4:25    6:1 8 21
        7:30    8:36    14:29
3Mc     2:27 31    3:2 6 7 8 23    4:1    5:26 40
        7:21
4Mc     4:6     6:4     8:5     9:1    13:15    16:24
1Esr    1:6     5:4 52 53    6:29    7:4 4    8:7 8 64
        79
OrM     3    10b
Dn      3:30
PsS     14:1
```

florere

```
2Bar    4:3
Su      23
Sir     25:16    30:17
4Esr    7:63 66 69 116
1Mc     3:59
2Mc     7:14
4Mc     5:11    6:27
PsS     5:20
```

frangere

```
Sir     30:12    38:28 30
```

crepere

```
4Mc     10:8
```

fragor   ܩܘܦܐ
Sir   46:17
planities   ܦܩܥܬܐ
Sap   19:7
Jdt   1:5 5 6 8   2:21 27   3:3   4:6   6:4 5
          7:18   14:2   15:2 7
Sir   24:14   26:20
ABar   36:2   37:1   39:5
4Esr   4:13 15   7:6   9:24 24 26   10:3 32 51
          12:51   13:57   14:37
1Mc   3:24 40   4:6 14 15 21   5:52   10:71 73
          7.7 83   11:67 68   12:49   13:13   16:5
          11
3Mc   5:43
1Esr 1:27
delirare   ܦܩܪ
4Esr   8:31
rabiosus   ܦܩܝܪܐ ܦܩܝܪܬܐ
Su   14   24
2Mc   4:25
rabies   ܦܩܝܪܘܬܐ
2Mc   2:21
4Mc   2:3 4   3:18
gallus   ܦܘܪܘܓܐ
4Mc   14:15 16
avolare   ܦܪܚ
1Mc   6:10
rapere   ܐܦܪܚ
Sir   31:1 2
granulum   ܦܪܚܬܐ
Jdt   18:10
4Esr   4:30 31
paradisus   παράδεισος   ܦܪܕܝܣܐ
Su   4   7   8   15   15   16   17   18   20
          25   26   26   26   36   36   36   38
          39
ABar   4:3 3 6   51:11   59:8
4Esr   3:6   4:7   6:3   7:36 123   8:52
PsS   14:2
ferrum   ܦܘܕܠܐ
EpJr 3:1
Jdt   9:8
Sir   22:15   28:20   39:26
4Esr   7:55 56 56
1Mc   6:35

```
2Mc      11:9
3Mc      3:25     4:7 8 9
4Mc      8:12 12     9:26 28     11:10 26     14:19
OrM      10              PsS      17:26
```
volare   ܦܪܚ
```
Sap      5:11
EpJr     54
Sir      20:9     38:21
ABar     77:26
4Esr     13: 3 6
PsS      17:18 18
```
volare facere   ܐܦܪܚ
```
Sir      22:20     27:19     34:2
```
avis   ܦܪܚܬܐ
```
Sap      17:9 18     19:11
EpJr     70
2Bar     3:17
Jdt      11:7
Sir      17:4     27:9     38:21
ABar     77:17 21 25
4Esr     5:6 26     6:47
2Mc      9:15     15:33
3Mc      6:34
4Mc      1:34     14:15
Dn       3:80
PsS      4:15     5:11
```
vespertilio   ܦܪܚܕܘܕܐ
```
EpJr     21
```
ora maritima   πάραλος   ܦܪ ܦܠ ܦܪܣܘܣ
```
1Mc      15:38
```
turibulum   πύρωμα   ܦܪܡܐ
```
Sir      49:1     50:9
ABar     6:7
4Mc      7:11
```
dos   φερνή   ܦܪܢܬܐ
```
Sir      9:5
2Mc      1:14
```
administrare   ܦܪܢ
```
Sap      16:25
EpJr     37
ABar     48:2
```
oeconomus   ܦܪܢܐ
```
Tb       1:22
```
oeconomus   ܦܪܢܣܘܢ
```
Sap      19:13
```

ABar 14:18

parari   ܐܪܒܬܐ ܘ

3Mc 1:25

ungula   ܐܬܘܒܪ

Sir 38:29

expandere   ܒܪ ܘ

Sir 48:20

1Mc 3:48

2Mc 3:20   14:34

3Mc 5:25

tegumentum   ܒܪ ܡܣܪ

Sir 50:5

via ratio   πόρος   ܒܣܪܘܪ

2Mc 4:6   14:3

3Mc 4:10

ancilla   ܐܪܒܘܝܣܪܐ

Jdt 8:10

revelare   ܒܣܪܝ

Jdt 9:4

PsS 2:14

impudicus   ܣܒܪܝܣܡ

Sap 2:20   5:4

3Mc 7:14

denudari   ܐܪܒܬܐ ܡܣ

Sir 23:21   42:10

denudatio   ܒܣܪܘܡܪ

Jdt 9:3

3Mc 4:11

confidentia   παρρησία   ܒܪ ܝ ܝܣܡܪ   ܒܣܪܘܡܪ

Sap 5:1

4Esr 7:98

1Mc 4:18

4Mc 10:5

balsamum   ܒܣܪܡܣܪ

Sir 24:15

allocutus   προσφώνησις   ܒܣܪܩܣܘܠܘܣ

1Esr 6:21

germinare   ܐܪܒܣ

Sir 39:13

PsAp 3:15

reddere   ܒܪܣ

EpJr 33   34

Su 60   Jdt 7:15

Sir 7:28   8:13   17:23   20:12   29:28
        30:6   35:9

```
ABar    48:47    54:8
1Mc     2:68    10:27    14:25    16:17
2Mc     4:38     6:14 15    9:6
PsS     2:17 28 38 39    17:10
PsAp    3:7
ulcisci                                          ܐܬܒܪ
Sap     11:16
Sir     13:12    29:2     30:6     46:1    47:7
ultio                                            ܩܢܐ
Sir     39:28
qui remuneratur                                  ܩܢܘܝܐ
Sir     35:10
remuneratio                                      ܩܢܝܢܐ
Sap     11:8    12:15 20    14:31    16:24    18:11
        19:15
Jdt     7:15
Sir     5:7     12:2 6    13:12    14:6    25:14 14
        28:1    30:6     34:22    35:18    39:30
ABar    13:4 5    14:1
4Esr    4:39     8:39
1Mc     2:68     3:15     7:9 38
2Mc     5:20     7:36     8:33    13:8
3Mc     1:27     2:22 23    7:11
ultio                                            ܩܢܝܢܘܬܐ
Sap     11:15 21    12:24    14:11 29 31
Sir     20:14 15    35:19
vultus           πρόσωπον                         ܩܢܘܡܐ
Sir     34:3
4Esr    5:37    10:25    12:7
4Mc     6:18    15:4
1Esr    4:39 58    8:71
OrM     4b
liberare                                          ܩܢܐ
Sap     2:18    10:1 10 13 15    14:4    16:8    19:9
EpJr    35    52
Su      42b
Jdt     6:2    16:2
Sir     2:11    4:9    29:7 12    31:6    34:13 16
        36:1    40:24    48:15 20    51:2 2 3 3 8 12
ABar    48:19
4Esr    7:100    12:34    13:26 29
1Mc     2:19     3:18     4:11     5:12 17     6:44
        13:16    15:3     16:2
2Mc     2:17     8:3 14    13:10    14:15
```

3Mc	1:16 2:12 25 32 32 3:23 23 5:8
	6:10 11 13 39 7:16
4Mc	8:12 17:22
OrM	14a
Dn	3:43
PsS	3:9 4:13 27 27 8:12 36 13:2 3 16:7
	17:19
PsAp	2:18 3:21 4:1 5 5:3

fragmentum   ܩܘܪܒ
4Mc   8:12

salvari   ܐܬܦܪܩ
EpJr   11
Sir   49:11
ABar   63:9   68:3
4Esr   7:88   14:28
1Mc   4:9   9:46
4Mc   6:27   9:13 21   10:7   11:10
PsS   6:2   15:1   17:19

discindere   ܩܪܒ
4Mc   10:5

discedere jubere   ܐܩܪܒ
Sir   38:24
1Mc   11:63
2Mc   4:46

salvator   ܦܪܘܩܐ
2Bar   4:22
Su   43b   60b
Jdt   9:11
Sir   34:16   51:10
1Mc   4:30   9:21
2Mc   1:25
3Mc   6:29   7:16 23
PsS   3:6   8:39   9:1   16:4   17:3

remotus   ܩܪܝܒ
1Mc   12:36

salvatio   ܦܘܪܩܐ
Sap   11:13
2Bar   4:22 24 29
Jdt   8:17
Sir   2:10   46:1
ABar   23:7
4Esr   6:25   9:8
1Mc   3:5   4:25 56   5:62
2Mc   5:20   8:19 19 23 27   10:7 28   11:1
         13:15   15:7 35

3Mc	2:33	3:10	5:8 50	6:30 31 33 36
	7:22			
1Esr	8:63			
OrM	7b			
PsS	3:6	10:9	12:7	15:8	16:5
PsAp	2:4	5:4		

turris   ܩܘܕܡܗ

| 1Esr | 1:52 | 4:4 |

separare   ܦܪܫ

Sap	15:7	16:24	
Su	51a	52	
Jdt	11:12		
Sir	10:13	19:29	33:11
ABar	22:3	42:5	
4Esr	6:50	7:17	9:23	12:30
1Mc	1:12		
3Mc	2:33	5:50	6:13
4Mc	3:20		
1Esr	4:44 57	8:54 66	
PsS	2:38		

separari   ܐܬܦܪܫ

Sap	16:23	
Jdt	12:9	
Sir	33:8	
4Esr	7:78	11:24
1Esr	7:13	9:9

separare   ܦܪ ܫ

| ABar | 46:3 |
| PsS | 17:48 |

diversus   ܦܪ ܝܫ

Sir	33:7
4Esr	7:26
2Mc	4:40

miraculum   ܦܪ ܝܫܬܐ

| Sir | 17:8 | 42:17 | 48:14 | 50:22 |

separatio   ܦܘܪܫܐ

Jdt	4:14	
4Esr	6:41	12:8
1Mc	8:7	15:33
2Mc	6:5	
3Mc	3:4	
1Esr	6:28	

separatio   ܦܘܪܫܐ

| 4Esr | 6:7 |

ܦܪܣܐ   ܐܬܦܪܣ

eques   ܦܪܫܐ

Jdt	1:13	2:15 22	7:2 20			
1Mc	1:17	3:39	4:1 7 28 31	6:30 35 38		
	8:6	9:4 11	10:73 77 77 79 81 82 83			
	12:49	13:22	15:13 38 41	16:4 5 7 7		
2Mc	10:24 31	11:2 4 11	12:10 20 35 35			
	13:2	15:20				
3Mc	1:1					
4Mc	4:10					
1Esr	5:2	8:51				

pugna equestris   ܦܪܫܘܬܐ

4Mc   17:24

depositum   παραθήκη   ܦܪܬܐ ܦܪܬܗܘܢ

2Mc   3:10 15

abscindere   ܦܣܩ

4Mc   9:18   10:5

abscindi   ܐܬܦܣܩ

4Mc   11:11

extendere   ܦܫܛ

2Mc	7:10	15:15
3Mc	2:1	
1Esr	8:70	
PsAp	3:2	

se extendere   ܐܬܦܫܛ

ABar   51:11

extensio   ܦܫܛܐ

Sap   8:1

erectus   ܦܫܝܛܐ

Sap	1:1
Sir	4:31
1Mc	3:18
2Mc	15:12

generaliter   ܦܫܝܛܐܝܬ

ABar   48:26

extensio   ܦܫܝܛܘܬܐ

1Mc   2:37 60

dubitatio   ܦܫܟܐ

1Esr   6:29

explicare   ܦܫܩ

ABar	54:20	55:20		
4Esr	8:2	10:32	12:12 12	13:56 14:5

declarari   ܐܬܦܫܩ

ABar	3:6	76:1
4Esr	12:12	

interpretatio   ܦܘܫܩܐ
ABar   38:3   39:1   40:4   54:6   56:1   70:1
        71:2
4Esr   4:47   10:43   12:8 10 16 35   13:15 21
        25 53   14:8
facilis   ܦܫܝܩܐ
Jdt   4:7   7:10
2Mc   2:26 27
4Mc   8:25   17:7
temere   ܦܫܝܩܐܝܬ
ABar   54:2
2Mc   2:25
liquefacere   ܦܫܪ
Jdt   47:17
4Mc   5:30
se dissolvere   ܐܬܦܫܪ
Sap   16:22 27 29   19:20
EpJr   23
Jdt   16:15
ABar   64:8
fragmentum   ܦܬܬܐ ܦܬܬܐ
ABar   51:19   77:22
4Esr   7:3
frustum   ܦܬܘܬܐ
BelD   33
dilatare   ܐܦܬܝ
1Mc   14:6
latitudo   ܦܬܝܐ
Jdt   1:2 3 4   7:3
Sir   1:3
1Esr   6:24
verbum   ܦܬܓܡܐ
1Bar   1:1   10:1
2Bar   1:3 21   2:1 24
Su   62b
Jdt   1:11   2:1 6   3:5   5:22   6:4 5 9 17
        7:9 16 28 31   8:9 9 11   10:1 9 13 14
        16 19   11:6 9 14 20 23
Sir   4:23   5:11   8:9   11:8   13:22   44:20
        51:30
ABar   1:1   6:8   10:1   54:7
4Esr   7:90   8:23 25   10:20   14:28
1Mc   2:23 35   5:16   6:8   14:46   15:35
2Mc   2:24 24
PsS   4:12   17:48 49 49

aperire
Sap   8:12   10:21
2Bar   2:17
BelD   18
Su   25   39
Jdt   10:9 9   13:11 11 12 13   14:15
Sir   15:5   20:15   22:22   24:2   26:12 12 12
       29:24   31:12   39:15   51:20 25
ABar   6:10   10:11   36:7
4Esr   5:37   7:73   9:12   14:38 39
1Mc   3:28   5:48   10:76   11:2
2Mc   1:4 16   14:41
3Mc   6:18
PsS   5:14   8:19
aperiri
ABar   22:1   30:2
4Esr   6:20   8:52   9:28   14:41
apertio
Dn   3:33
varius
Sir   50:9
4Mc   15:24
idolum
Sap   14:11 12 27 29 30   15:15
EpJr   72
BelD   3   5
ABar   5:1   62:3   66:2   67:2 6
1Mc   1:47   11:4   13:47
2Mc   12:40
OrM   10a
PsAp   1:6
curvus
PsS   10:3
mensa
BelD   13   14   18   21
Sir   9:16   14:10   29:26   31:12   32:2 11
       37:4   40:29
4Esr   9:19
1Mc   1:22   4:49 51

delectari

Sap   1: 13   7:8   8:8   11:26   12:6 8
        14:5 19   15:5   16:18 19

EpJr   45
Su   11   21   41   59
Jdt   5:4 6   8:34
Sir   1:20   6:32 33 35   7:13   15:15   19:25
        27:1   28:5   32:9   33:13   34:19
        39:11
ApB   21:7   51:10   52:6   63:3   77:25
4Esr   4:2 23   5:26   6:52 52   7:5 135   8:4
        29 32 59   11:8   12:39   13:34 52   14:22
1Mc   1:16   3:29 34   4:6 27   5:48 61 67
        6:18 56   7:5 30   8:9 13 13   9:32
        10:32   11:1 10 35 45 49 65   12:14 39
        53   13:40   14:35 35 41   15:3 4 6 27
        16:13 22
2Mc   1:18   2:24 25 27 27 28   4:15 16   6:9
        26   7:16 19   9:2   10:12   11:15 20 24
        24 25 28 29 36   12:4 8 35   13:11 18 23
        25   14:18 28 39 42   15:21 38
3Mc   1:2 15   2:7 14 16 24 30   3:15 17 18 21
        4:11   5:30 47 51   6:10   7:2 5 10 12
4Mc   5:3   8:24   9:27   11:12 13   17:9
1Esr   4:42
Tb   4:5 19   5:12   11:10b
PsAp   4:6

delectari   ܪܬܒܣ

Jdt   11:13
Sir   51:13
1Mc   1:15 43 57   2:19 42   4:42   6:23
        8:1   10:47   11:29   13:48   14:46 47
2Mc   1:3   6:19   11:35   12:4   14:35
1Esr   1:55   4:39
Tb   5:17   13:6b
PsAp   1:5   2:10

voluntas   ܪܬܐܕܓ

Sap   7:18   13:19   14:23   15:5

```
EpJr   59
Jdt    8:32    13:13
Sir    26:28   32:19    33:29    39:16 26 33
       40:4
ABar   19:5
1Mc    3:28    6:56 57    7:3 5    10:35 37 41 42
       43 63    11:63    12:45    13:15 37    14:44
2Mc    1:33 34    3:7 21 23 37 38 40    4:6 6 19
       23 28 31    7:24    8:8    9:3    10:11
       11:31    12:12 40    13:2 13 23    14:8 26
       15:5
3Mc    1:4    3:7 13 21    7:2 7 11
4Mc    1:16    3:15    4:3 7    11:3 15    12:6
```

voluntas

```
Sap    9:13 18
1Bar   6:18       2Bar    1:22    2:27
Su     43    57
Sir    1:10    2:11 16    4:12    5:2    8:14
       11:17    13:6 6 7    16:3    18:31 31
       25:18    29:3    30:10    32:17    35:3
       36:7    40:7    42:15 23    48:5    50:22
ABar   14:11    48:15
4Esr   8:4 28
1Mc    3:60    6:23
2Mc    2:22    6:8    12:16 22
3Mc    7:10
4Mc    5:23    8:16    17:1    18:17
1Esr   8:16    9:9
Tb     12:18a
OrM    1:10b
PsS    3:4    7:3    8:39    16:12
```

digitus

```
Sap    15:15
4Mc    10:6    15:15
PsAp   1:2
```

color

```
4Esr   9:17
```

ornare

```
EpJr   10    42    Sir    43:9    50:9
1Mc    4:57    2Mc    2:29    9:16
PsAp   2:20
```

se ornare

```
Jdt    10:4
ABar   10:13
```

ornamentum   ܣܟܬܐ
EpJr   3   Jdt   10:4
Sir   21:21   22:17
1Mc   1:22   2:11 12
2Mc   2:2
OrM   1:2
ornatus   ܣܟܬܘܬܐ
Sap   4:2
Jdt   12:15
ABar   3:7
1Mc   4:38 57
2Mc   2:29   9:16
oculos figere   ܨܕܗ
Sir   38:28
OrM   1:9b
fixare   ܐܨܕܗ
1Esr   6:27
desertum facere   ܐܨܕܝ
Sir   49:6
desolatus   ܨܕܐ
ABar   21:24
solitudo   ܨܕܘܬܐ
1Esr   1:55
tempora capitis   ܨܕܥܐ
PsS   4:18
sitire   ܨܗܐ
Sap   11:4
Sir   16:27   24:21
ABar   21:1
4Mc   3:10   10:17
sitis   ܨܗܝܐ
Sap   11:9
Jdt   7:13 14 22 25
ABar   77:14
4Esr   8:59
4Mc   3:6 10 15
hinnire   ܨܗܠ
Sir   33:6
hinnitus   ܨܗܠܐ
Jdt   6:3
venari   ܨܕ
Sir   11:30   27:19
jejunare   ܨܡ
2Bar   1:5
Jdt   4:13   8:6

381

```
Sir      34:26 26
ABar     5:6     9:1     12:5     43:3     47:2
4Esr     5:13 20    6:31 35     9:23     10:4
1Mc      3:47
```

jejunium   ܟܘܡܐ
```
1Bar     9:2
2Mc      13:12
1Esr     8:49 70
Tb       12:8
PsS      3:9
```

imago   ܟܘܡܬܐ
```
Sap      7:26     14:15 17
Sir      38:28
ABar     49:3     50:2
```

repraesentare   ܟܢ
```
2Bar     1:4
Sir      29:12
1Mc      5:15
2Mc      2:29
4Mc      17:7
```

collum   ܟܢܐ
```
1Bar     10:1
2Bar     4:25
Jdt      13:8     16:9
Sir      6:24     51:26
1Mc      1:61
3Mc      4:8 9
Tb       7:16b     11:9 13a
```

audire   ܟܢܫ
```
Sap      6:2              EpJr     30
2Bar     3:9              Jdt      8:9
Sir      1:20     4:15     13:23     14:23     21:24
         27:15    33:18    51:11
ABar     15:4     31:3     48:11
4Esr     5:32     8:19 24     9:30
4Mc      15:21
PsS      3:1
```

calescere   ܟܫ
```
Jdt      8:3
```

scribere   ܐܟܫ
```
1Esr     6:29
```

exemplar   ܟܣܣܐ
```
1Esr     6:7     8:8
```

maledicere   ܟܢܕܪ
```
2Mc      4:35
```

4Mc   9:14
contumelia affici   ܐܡܠܟܝ

Sir   42:9
contumelia   ܓܡܘܚܬܐ

Sir   29:6
sordidus   ܓܡܠܐ

Sir   22:1
rete   ܡܓܡܠܬܐ

Sap   14:11
Sir   6:24 29   9:3   21:19   27:29
ABar   36:8
purgare   ܓܠܠ

ABar   13:8
inclinare   ܓܠܐ

Sir   27:26
ABar   64:2
Tb   14:10b
orare   ܓܠܐ

Sap   13:17   14:1   17:17
2Bar   1:5 13
Sir   18:20 21   28:2   32:13   38:14   39:5
        46:5   47:5   51:16
1Bar   10:13   38:1   48:1 25 26   76:1
4Esr   5:13 35   8:19
1Mc   3:44   4:30   7:40   11:71
2Mc   1:6 8   2:10 10   3:31 35   5:4   8:29
        9:13 20   10:4 16   12:6 15 28 42 44
        13:12   14:15 34 46   15:12 14 21 22 27
3Mc   2:1 10   5:7   6:1 8
4Mc   4:11 13   12:20
1Esr   6:30   8:88
Tb   3:1   8:4   12:12
se inclinare   ܐܬܓܠܝ

EpJr   26
4Mc   6:7
precatio   ܓܠܘܬܐ

Sap   18:21
1Bar   8:12
2Bar   1:14   3:3
Jdt   12:6   13:3 10
Sir   7:10 14   21:15   35:6 14 15 16 17
        36:6 17   39:5 48:20   50:17   51:16
ABar   2:2   21:1 26   48:1 28   54:1   55:1
4Esr   5:19   8:19 19
1Mc   5:33

```
2Mc      1:23 23 24    3:35    10:25 27    13:10
         14:38    15:26
3Mc      1:23 24    2:21    3:10    6:16
Tb       3:16    12:8 12    13:1a 1a
```

ܓܠܬܐ ܕܝܡ <<< ܓܠܬܐ
inclinatio   ܓܠܬܐܠܒܣܝ

```
ABar     52:6
4Mc      1:25
```
bene evenire   ܐܣܠܐ
```
Sap      11:24
1Bar     3:7
Sir      9:12    38:12    41:1
ABar     11:1 2    12:1 3    13:4    15:2    19:6 7 8
         21:19    44:10    67:6
4Esr     3:33
Tb       4:19    5:17    7:11    10:11
```
bene cedere   ܐܠܣܕܬܐ ܐܠܣ̈ܕܬܐ
```
1Esr     6:9
Tb       5:22
```
scissor   ܪܠܠܣܕܬܣ
```
1Esr     7:3
```
res secundae   ܓܬܐܠܣܝ
```
1Bar     5:3
ABar     1:5    14:2    19:5 6
1Esr     8:6 50
Tb       4:6
```
imago   ܓܠܐܝ
```
Sap      13:17
BelD     5
Sir      30:19
ABar     64:3 3
2Mc      2:2
3Mc      2:27
```
vulnus   ܓܠܐܥ
```
Sir      27:21    30:7    31:30
```
fulgere   ܓܡܥ
```
4Esr     6:44
1Mc      6:39
```
dens serpentis   ܓܣܐܝܬܐ
```
Sap      16:10
```
dolo uti   ܐܣܠܒܠܐ
```
2Mc      7:31
3Mc      5:22    6:22 24    7:9
```
dolus   ܓܠܬܐ
```
1Bar     6:19
```

```
Jdt     11:6 8    13:5
4Esr    7:23    8:27
4Mc     10:16    17:2
PsS     4:5
```

astutia   ܣܘܥܪܢܐ

```
Sap     8:6
Jdt     10:8
```

opprobrio affici   ܚܣܕ

```
Sap     12:20
Su       15
Sir     47:20
2Mc     14:42
3Mc     2:14    5:30
```

contumelia afficere   ܚܣܕ

```
Su      22
Sir     3:11 16    8:4    10:23    22:2    32:9
ABar    70:3
4Esr    8:60
2Mc     4:35    10:34    12:14
3Mc     3:23    5:30
4Mc     6:20
```

contumelia affici   ܐܬܚܣܕ

```
Sir     9:7    11:6    22:5    23:14
ABar    14:14    19:6 7
4Esr    10:22 22
2Mc     8:17
3Mc     6:9
4Mc     12:2
PsS     2:5
```

contumelia   ܩܘܡܐ

```
Sap     2:19    3:10 17    4:19    11:16    12:21
        15:10    17:13
Sir     3:10    5:14    21:24    22:24    23:16
        26:8    29:6 21 25    37:9
ABar    19:5 7    48:35
4Esr    8:27
1Mc     1:39 40    3:2o    11:5
2Mc     8:17 17
3Mc     3:19 25    4:5 11    6:9 34
4Mc     15:29    17:10
PsS     2:23 29 30 31 32 35    4:16 18 21 23
```

infamis   ܡܚܣܕܢܐ ܗܘ

```
Sir     26:26
```

tempus matutinum   ܩܘܡܐ

```
Sap     11:23
```

BelD   12   16
Jdt   12:5
Sir   18:26   21:4   24:32   31:20
ABar   29:7 7
4Esr   7:40
1Mc   3:58   4:6 52   5:50   6:33   9:13
        10:80   11:67   12:29   16:5
3Mc   5:5 10 24
1Esr   1:10   5:49   9:41
avis   ܩܘܦܐ
Sir   22:20   27:20
Tb   2:10 10
PsS   17:18
hoedus   ܩܘܦܣ
2Mc   2:11
1Esr   7:8
clavus   ܩܨܨ
Sap   13:15
cymbalum   ܩܨܨܠ
Jdt   16:1
Sir   27:26
1Esr   5:57
ligamen   ܩܨܪܐ
Sir   22:18
discindere   ܩܨܐ
Su   55   ABar   9:1
1Esr   8:68   Tb   6:5
discindere   ܩܨܝ
EpJr   30   Sap   5:11 11
Jdt   14:16 19
1Mc   4:39   11:71
Tb   6:5
discindi   ܐܩܛܨܝ
Sap   11:10
cortex cedri   ܩܨܘܐ
Sir   28:11
indigere   ܐܩܛܨܝܝ
Sir   26:28
egenus   ܩܨܝܐ
Sir   4:3   31:4
egestas   ܩܨܝܘܬܐ
Sir   10:26   12:5   20:21   29:2
dolore mordaci affligi   ܩܨܦ
Tb   11:4b 4b

ܦ

obviam ire   ܡܚܠ

Sap   12:12

1Mc   3:48   8:32   10:61 63 64   11:25

2Mc   4:36   7:29

4Mc   15:31

PsAp   3:16

accipere   ܦܚܠ

Sap   2:18   3:6 10   5:16   9:12   17:4
             19:13 15 15

1Bar   1:6   2Bar   4:23 32

BelD   1

Su   22   55a

Jdt   2:3   3:7   8:24   9:2   10:19   11:9
             13:13

Sir   2:4   6:18 23   7:9   8:8 9   14:6   15:2
             16:24   18:14   23:15   29:19   31:3 22
             32:2 13   34:22   35:12   36:18   40:1
             41:1   48:11   51:26

ABar   6:8   11:3   14:13   15:5   23:5   41:5
             42:6   48:16 29 50   50:2 2   51:3 4 13
             54:14   77:23

4Esr   7:72 96 98 99 109 128   8:29   9:35 36
             10:16   13:14

1Mc   1:42   2:51   5:25   6:60   9:31 71
             10:1 46 61 64 71   12:3 8 8 43   13:37
             14:23 23 47   15:20 27   16:15

2Mc   1:26   2:27 28   3:33 38   4:7   5:20
             7:11 29 36   8:33   10:15   12:31   13:8
             8 24   15:16

3Mc   1:3 8   3:17 19 20 25 38   7:11 12

4Mc   4:15   5:37   8:4   10:5   13:3 16   17:21
             18:5

1Esr   4:43   8:59   9:14

Tb   7:8 16a

PsS   10:2

PsAp   3:19   ܐܠܦܚܐ

accipi

Sap   18:9

```
Sir    34:18   35:7
2Mc    3:9    4:22   15:11
4Mc    3:20
```
occurrere   ܐܬܩܒܠ
```
2Mc    12:35
```
acceptio   ܩܘܒܠܐ
```
1Esr   3:1           PsS    14:4
```
adversarius   ܕ ܩܘܒܠܐ
```
1Esr   8:51
```
facies   ܩܘܒܠܠܐ
```
Jdt    8:7           Sir    23:19
2Mc    15:12
```
contrarius   ܣܩܘܒܠܐ
```
ABar   73:3
2Mc    4:50
3Mc    3:1 24
4Mc    5:25 26
1Esr   1:25
```
figere   ܩܒܥ
```
ABar   21:4
2Mc    3:38    15:33 35
4Mc    8:25          Tb     14:10a
```
infigi   ܐܬܩܒܥ
```
Sap    7:2
```
infigere   ܩܒܥ
```
4Mc    10:5    12:4   13:4 26
```
infixio   ܩܒܥܐ
```
Sap    7:19 29
```
fixa tabernacula   ܩܒܝܥܘܬ ܡܫܟܢܠܐ
```
1Esr   5:50
```
sepelire   ܩܒܪ
```
Sap    18:12   19:3
Jdt    8:3
ABar   10:15
1Mc    2:70    7:17   9:19   13:25
2Mc    4:49    12:39
4Mc    16:11   17:8
1Esr   1:29
Tb     1:17 19   2:7 8 9   4:3 4   6:15   8:10b
       12a    12:12a   14:3b 10 11 12a 13
PsS    2:31
```
sepeliri   ܐܬܩܒܪ
```
Jdt    16:23
1Mc    13:23
2Mc    5:10    9:15 15   13:7
```

3Mc	6:31
1Esr	1:29
Tb	14:11b 13

sepulcrum   ܩܒܪ

2Bar	2:24
Sir	30:19
ABar	66:3
4Esr	5:35
1Mc	2:70 9:19 13:27 30
2Mc	5:10 12:39
4Mc	17:8
1Esr	1:29
Tb	4:4 17 6:15 8:9 18

sepultura   ܩܒܘܪܬܐ

Sir	38:16

gubernator   κυβερνήτης   ܩܒܪܢܝܛܐ

4Mc	7:1

arca   κιβωτός   ܩܒܘܬܐ ܩܒܘܬܐ

ABar	77:23
4Esr	10:22
2Mc	2:4 5
1Esr	1:3 3 51

possidere   ܩܕܐ ,

Sir	14:5

cervices   ܩܕܠܐ

2Bar	2:30 33
Sir	16:11
4Mc	9:28 11:10
1Esr	1:46 3:6
PsS	2:6 8:35

antevenire   ܩܕܡ

Sap	6:14 8:8 16:28 18:2 19 21 19:11
1Bar	7:4 8:7
BelD	12
Jdt	12:5
ABar	4:3 27:13 28:6 40:3 42:2 46:6
	48:30 50:4 51:16 54:1 69:3 4
	70:6 7 9 74:3
4Esr	6:25 7:26 13:32 14:8
1Mc	4:52 6:33 10:4 77 11:67 13:20
	16:5
2Mc	2:32 4:1 9:5
3Mc	2:10 20 22 6:35
1Esr	1:30 31
Tb	9:6

PsS   15:9
primus   ܩܘܪܝܐ
4Esr   7:78
1Mc   2:18   5:40   7:43   16:6
2Mc   12:36
pars anterior   ܩܘܩܪܝܐ
4Esr   5:42
ahenum   ܩܕܣܐ
4Esr   6:56
2Mc   7:3
4Mc   8:12   12:1   18:22
1Esr   1:11
olla   ܩܕܪܐ
Sir   13:2
cidaris   κίδαρος   ܩܕܪܐ ܩܕܪܐ
1Esr   3:6
cedrinus   κέδρινος   ܩܕܪܐ ܩܕܪܐ
1Esr   5:53
inauris   ܩܕܫܐ
Jdt   10:4
sanctificare   ܩܕܫ
Sap   18:7
Jdt   11:13
Sir   33:9 12   50:11
ABar   21:1   66:2
4Esr   5:25   9:8   10:21
1Mc   4:48
2Mc   1:25 26 33   10:7
3Mc   2:9 16
1Esr   1:3   5:51
PsS   8:26   17:28
se sacrare   ܐܬܩܕܫ
Jdt   4:3
Sir   36:4 4
ABar   20:4
2Mc   2:8   12:38
4Mc   17:20
1Esr   1:47
Tb   1:4 21
sacrum   ܩܘܕܫܐ
Jdt   5:19   6:19   9:8 13
Sir   50:11
1Mc   3:59
1Esr   8:75

sanctus

Sap	1:5	5:5	7:22	9:8 8	10:20	11:1
	12:3	17:2	18:5			

1Bar   7:8

2Bar   2:15 16   3:7   4:37   5:5

Su   45

Sir   1:20   24:10   42:17   43:5 10   45:6
      49:12   51:12

ABar   6:7 7   21:6   35:1 4   63:10   71:1

4Esr   4:23 36   7:125   10:22   13:48   14:22

1Mc   1:15 63   2:7   3:48   10:21 31 39
      11:37   12:9

2Mc   1:7 12 29   2:18   3:1   4:17   5:15 25
      28   6:28 30   7:23   8:15 17 23 33
      9:14 16   13:8 11   14:31 36 36   15:2
      14 17 17 18 24

3Mc   1:16   2:2 2 6 13 14 14 21 21   5:13
      6:1 3 3 5 18   7:10

4Mc   4:9   14:7   17:19

1Esr   1:3 3 50   2:9   7:5   8:57 57 67
       9:50 52 53

Tb   2:1   3:11   8:5a 15a 15a   11:14a
     12:12a 15a 15a   13:8b 9a

Dn   3:28 35 52

PsS   8:4   11:1   17:23 36 48 49

sanctitas   ܩܘܕ ܘܬܐ

Sir   42:22

ABar   61:5   4Esr   6:32

2Mc   2:17   3:12

4Mc   7:9   PsS   11:8   17:33

sacratio   ܩܘܕ ܐ

Sap   9:10 17

1Bar   3:2   BelD   36

Jdt   4:12   8:21 24

Sir   4:14   9:10   17:10   26:17   36:13
      45:20   47:1   49:6   50:11 14

ABar   5:1   66:4

1Mc   3:43   4:49   14:15

2Mc   5:16   9:16

4Mc   3:20   4:7

1Esr   1:5   5:40

2Mc   5:16   Dn   3:53 88[y]

PsS   7:2   PsAp   3:2

PsAp　　3:2

ܩܘܕܫܐ　ܒܝܬ　<<<　ܩܘܕܫܐ

hebetare　　　　　　　　　　　　　　ܩܘܗܝ

Sir　　30:10

litigiosus　　　　　　　　　　　　ܩܘܛܠܐ

Sir　　26:27

vinculum　　　　　　　　　　　　ܩܘܛܪܐ

1Mc　　3:41

manere　　　　　　　　　　　　　　ܩܘܝ

Sap　　3:9　　7:27　　14:13　　15:8 8　　16:3 6

Jdt　　7:12 20　　8:17　　16:20

Sir　　11:17 21

ABar　　13:6　　14:19　　21:16 19　　26:1　　32:3 3

　　　　44:7 12　　49:2

4Esr　　3:22　　6:28 41　　7:112　　8:22　　9:35

　　　　10:51 54 58　　11:24　　12:34

1Mc　　10:26 27　　11:40

2Mc　　8:1　　11:24

3Mc　　3:11　　7:17

4Mc　　8:17

Tb　　2:2　　10:8

vox　　　　　　　　　　　　　　　　ܩܠܐ

Sap　　1:7　　4:19　　7:3 22　　17:4 19 19 19 19

　　　　18:1　　19:17 17 17

2Bar　　1:18 19 21　　2:5 10 22 23 23 23 23 24 29

　　　　3:4

BelD　　18　41

Su　　24　26　42　44　46　59a　60a　62

Jdt　　7:23 29　　8:17　　9:1 12　　13:12 14

　　　　14:9 9 16　　16:11

Sir　　2:11　　4:5　　21:20　　24:14　　29:5

　　　　34:24　　39:15 15　　45:3　　46:17 20　　47:8

　　　　50:16 17　　51:9

ABar　　5:6　　6:8　　8:1　　13:1　　22:1　　32:8

　　　　54:7 8 11　　59:11

4Esr　　5:5 7 37　　6:2 13 17 17 17 21 23 32 39

　　　　8:19 24　　9:38 45　　10:26 26 27　　11: 7

　　　　10 15 36 37　　12:17 45　　13:4 33　　14:2

　　　　38

1Mc　　2:19 27　　3:54　　5:31 51　　9:13 41

　　　　13:8 45

2Mc　　1:8　　3:25　　7:24　　11:9　　12:37

3Mc　　1:16 23 28 29　　2:10 21　　4:2　　5:48

　　　　6:8 17 23 32　　7:13

4Mc　　6:4 16　　8:28　　10:2 18　　14:3 17

(4Mc)   15:21 21
1Esr   5:59 61 63   9:10
Tb   11:10b 17b
Dn   3:47
PsS   1:2   8:1 1 4   11:2   15:5
PsAp   2:1 12 12

ܡܠܐ ܒܝܬ ܀܀܀ ܡܠܐ
ܡܡ

stare
Sap   2:12 18   5:1 23   6:5 14   7:14 17 25
      10:7 7 11 12 16   11:3 22 22 26   12:12
      12 14   13:13   16:22 28   17:17   18:16
      16 21 23   19:1 7
EpJr   26   55
1Bar   4:3   5:5   6:4
2Bar   3:19   5:5
BelD   17   17   30   37   39
Su   5   30   34   48   61
Jdt   2:25   3:2   4:14   5:3 11 22   6:3 4 10
      14   8:3 7 10 18 24 28 33   9:6 6 13
      10:2 16 18 23   11:13 18   12:11 13 15
      13:1 1 3 4 5   14:13   16:14 17
Sir   4:26   6:10 34   8:8 11   11:20   12:12
      16:18   17:2   21:23   22:18 18   24:10
      26:17   33:16   37:4 9 26   42:17 21 23
      43:3 6 10   44:11 12   45:23   46:3 4 7
      23   47:1 17 23   48:1   50:12
ABar   3:3   6:1 4   7:2   13:1 2   20:1   21:6
      6 9   23:3   30:1   37:1   39:4 5   40:3
      46:2   48:2 4 10 31   51:11   55:3   56:4
      61:3   67:7   75:7   77:22
4Esr   4:17 48   5:18 29   6:1 13 14 17 24 29
      7:2 16 34   8:21   9:18   10:2 3 33
      11:7 12 13 20 21 24 25 26   12:2 13 20 40
      13:2 6 20 35   14:2
1Mc   2:1 38   3:53   4:18   5:40 44   6:4 40
      7:25 36   8:11 23   9:8 11 31 40 44
      10:37 37 73 81   11:38 69   12:45   13:14
      14:7 29 32 41 44   15:3   16:3 16
 2Mc   1:11 23 30   3:4 26 33   4:43   6:6
      7:4 19 24 30   9:23 24 25   10:11 14 26
      13:3   14:22 45 45   15:30 30
3Mc   1:23 24   3:7 23   5:26 39 51   6:19 26
4Mc   6:8   12:3   16:15   17:8
1Esr   1:5 10 22   2:7 8 18 20   4:47   5:46
      56 57 57   6:2   7:2 9   8:70 87 91 91

(1Esr4)92   9:1 6 7 11 12 42 43 46
Tb   6:18   7:11a   8:1b   4 4a 9a   9:5b 6b
            10:4b 10   11:3b 5b 10b 11b   12:13 15b
            20b 21
OrM   5
Dn   3:88[X]
PsS   2:40   3:13 16   6:6   7:1   11:3   17:6
            9 44

stabilire   ܦܚܡ
1Mc   13:38
stabilari   ܐܬܩܝܡ
Jdt   16:14
Sir   1:15   2:13   22:18   29:3   40:12 17
            44:20   46:9   50:24
ABar   56:6
1Mc   2:47
2Mc   4:24   5:20

surgere   ܐܩܝܡ
Sap   1:16   15:9
EpJr   33   52
2Bar   2:1 24 25
BelD   39
Jdt   3:6   6:16   8:11   10:23   11:7   14:7
Sir   3:9   10:4   12:12   17:12 17   22:27
            23:2 22 23   26:17   29:3   32:1   33:13
            36:15   38:2   40:18 25   42:11   44:23
            45:3   49:12 13
ABar   10:2   19:1   21:20   42:8   48:8   50:2
            66:4
4Esr   3:15 17 23   5:15   6:54   10:30   12:22
            33
1Mc   1:11 51   2:17 27 44   3:43 55   4:41 59
            5:42   6:14 17 38 50 51 55 59   7:9 18
            48   8:1 7 17 20 29   9:51   10:20 32 54
            69   11:9 34 57 59   12:1   13:28 29 52
            54   14:18 24 26 33 38 42   15:38   16:11
2Mc   3:14   4:9   7:9   8:10 15 22   9:25
            10:11   12:20   13:23 23 25 25   14:13 29
3Mc   1:7   2:27   4:14   6:33   7:1 19 20
4Mc   2:14   3:16   4:16   13:8
1Esr   1:2 23 27   2:7   5:2 40 43 56   8:78
            9:16
Tb   1:22   7:11a   11:11b
OrM   3a   10a
PsS   2:13 35   8:11 20   9:19   11:9   17:23

(PsS17)47

PsAp   2:19

constitui   ܐܬܘܬܣ

1Esr   5:47

resurrectio   ܩܘܡܐ

1Esr   5:59

statura   ܩܘܡܬܐ

Sap   4:9

Jdt   16:6

Sir   27:26

2Mc   7:27

4Mc   8:9 19   9:26   18:9

foedus   ܩܝܡܐ

Sap   1:16   4:3   12:21   13:9   18:22

2Bar   2:35

Jdt   9:13

Sir   11:34   17:11 12   24:23   38:33   41:12

         44:11 20 20   45:5 15 16

ABar   41:3   48:22   59:10

4Esr   3:15 17   7:24   8:27

1Mc   1:11   2:22   7:18   10:26 72   11:9

2Mc   1:2   8:15   13:25 25   15:12

3Mc   1:3 23   2:9 31   3:3

4Mc   5:29

PsS   8:11   9:19

resurrectio   ܩܝܡܬܐ

2Mc   7:14 14   12:43 44

columna   ܩܝܡܐ

Jdt   1:4

conditio   ܩܢ ܩܝܡܐ

Jdt   12:8

1Mc   14:34

antistes   ܩܝܘܡܐ

Jdt   2:14   12:10

1Mc   1:51

2Mc   5:22

1Esr   2:11   7:2

permanens   ܩܝܡ

Sap   4:2

1Bar   5:9   2Bar   3:3

Su   42b

Sir   30:17   44:13

ABar   51:1   77:15

4Esr   5:3   6:5   12:42   14:19

1Mc   4:17   3Mc   5:39

1Esr   4:38
PsS   10:5
urceus   ܩܘܡܬܐ
4Mc   3:12
ager cucumerum   ܩܛܝܢܐ
EpJr   69
interficere   ܩܛܠ
Sap   1:11   10:23   11:10   14:22 24   18:5
BelD   22   26   28   28   29   42
Su   61a
Jdt   1:12 15   2:8 8   6:6
Sir   8:16   9:13   28:18 18   30:23   34:22
        40:28   47:3 4 5
ABar   8:5   22:7 7 27:3   40:2   48:19   64:1
        66:3   72:2
1Mc   1:1 1 18   2:24 25   3:11   5:51   6:24
        46   8:10   9:32 40   11:10 45   13:31
        16:13 16 19 21 22
2Mc   1:16   4:38 42 42 48   7:8   8:3   13:21
        14:2 6 13
3Mc   1:2   2:28   3:1   7:5 12 14 15 15
4Mc   12:15   18:21
1Esr   4:5 7 7
Tb   1:18 21   3:8 15
interfici   ܐܬܩܛܠ
Sap   11:8
1Mc   2:9
2Mc   1:13   12:27
3Mc   1:3
4Mc   4:13   16:3   18:11
1Esr   4:5
Tb   2:8
interficere   ܩܛܠ
Sap   12:5
Jdt   2:27   15:5   16:4 12
1Mc   1:2 60 61   2:38 44   4:2   5:2 28 35
        7:4 16   9:40 61 69   11:47   12:48
        15:40   16:22
2Mc   5:6 11 12 12 24 26 26   6:9   8:6 24 30
        10:17 17 23 29 31 35 37   12:6 16 19 23
        23 26 28 37   13:15   15:22 27
3Mc   6:21
4Mc   9:15   13:14
1Esr   1:50

caedes ܡܛܠܐ

Sap	12:9	14:25	
Jdt	2:11	8:22	9:2 13
Sir	26:28	28:13	
ABar	27:3		
1Mc	1:24		
2Mc	4:36	5:13 14	14:18
4Mc	9:9	10:11 17	
PsS	8:1		

mortifer ܡܛܠ ܡܘܬܐ

2Mc	4:40	9:28	12:6
PsAp	4:1		

cinis ܩܛܡܐ

Sap	2:3	15:10	
BelD	14	14	
Jdt	4:15	9:1	
Sir	10:10	11:12	17:32 40:3
4Esr	13:11		
2Mc	4:41	13:5 8 8	
3Mc	1:18	4:6	
Tb	6:17	8:2a	

vulgus ܣܘܓܐܐ

4Mc	4:6

parvus ܩܛܝܢܐ

Sap	7:22 23
Jdt	4:7
4Esr	11:3

desinere ܡܛܠ

ABar	17:3	48:19	
2Mc	7:4	8:32	12:35 15:33
3Mc	4:18		

obtruncare ܦܛܠ

2Mc	8:24
PsS	12:3

messis ܩܛܦܐ

Sir	24:27 50:8
4Esr	12:42

vindemiator ܩܛܘܦܐ

Sir	33:16 16

vincire ܩܛܪ

Sir	6:31	8:17	9:14 37:11 40:4
1Mc	1:9	8:14	11:13 54 12:39 13:22
2Mc	3:27		
4Mc	14:19		

vis   ܩܛܝܪ

ABar   64:2

4Esr   10:22   11:40 46

1Mc   6:63

2Mc   6:7

3Mc   1:23   2:28 30   3:8 15   4:4 8 9

4Mc   5:13 16 37   6:9   7:10   8:13 21 23

            11:27   17:2

PsS   17:6

pharetra   ܩܛܪܩܐ

Sir   26:12

aestas   ܩܛܐ

4Esr   7:41

cubiculum   κοιτῶν   ܩܝܛܘܢܐ

Jdt   13:3 4   14:15   16:9

1Esr   3:3

Tb   7:15a 16b   8:1b 13b   10:7b

canticum   ܩܝܬܐ

Sap   19:17

faber ferrarius   ܩܝܢܝܐ

EpJr   45

Sir   31:25   43:4

lignum   ܩܝܣܐ

Sap   10:4   13:11   14:1 5 7 21

EpJr   3 10   29   38   50   56   69   70

2Bar   5:8

Sir   8:3   26:12   38:5

4Esr   4:13   5:5

1Mc   6:37   13:43 44

2Mc   1:21   4Mc   11:9 10

1Esr   4:48   5:53   6:8 24 31   9:42

PsS   11:7

evanescere   ܩܠ

4Mc   9:31

sublevare   ܐܩܠ

1Esr   8:83

contumelia afficere   ܩܠܩܠ

Sir   11:34   14:1   25:8

sublevari   ܐܬܩܠܠ

4Esr   7:138   11:46

opprobrium   ܩܠܠܐ

Sap   4:19   Sir   1:30   5:13   6:1

levis   ܩܠܝܠܐ

Sap   3:5 5   4:13   5:11   7:9   12:2 2 8 8 10

            10   13:2 6   14:20

```
1Bar    3:6     8:1  10
2Bar    2:13
BelD    18
Jdt     13:9
Sir     11:32    22:18    27:3    33:5    34:10
        37:28    39:20    40:13    47:6
ABar    14:2    16:1    18:1    19:2    21:11    32:2
        7   48:12  12  50    53:2    68:5
4Esr    5:18    6:12  29  29    7:59  139    8:11
        9:21    10:40    12:5  20
2Mc     3:20  30    4:46    5:17    6:1  29    7:12  33
        35    9:8  10    10:6    11:1    12:34    15:33
        33
3Mc     2:21  24  31    3:23    4:5    5:6  33    7:22
4Mc     9:5    14:10
1Esr    4:34    8:75
Tb      4:8  8    10:8b    12:8a
Dn      3:50
PsS     4:6    16:1  1  2
PsAp    5:4
```

celeriter   ܩܠܝܠܐܝܬ
```
ABar    20:1
4Esr    8:14    14:24
```
levitas   ܩܠܝܠܘܬܐ
```
ABar    48:4
```
urceus   ܩܘܠܬܐ
```
1Bar    8:10
```
comburi   ܐܬܘܩܕ
```
ABar    19:4
```
armilla   ܩܘܠܒܐ
```
Jdt     10:4
Sir     21:21
```
contemptio   ܩܘܠܬܐ
```
2Mc     4:14
```
clavis   κλείς   ܩܠܝܕܐ
```
ABar    10:18
```
laudare   ܩܠܣ
```
4Mc     1:10    7:9    13:16    18:3
OrM     15b
```
laudari   ܐܬܩܠܣ
```
4Mc     2:2
```
laus   ܩܘܠܣܐ
```
4Mc     1:2    17:8
OrM     15b
PsAp    2:2
```

funda   ܩܠܥܐ
Jdt·   6:12   9:7
Sir   47:4
1Mc   9:11
4Mc   16:21
decorticare   ܩܠܦ
1Mc   1:22
Tb   3:17   11:13b
in squamas abire   ܐܬܩܠܦ
Tb   11:4b 13a
collarium   κολλάριον   ܩܠܪܐ
3Mc   4:8
locustae   ܩܡܨܐ
Sap   16:9   17:2
Jdt   2:20
4Esr   4:24
nidus   ܩܢܐ
ABar   77:22
PsS   17:18
possidere   ܩܢܐ
Sap   7:14
2Bar   3:18
Sir   6:7 7   7:22   20:23   23:11   29:6
        36:24   51:20 21 28
1Mc   16:11
3Mc   4:20
4Mc   5:20   14:9   15:10
Tb   3:9
PsS   17:32
comparari   ܐܬܩܢ
Sap   7:27
possessio   ܩܢܝܢܐ
Sap   8:5   13:17
1Bar   6:17
2Bar   3:17 24
Jdt   16:21
Sir   2:18   31:5   36:24   51:21
2Mc   1:14
3Mc   2:32   3:28

       ܩܢܝܢܐ <<< ܒܝܬ ܩܢܝܢܐ

studium   ܩܢܝܬܐ
Sir   12:11   27:30
periculum   κίνδυνος   ܩܝܢܕܘܢܘܣ
ABar   56:10 10   68:2
4Esr   7:9 12   9:8 20 89   12:18   13:19 20 23
       23

1Mc	11:23	14:29		
3Mc	2:12			
4Mc	3:15	13:15		
Tb	4:4			

timere   ܩܘܦ

2Mc	14:22
4Mc	14:4

arundo   ܩܘܝܐ

Sap	3:7		
4Esr	3:34	3Mc	4:20
Dn	3:46		

essentia   ܩܘܡܐ

4Esr	7:76		
4Mc	6:19	17:17	

cortex cinnamoni   κιννάμωνον   ܩܘܢܐ

Sir	24:15

urceus   ܩܘܦܐ

Sir	50:15

opus latericium   κάστρωμα   ܩܘܦܪܘܢܐ

1Mc	7:36

ܩܡ   <<<   ܒܠ ܩܡ

clamare   ܩܥܐ

Su	24	24	60a
Jdt	14:9	16:11	
4Esr	10:26 27		
Tb	2:13		

clamor   ܩܠܐ

EpJr	31		
1Bar	6:16		
2Mc	4:22	3Mc	6:37
1Esr	5:60		

colligere   ܩܦܣ

Sir	16:30

congregari   ܐܬܩܦܣ

Sir	16:10

se subtrahere   ܐܬܩܦܣ

Tb	13:17a

commissura genu   ܩܦܣܐ ܕܒܘܪܟܐ

4Mc	10:6

brevis   ܩܦܝܣܐ

Sir	4:31	39:34
1Esr	2:19	

ܩܨܨ

amputare

Sir	25:26	PsS	13:3

pactum   ܩܝܡܐ
Sap   12:21
finis   ܩܨܐ
Sir   31:6   36:8
4Esr   7:78
vaticinatio   ܩܨܡܐ
Sir   34:5
cycnus   κύκνος   ܩܩܢܘܣ
4Mc   15:21
frigidus   ܩܪܝܪ
Sir   26:12
4Mc   11:25
auriga   ܩܪܘܝ
2Mc   9:4 7
Tb   3:2
clamare   ܩܪܐ
Sap   1:16   7:6   11:3   13:10   14:8 21
        18:7
EpJr   40
1Bar   9:1   2Bar   1:3 14   3:7 33 35
BelD   8   37
Su   52   56a   62a
Jdt   2:2 4 14   3:8   5:2   6:16 21   7:26
        8:10 17   9:4 6   10:2   12:10   13:12
        14:5 6
Sir   2:10   13:6   19:27   36:12   44:23
        51:10 11
ABar   10:8   21:4 21   44:1   48:2   72:2
        77:20
4Esr   4:5   6:23 49 49 58   13:12 39 55
        14:38 45
1Mc   1:6   2:27   3:54   4:13 40   5:33
        6:10 14 17 33   7:45   9:12 12   16:2 8
2Mc   1:36   2:25 25   3:7   8:11 23   10:13
        14:46   15:31 39
3Mc   1:12 27   5:3 18 23 37   6:33
4Mc   3:19   8:3 16   12:18   14:17   15:21
        18:11
1Esr   2:22   3:13 14 15   6:32   9:41 48
Tb   1:9   4:2 3   5:9 10   7:12a 13a 15a
        8:12b   9:1 5b   12:1a 5 6   14:3
PsS   2:40   5:7 10   6:1   7:7   9:11   11:1
        15:1 1
PsAp   3:1 17

vocari   ܐܬܩܪܝ ,

EpJr	29	44	63			
2Bar	2:15 26	5:4				
Sir	5:14	36:12	47:18 18	51:30		
ABar	22:8	42:8	75:6			
4Esr	4:25	7:132	8:31	9:26	10:22 25 45	
	12:24	13:13 13 45	14:48			
1Mc	2:2 3 4 5 5	5:14	6:43	7:37	10:20	
	11:7	12:30 30 37	14:19 40	16:15		
2Mc	1:36	4:7 28	8:15	9:2	10:5 9 12	
	10:32	12:17 21 26	14:6 37			
3Mc	1:3	7:17				
4Mc	4:15	11:20	16:9 16			
1Esr	2:25	3:7 14 15	4:42			

lector   ܩܘܪܝܐ

1Esr   8:8 9 18   9:39 42 49

vocatio   ܩܪܝܐ

1Esr   9:48

certamen   ܩܪܝܐ

Sir   40:5

appropinquare   ܩܪܒ

Sap	3:1				
Su	52				
Jdt	7:8 11	10:15	11:13	13:6 7	
Sir	1:20 20 28	2:1	4:12 15 16	6:19	
	26	9:13	12:13	13:1	21:2
ABar	39:7				
4Esr	5:27	6:18	8:61	14:12	
1Mc	2:18 23 49	6:42	9:12	10:78	
	13:43				
2Mc	3:31	12:38	13:26	14:41	
3Mc	4:17 19	5:14 25 26 29	6:37 40		
4Mc	6:1 13	17:1			
1Esr	5:65				
Tb	6:6 15 18	11:1a 17a			
Dn	3:50				
PsS	4:20				

appropinquare   ܩܪܒ

Sap	6:19	18:21		
EpJr	27	40		
1Bar	8:13			
Jdt	4:14			
Sir	6:25	7:8	13:9	15:2	34:20 25
	35:2	45:5 16	48:32	70:7	
ABar	35:4	36:6			

```
4Esr    10:46
1Mc     2:67    4:56
2Mc     3:32    12:43 44    13:23    14:39
3Mc     5:43
4Mc     12:3
1Esr    1:10    5:48 52    7:7    9:15
Tb      11:4b
PsAp    2:10 11
```

appropinquare

```
EpJr    28
Jdt     7:10    9:1
Sir     1:20    13:9    31:22    40:17    51:6
ABar    10:10 10    32:7    36:8    42:2    48:19
        61:2
4Esr    3:24    5:19    14:17 36
1Mc     5:40    7:33    8:1
2Mc     9:10    11:4    12:15    14:3    15:20
3Mc     3:26
4Mc     14:19
1Esr    1:16    6:30    8:13
Tb      6:10    11:4b 17b
Dn      3:39
PsS     13:5    15:6
```

pugnare

```
Jdt     1:6    5:20    6:2    7:1
Sir     2:40    46:6
ABar    70:7
4Esr    6:24    13:5 8 8 19 30
1Mc     2:40 41 66    3:2 10 12 14 17 43 58
        4:18 28 34 41    5:3 7 21 30 32 50 57 65
        6:31 37 38 51 52 63    8:10 26 28 32
        9:8 9 13 30 47 64 68    10:49 53 75 82
        11:41 50 55 65 69    12:11 12    13:9 14
        47    14:1 26 32    15:19 19 31 39    16:2
2Mc     8:23    10:14 15 18    11:18    12:34 36
        15:27
4Mc     3:7    4:22    5:8    6:24    8:9    11:13
1Esr    1:26    4:6 52
```

pugna

```
Sap     5:20    8:15    11:3    12:8    14:22
        16:17
EpJr    14    49
1Bar    3:3
2Bar    3:26
Jdt     1:11 13    2:15 16    4:5    5:1 18 23
```

```
                7:5 11    9:7    11:8   14:2 13    15:7
                16:2
Sir       26:27 27    29:13    46:3    47:5
ABar      70:3 6 8
4Esr      4:14 15    5:9    13:9 28 28 33 34
1Mc       1:2 18    2:32 35 41 66 66    3:2 3 3 19
          44 59    4:7 13 17 21    5:7 21 35 39 42 56
          59 67 67    6:4 30 33 34 42    7:43    8:5
          6 27    9:1 7 11 17 22 30 45    10:15 50
          78    11:4 15 72    12:14 27 28 50    13:3
          9    14:9 29    16:2 4 23
2Mc       1:12    2:20    5:3    8:6 8 9 16 20 33
          10:10 27    12:11 27    13:2    14:6    15:17
          19 28 28 30
3Mc       1:2 4    3:24
4Mc       7:4
1Esr      1:23 25 27 28    2:19 23    4:4    5:69
PsS       1:2    8:1 1 17    12:4    15:9 17 37 37
```

bellicosus   ܩܪܒܬܐ

```
Sap       18:15
EpJr      55
Jdt       1:16    15:3 5
1Mc       9:11    14:13    15:13
```

propinquitas   ܩܘܪܒܐ

```
Sir       37:6
```

donum   ܩܘܪܒܢܐ

```
Sap       14:15
2Bar      1:10
Jdt       4:14    9:1
Sir       7:9 9 31    20:29    34:18 19 20    35:2 6
          12    46:19    50:13
ABar      35:4    59:9    61:2    64:2    66:2    68:5
4Esr      3:24    10:45 46
1Mc       1:22 45    4:44 53    7:33    11:24    12:11
2Mc       1:18 21 26 31 33    2:9 10 13    3:2 3 6 32
          35    4:14    9:16    10:3 12:43 44    13:23
          14:31
3Mc       1:8 9    3:16    5:43
1Esr      5:51    9:13
Tb        4:11    11:19b    13:11a 11a
Dn        3:38 40
PsS       2:3
```

propinquus   ܩܪܝܒ

```
Sap       6:6    9:4    11:11    14:17
1Bar      5:2    8:10
```

```
Jdt      7:4 13    8:27     15:2     16:24
Sir      11:21    18:13    19:14    37:4     51:26
ABar     23:7     74:3
4Esr     5:11 50   6:58
1Mc      3:43     4:18     8:12
2Mc      2:22     5:5      6:8      7:18     8:3 6    9:3 21
         10:15 35    12:16    13:17
3Mc      1:6      5:14 23 41
4Mc      4:11     5:4      6:13 26    10:9     12:10
1Esr     6:3
Tb       2:8      3:15     11:15b    12:12a
```

impugnator   ܩܘܒܪܐ
```
1Esr     4:4            Tb       12:10a
```

olla   καλδάριον   ܩܘܕܪܐ
```
1Esr     1:11
```

vicus   ܩܘܪܝܐ ܩܪܝܬܐ
```
Jdt      3:7      4:4 5    8:7      9:18     10:1 3    16:4 8
Sir      24:11    36:13    42:11    49:6
1Mc      1:44     5:47     7:46
2Mc      8:1 6    11:5     12:21    14:16
1Esr     4:50     5:45
```

trabs   ܩܪܝܬܐ
```
EpJr     19    54
Sir      23:18    29:22
```

obducere   ܩܪܡ
```
EpJr     7    23
```

cornu   ܩܪܢܐ
```
Sir      26:27    47:5 7 10
ABar     66:2
4Esr     6:23
PsS      11:1
PsAp     2:19
```

cornu (metaphorice)   ܩܪܢܬܐ
```
Jdt      9:8
Sir      50:16
1Mc      3:54     4:13 40   5:31 33    6:33     7:45
         9:12 12    16:8
```

                                  ܩܪܐ ܡܪܒܠ ‹‹‹ ܩܪܐ ܒܥܠ ‹‹‹ ܩܪܐ

calva   ܩܪܩܦܬܐ
```
Su       55b    59b
4Mc      15:20 20
```

navicula   κέρκουρος   ܩܪܩܘܪܐ
```
2Mc      12:3
```

ܪܬܐ ܩܘ ܒ

cera

4Esr   13:4

senescere   ܒܩ

4Mc   5:36

senex   ܪ܂ܒܝ܂܂ܩܒ

Sap   8:10

Su   5   5   8   15   16   18   19   24   26
        27   28   34   36   41   50   51   54a
        61b

Jdt   8:10   13:12

Sir   8:4   10:20   21:9   25:6 20

1Mc   7:33   16:2

3Mc   1:8 23   6:1

4Mc   5:4   7:10

1Esr   1:50   5:60   6:5 8 10 26   7:2   9:4 13

senectus   ܪܬܐܩܒܝ܂܂ܒ

Su   50

durum reddere   ܩܫܝ

Sir   8:15   13:2   16:11 15

durum reddere   ܐܩܫܝ

Sir   30:13

4Mc   9:19

durus   ܩܫܝ܂ܐ

Sap   12:9   13:13   17:6

2Bar   2:30   4:26

Sir   3:21 26 27   6:2 20   8:1 15   21:24
        25:22   26:7   28:20   39:20

ABar   36:2   39:2 5

2Mc   7:42   9:5 7 9 21   10:32   12:21
        13:9

3Mc   2:24   3:1 8   4:4 5 6 15   5:18 30 47
        7:14

4Mc   2:19   3:15   5:16   7:10 24   8:8
        9:4 6   11:12   14:19

1Esr   2:23

PsS   4:2   8:35

PsAp   3:11

dure   ܩܫܝ܂ܐܝܬ

3Mc   3:1 9   5:30

4Mc   12:2   18:20

PsS   8:16

duritia   ܪܬܐܩܫܝ܂܂ܘ

1Bar   5:8

2Bar   2:33

Jdt   26:29   Sir 26:29

arcus						ܩܫܬܐ ܩܫܬܐ
Sap	5:21					
Jdt	2:15	9:7				
Sir	50:7					
2Mc	5:3					
PsS	17:37					
sagittarius						ܩܫܬܐ
1Mc	9:11					
veritas						ܩܘܫܬܐ
Sap	3:8	5:6	6:17	9:3	10:10	12:26
	27	14:30 30	18:9			
2Bar	4:13					
Su	48	55b	59b			
Jdt	10:13					
Sir	1:15	4:25 28	7:20	27:8 9	35:17	
	37:15	42:21	49:3	51:15		
4Esr	8:26	11:41	12:7	14:32		
2Mc	3:29	12:6				
Tb	13:6b					
OrM	7b					
Dn	3:27 28					
PsAp	3:7					
figere						ܩܒܥ
4Mc	9:28					
cithara		κιθάρα				ܩܝܬܪܐ
Sir	44:5					
1Mc	3:45	4:54	9:39	13:51		

ܪ

crescere   ܪܒܐ
4Esr   7:114   9:47   10:12
2Mc   4:3 13
3Mc   2:25

augere   ܪܒܝ
2Bar   4:11
Sir   7:28
1Mc   3:33   6:15 17 55   11:39
1Esr   4:16 20
Tb   14:10

educari   ܐܬܪܒܝ
Sir   11:14   24:12 13 14 14 14   43:8
4Esr   8:11
1Mc   1:6
4Mc   10:2   11:15   13:23

magnificare   ܐܪܒܝ
PsS   5:11

opprimere   ܐܬܪܘܪܒ
Jdt   6:17
Sir   32:9
ABar   61:4
1Mc   8:14
2Mc   4:50

magnus esse   ܪܒ
2Mc   8:8

magnus   ܪܒܐ
Sap   5:1   6:7   12:21   16:16   18:1
1Bar   6:7
2Bar   1:4   2:14 29   3:24   4:9 24
BelD   18   23   41
Jdt   1:1 8   2:5   3:2 9   4:6 6 8 9 14
        5:3 5   7:24 25 29   8:9 19   11:11
        13:4 13 18   14:12 16   15:5 8   16:13
Sir   1:3 20   3:18   10:24 24   24:29 29
        26:8 29   32:1   34:13   35:10   41:12
        43:5   45:24   46:1   47:22   48:18 21
        50:1 1
ABar   5:1   11:1   15:8   21:6   32:6   35:4
        44:8   48:8 50   53:1 1   56:3   77:1

ܪܘܪܒܐܝܬ   ܪܒܘܬܐ

```
3Mc    6:4    7:16
4Mc    5:20
```
valde   ܪܘܪܒܐܝܬ
```
1Mc    2:14   10:46
2Mc    1:11   2:8    3:35   7:24   8:27   10:34
       38    13:20 25   14:1
3Mc    7:18
4Mc    1:17   7:25   13:25
1Esr   5:62   9:54
Tb     9:4a   14:3a
PsS    2:10
```
magnates   ܪܘܪܒܐ
```
Sap    6:5
2Bar   1:4   4 9 16    2:1
Jdt    2:2    5:22    6:14 17    7:8 23    8:11 35
       9:2 3    12:13    14:12    15:13
Sir    20:27   23:19   25:5   33:18   36:9
       39:4
ABar   27:3   63:7
4Esr   5:13   6:31
1Mc    6:57 60 61    7:26    9:37 53    10:63
       11:62 63 70    12:24    14:2
2Mc    9:25
3Mc    1:25   2:25   5:3 21
4Mc    5:1
1Esr   1:36   3:1 9 14    4:33    8:26 55 67
PsS    2:36   5:13
```
           ܪܘܪܒܢܘܬܐ
```
Jdt    15:13
```
oeconomus   ܪܒܢܘܬܐ ܪܒܬܐ
```
Sir    29:28
4Esr   9:46    10:47
2Mc    3:4    7:27    14:2
3Mc    5:14
4Mc    2:8
```
magister militum   ܪܒܚܝܠܐ
```
Jdt    2:4 14    4:1    5:1    6:1    10:13    14:3
       19
1Mc    5:40    6:28
```
qui principatus particeps   ܪܒ ܦܠܓܐ
```
1Mc    10:65
```
summus pincernarum   ܪܒ ܫܩܐ
```
Sir    48:18
```
magnitudo   ܪܒܘܬܐ
```
Sap    6:7    9:10    13:5    14:14    18:24
```

1Bar   4:4   5:6
2Bar   2:18
Sir   1:11   2:18   35:17   36:14   40:18
       44:2   47:6
ABar   21:22   51:11   55:8   56:6   59:8
4Esr   5:52 54   10:55   11:1   12:7
1Mc   11:45 47 57   14:30   15:13
2Mc   3:34   4:7 10 24 25   5:13 16   7:17
       8:9 30   9:17   10:13 17 20 23   11:3 4
       4   12:20 23   13:2   14:7 13   15:13 24
3Mc   2:6 9   6:8 39
4Mc   4:3 16
1Esr   4:40 46   5:41
Tb   13:4a 6a 7a
OrM   5
PsAp   4:4

munus pontificis maximi   ܪܒܘܬ ܟܗܢܘܬܐ
1Mc   7:21   16:24
4Mc   4:1

decem milia   ܪܒܐ
Sap   12:22
Sir   23:19   35:11 11
ABar   29:5
4Esr   7:138
2Mc   11:5
4Mc   13:19

nutritor   ܡܪܒܝܢܐ
2Mc   9:29

nutrix   ܡܪܒܝܢܝܬܐ
2Bar   4:8

augmentum   ܬܪܒܝܬܐ
Sap   16:2
4Mc   13:21   15:13   16:7 9

tympanon   ܪܒܝܥܐ
Jdt   3:7

quadratus   ܡܪܒܥܐ
1Mc   10:11

accumbere   ܪܒܥ
Sir   32:2

uterus, cubile   ܡܪܒܥܐ
Jdt   2:27   3:3   9:2
ABar   73:7
4Esr   4:40 41   5:35 46 48 53   8:8 9

       ܡܪܒܥܐ ܒܝܬ <<< ܡܪܒܥܐ

infigere   ܪܒܥ
4Mc   10:7

ܝ ‍ܝ

cupire

Sap	6:13 21	8:2	19:11

Su   8   10   14   20   20

Jdt   1:15

Sir   14:14

1Mc   11:11

2Mc   6:18

4Mc   1:1 34   2:1 5 6   3:2

cupire

Sap   6:11   15:19   16:3

Su   15

Jdt   12:17   16:22

Sir   6:37   16:1   20:4 25   24:19   25:1 21

4Esr   4:4 43

1Mc   4:17

3Mc   1:8

cupido

Sap   3:14   4:12   6:17 20   7:2   16:2 2

1Bar   6:18 18

Su   14   56

Sir   11:31   14:14   18:30   36:22   40:22

ABar   35:5

1Mc   1:23

4Mc   1:4 22   3:2 11 12 12 16

PsS   2:27   4:12 13 23   14:4

cupidus

2Mc   6:18

cupido

Sap   16:3 21

Sir   40:29

ABar   73:4

4Mc   1:31 33 33 35   2:1 4 6   5:23

desiderium

4Mc   9:31

irasci

Sap   12:27

Jdt   8:14

Sir   45:19

ABar   48:14

4Esr   8:30 34

1Mc   6:59

2Mc   5:17   8:33

3Mc   3:1   4:13

4Mc   8:21

1Esr   8:85

413

```
Tb       5:14
OrM      13
PsS      7:4
```
iratum reddere
```
2Bar     4:6 7
Jdt      11:11
Sir      16:6   17:25    30:10
OrM      10
PsS      4:1 25
```
ira
```
Sap      5:20   10:3   11:9   13:6   16:5   18:20
         21 23 25   19:12
2Bar     1:13   2:20   4:9 25
Jdt      5:2    9:9
Sir      5:6 6 7   7:16   16:11   18:24   23:16
         26:8   27:30   28:3 10   30:24   36:2 7
         9   39:23 28 28   40:5   45:19
ABar     48:17 37   59:6   63:2   64:4
4Esr     10:5
1Mc      1:64   2:44 49   3:8 27   9:69   15:36
2Mc      4:25 38   5:11 20   7:38   8:4 5   14:27
3Mc      3:21   5:1 30 47   6:20 22 23 34   7:5
4Mc      2:19   8:8   9:32
1Esr     8:21   9:13
OrM      5
PsS      2:25 26 28   15:6   16:10   17:14
```
commotio irae
```
PsS      17:22
```
humectare
```
Sap      15:7
```
pes
```
Sap      14:11   15:15
EpJr     16
2Bar     3:32   5:6
Jdt      6:4    14:7
Sir      6:24 36   21:9 19 22   25:20   40:25
         51:2 15
ABar     13:2
4Esr     5:15   6:13 17   10:30 33   14:2
1Mc      5:48   10:72   15:38 41   16:5
2Mc      7:27
3Mc      1:1    4:9   5:42
4Mc      1:34   10:5   14:6   15:15
PsS      7:2    8:20
```

ܐܘܪܚܐ   ܐܪܚܝ

pedes   ܐܘܪܚܐ

Jdt   2:5 7 19 22   7:17 20   9:7   10:4

Sir   16:10

1Mc   3:39   4:1 6   6:30   9:4

2Mc   10:31   12:10 20 33   13:2

1Esr   8:51

rivus   ܐܘܪܚܬܐ

Jdt   2:8

proelium   ܐܘܪܚܬܐ

4Mc   17:24

marsupium   ܐܘܪܩܬܐ ܐܘܪܩܐ

Tb   9:5b

sentire   ܐܪܓ

EpJr   23

ABar   28:7   29:1

4Esr   6:16

2Mc   12:7 8   14:37

sensus   ܐܪܓܐ

4Mc   2:22

PsS   8:1

sensus   [Thornd ܪܐܘܠܓܬܐ]   ܪܐܪܓܘܬܐ

1Esr   1:22

ambulare   ܐܪܐ

Sap   11:9   14:1   17:18

1Bar   1:3 7   8:14

Jdt   2:19 27

Sir   5:9   7:23   18:13   30:2   39:22

4Esr   3:11   6:24   7:122   8:12   14:34

2Mc   6:16 16   14:45   15:12

4Mc   6:6   7:3   10:8

Tb   1:3 6   4:14

PsS   7:3   16:11   17:47

castigari   ܐܬܪܐ

Sap   3:5   6:11 25   8:15   16:6

Sir   10:25

ABar   1:5   4:1   13:5 10

4Esr   5:30

2Mc   10:4

4Mc   13:23

PsS   3:4   13:7

fluere facere   ܐܪܕܝ

2Bar   1:20

Sir   30:9   46:8

3Mc   6:10

fluxus   ܪܗܛ
Sap   13:2

eruditor   ܪܗܐ
4Mc   5:34
PsS   8:35

via   ܪܗܝܐ
Jdt   2:21
4Esr   13:45

disciplina   ܪܗܝܬܐ
Sap   1:5   3:11   6:17 17   7:14   16:6
2Bar   4:13
Jdt   8:27
Sir   6:23   22:6   31:17   33:24   51:26
2Mc   6:12 23   7:33
4Mc   1:17   11:21   13:21
PsS   8:32   10:2 3   13:6 8 9   14:1   16:13
            18:4

cursus   ܪܗܛܬܐ
1Bar   8:10
4Mc   13:6
Tb   7:9   10:1a

Nerinum oleander   ῥοδοδάφνη   ܪܗܕܦܢܐ
Sir   24:16

sequi   ܪܗܦ
Sap   16:16   19:2 3
2Bar   4:25
Sir   27:19   31:5
1Mc   2:47   3:5 24   4:9 15 16   5:22 60
            7:45   9:15   10:49 78   11:73   12:30
            15:11 39   16:9
2Mc   2:21   8:25 26   9:7   12:23
3Mc   2:7
1Esr   5:56
PsS   15:9 10

persequi   ܐܬܪܗܦ
Sap   2:4   11:21
2Mc   5:8

persecutor   ܪܗܦܐ
Sir   40:6

persecutio   ܪܗܦܝܐ
1Mc   12:51
4Mc   6:17

currere   ܪܗܒ
3Mc   1:17

                                                 ܒܗܪܐ

terrere

Sap   18:19

terreri   ܒܗܝܠܐ

2Bar   4:32 32

ABar   55:7

4Esr   6:15 16 23

1Mc   3:5   4:8

2Mc   6:12   8:16   14:17

3Mc   6:17

PsS   6:5

trepidare   ܒܗܝܠ

1Bar   6:1 1

Sir   5:11   42:23   43:5

ABar   36:9   54:1

4Esr   12:20

1Mc   2:35   13:10

2Mc   9:14

3Mc   3:8

PsS   17:51

terreri properare   ܒܗܝܠܘܬ

Sap   16:11   18:21

Jdt   10:15   13:12

Sir   6:7

ABar   10:19   20:1 3   23:2

4Esr   4:26 34 34 42 42   5:44   6:37   7:98

        14:14 17

2Mc   3:8   4:14   5:11 21   8:25   11:37

4Mc   3:8   14:5   16:20

terror   ܪܒܗܪܐ   ܪܒܗܝ

Sap   17:7

1Mc   5:31

2Mc   3:30   4:41   15:29

celeritas   ܪܚܒܥܝܪܐ   ܪܚܒܥܝ

4Esr   9:3

2Mc   14:43   15:23

3Mc   6:19

acceleratio   ܪܒܗܝܥܘ

2Mc   14:43

3Mc   3:1   5:25

celeriter   ܕܝ ܪܒܗܝܥܐܝ

Sap   3:18   4:7   19:2

2Mc   4:12   6:23   9:4   10:22   14:17

1Esr   2:25

currere   ܪܗܛ

Sap   3:7   5:9   14:20   17:18

Su	19	25	26	26	38
Jdt	6:16	13:13	14:3	15:12	
Sir	11:10	10 11	26:11		
ABar	20:1	44:10	10		
1Mc	2:24	32	6:45		
2Mc	2:31	3:19	5:2 3 26	10:35	11:11
	14:45				
3Mc	1:19	4Mc	7:11	12:10	14:5
1Esr	4:34				
Tb	8:19b	11:3a 4b 6b 9a 10			
PsS	13:3				

cursus   ܪܗܛ

Sap	7:19
Jdt	10:18
Sir	43:10
ABar	53:2 74:1 77:13
2Mc	9:7
3Mc	3:8
1Esr	4:34

cursus   ܪܗܛܐ

1Esr	1:7

orator   ῥήτωρ   ܪܗܛܪܐ

4Mc	6:1

rebellare   ܪܒ

2Mc	4:40

tumultus   ܪܘܒܐ

Jdt	6:1
4Esr	9:3
1Mc	9:39
3Mc	5:48

gaudio exsultare   ܪܘܙ

4Esr	7:34
4Mc	8:2 13:13
Tb	13:7a

gaudio afficere   ܐܪܘܙ

Tb	13:13a

exsultatio   ܐܪܘܙܐ ܪܘܙܐ

Sir	15:6
Tb	13:1a 7b 11a 13a

amplificare   ܐܬܪܘܚ

1Mc	13:11

amplificare   ܪܘܚ

Sir	29:9

ventus, spiritus   ܪܘܚܐ

Sap	1:5 6 2:3 4:4 4 5:3 11 14 14 23

(Sap) 7:7 7 20 22 23   9:6 17   11:21 21
       12:1   13:2   15:1 5 11 16   16:14 14
       17:18
EpJr 24   60
1Bar 7:7   8:7 8
2Bar 2:17   3:1   4:25
BelD 36
Su 45
Jdt 7:19   10:13   14:6
Sir 1:20   2:4 17   4:2 2 9   5:4 9   18:11
     22:18   28:10   29:8   30:15   33:31
     34:15   35:1 14   39:6 28 28   48:24
     51:6
ABar 3:3   6:3   12:4   21:2   23:5   24:2 2
     29:7   48:4 8 29   59:5 6   64:3   70:2
4Esr 3:3 5 19   4:5 9   5:22 37   6:1 37 39 41
     7:33 40 74 134 134   8:22   9:12   11:2
     12:3 5   13:2 3 5 10 10 27   14:22 40
1Mc 13:27
2Mc 6:14   7:22 23   8:18 26   13:26   14:46
3Mc 2:22   6:24
4Mc 7:14   11:11   12:20   15:32
1Esr 2:2 7
Tb 3:6   6:8   14:11b
OrM 7
Dn 3:39 50 65 88^y
PsS 8:2 15
spatium   ܪܬܐܘܝܪ ܪܬܘܐܝ
1Bar 8:12
Sir 16:7
4Esr 7:5 18 18 96
2Mc 3:24
3Mc 4:10
1Esr 9:38 41
Dn 3:86
amplus   ܪܬܘܐܝ
2Bar 3:24
4Esr 7:3 13
3Mc 4:11   5:44 45
amplitudo   ܪܬܐܘܘܝ
1Esr 5:46
potu satiari   ܝܐܝ
Jdt 6:4
potum praebere   ܝܐܝܪ
Sir 1:16   24:31

3Mc	5:10 31 45				

ebrietas   ܪܘܝܘܬܐ

Jdt	13:15
3Mc	5:2
Tb	4:15 15
PsS	8:15

ebrius   ܪܘܝܐ

Sir	18:34 19:1 26:8
4Mc	2:7

surrigere   ܐܬܬܥܝܪ   ܐܬܥܝܪ

2Bar	5:6
Jdt	9:7
Sir	25:11 32:1 38:33 40:26 50:28
ABar	1:4 39:5 51:5 5 70:3
4Esr	6:4
PsS	1:5 4:9 18 13:10
1Mc	1:3 2:48 63 8:13 10:70 11:16
	13:41 16:13
2Mc	1:28 5:17 21 23 7:34 9:4 7 11:4
	12:14 15:16
3Mc	1:26 2:3 5 21 3:11 6:4 5 5 7:21

exaltare   ܐܬܪܝܡ

Sap	4:14
EpJr	9
1Bar	1:6
Jdt	11:2 16:10
Sir	7:11 11:1 13 15:5 21:20 29:5
	33:12 25 36:3 39:15 40:26 46:2
	20 47:5 11 48:18 51:9
ABar	5:6 6:3 20:2 32:8 36:8 66:2
4Esr	3:20 9:38 13:9 14:32
1Mc	2:40 3:20 29 35 52 58 5:30 6:19
	7:26 47 9:39 47 12:53 14:7 14 36
	37
2Mc	11:9 15:21 32 14:33
3Mc	7:13 4Mc 7:5
1Esr	4:58 9:47
Tb	2:4
OrM	9a 10 10a
PsS	2:22 4:7 5:12 17:8
PsAp	1:4 7

exaltare   ܪܡܪܡ

Jdt	16:1
Sir	11:13 38:3
ABar	66:2

1Mc	11:26 12:36 43 13:27 29 14:35

1Mc   11:26   12:36 43   13:27 29   14:35
Tb   12:6   13:4a 6 7 18a   14:7a
Dn   3:26 52 52 53 54 55 56 57 88^{z}
PsAp   5:6
exaltari   אתחלמר
ABar   63:4
altus   ܪܘܡܐ
Sap   6:3
2Bar   2:11   3:25   5:7
BelD   18   41
Su   24   46   59a   60a
Jdt   4:5   5:1   7:23 29   9:1   13:14   14:9
       16
Sir   10:6   39:15   47:2 2
ABar   6:6   13:8   24:2   36:2   39:2 8
4Esr   6:23   9:38   10:26 27   12:45   13:6 10
1Mc   2:19 27   3:54   4:60   6:40   9:50
       13:8 33 45
2Mc   5:18 20   7:38   9:8   14:45   15:35
3Mc   1:23   3:4   5:12 13 20 33   6:4 20
4Mc   4:12 15 25   5:1   6:4 16   10:2
1Esr   4:34   9:10
Tb   13:15a
PsS   11:5   17:21
PsAp   2:1
collis   ܪܡܬܐ
EpJr   62
Jdt   7:4
ABar   42:4 5
1Mc   5:9
Dn   3:75
PsS   11:6
superbia   ܪܡܘܬܐ
Sap   17:7
1Bar   6:13
Sir   10:18
ABar   48:40
2Bar   6:29   14:8   15:32
3Mc   1:27   2:17   3:18 19   5:42
4Mc   9:30
Tb   1:13
altitudo   ܪܘܡܐ
Jdt   1:2 4   7:10   10:8   13:4   15:9
Sir   1:3   16:17   40:11 11   43:8   45:6
       47:14   50:28

ABar   10:18   21:4   36:5   48:5   54:1 3
        59:8
4Esr   6:4   7:7
1Mc   1:40   12:36
4Mc   6:6
1Esr   6:24
OrM   9b   10a
PsS   11:3   17:7

altitudo   ܣܒܘܪܐ

Sir   24:4   51:10
ABar   13:1   22:1   51:10
4Esr   8:20

excellens   ܣܒܝܪ

Sap   5:15
1Bar   3:1 3   4:2 4   5:2 6   6:1   8:8 12
Jdt   13:18
Sir   7:11   43:2   45:6   51:2
ABar   6:6   12:3   17:1   25:1   39:5   54:9
        17   56:1   64:6 8   67:3 7   69:2
        70:7   71:3   76:1   77:4 21
4Esr   3:3   4:2 11 11 34 34   5:4 22 34   6:32
        36   7:19 23 33 37 42 50 70 74 77 78 79
        81 84 87 88 89 91 102 122 132   8:1 48
        56 59   9:2 25 28 44 46   10:16 24 38
        50 52 54 57 59 59   11:38 43 44 45
        12:4 6 23 30 32 36 39 46   13:13 23 26
        29 44 47 56 57   14:32 42 45 48
3Mc   6:2   7:9
1Esr   2:3   4:30   6:30   8:19 21   9:46
Tb   1:4 13   4:11
OrM   7b
PsS   15:7

elevatio   ܪܒܘܬܐ

Sir   26:9

exaltatio   ܪܘܡܪܡܐ

1Mc   10:24
OrM   15b

magnifice   ܪܘܪܒܐܝܬ

Sir   43:8

mysterium   ܐܪܙܐ

Sap   2:22   6:22   12:5   14:15 23
1Bar   4:4
Jdt   2:2
Sir   3:20   8:17   9:14   11:4   12:11
        22:22 26   27:16 17   37:10 11   42:20

422

ABar   48:3   60:1
4Esr   10:38   12:36 38   14:5
2Mc   13:21
Tb   12:7a 11a

ܪܐ ܪܐ ܒ <<< ܪܐ ܪܐ
commeatus quotidianus   ܩܘ ܐ ܝܡ
1Mc   1:35
molina   ܪܝ ܐ ܕܘ ܬ ܐ
PsS   13:3
miserari   ܪܚܡ
Sap   1:1 6   6:10 11 12   7:22 23 28   8:2 3
          7   11:24 25   12:1 19   15:6   16:26
EpJr   37
2Bar   3:2
BelD   38
Jdt   6:19
Sir   1:20   2:15   3:16 26   4:10 12 14   6:15
          16   7:14   9:8   16:9   23:2   13:15
          19:1   24:11   25:12   28:9   30:1 15
          31:1 5 15   33:6   36:13   37:1   40:29
          45:1   46:13   47:8
ABar   5:1   14:6   36:8   71:1
4Esr   5:27 33   7:115   8:32   11:42
1Mc   4:10   11:33   12:14   15:17
2Mc   2:18   3:21   7:21 27   8:2   10:20
          13:23   14:37   15:14
3Mc   6:12
4Mc   2:8   15:5 10
1Esr   3:21   4:19   8:10
amari   ܐܬܪܚܡ
Sap   4:10
2Bar   3:2   4:15 22
Sir   7:35
ABar   61:7   75:5 6 6
4Esr   8:36 45 45
2Mc   9:13
4Mc   15:1
Tb   11:17a   14:5b
miserari   ܪܢܡ
Sir   12:13   15:20
PsS   9:16   10:7   11:1
amare facere   ܐܪܡܪ
Sir   4:7
ABar   44:12
4Esr   7:132   8:32

4Mc   8:9   13:25
Tb   3:15   6:15 18 18   7:11b   8:4 7b 17
        11:15a   13:2b 5 6b 9a   14:5a 9a
PsS   17:11 18
misericordia, amicus   ܐܡܬܐ ܐܢܫܐ
Sap   1:16   3:9   4:15   6:6   7:27   9:1
        10:5   11:2   12:5 22
1Bar   1:2   4:2 4   5:2   7:11
2Bar   1:12   2:14 17 19 27   4:22
BelD   2   38
Su   30
Jdt   7:30   10:8
Sir   2:16 17   3:19 20   4:6 12   5:6   6:1 5
        7 8 13 14 14 15 17   7:12 18   9:10 10
        10:6   12:8 9   13:12   14:13   15:13
        16:11 12 16   17:29   18:11 13 13 24
        19:8 13 15   20:9 16   22:21 21 22 23 25
        25:1 9   26:12   27:16 18   30:3 6
        31:31   33:6   37:1 2 4 5 11 11   39:5
        40:20   42:16 17   44:23   46:1   47:22
        23   51:3
ABar   3:2   21:20   28:6   44:1 14   48:18
        49:1   75:2   77:11
4Esr   4:24 44   5:9 9 56   6:11 24 24   7:33
        75 102 103 103 104 104 136 136 137
        8:11 42   11:46   12:7 34 48   14:22 34
1Mc   2:18 39 45   3:38 44   4:24   6:10 14 28
        7:6 8 15   8:12 20 31   9:26 28 35 39 39
        10:16 19 20 60 65   11:24 26 27 57
        12:14 43 43   13:36   14:39 40   15:17
        28 32   16:3
2Mc   1:4   2:22   3:31   4:6   6:8 16 29 29
        7:23 24 29   8:5 9 27   9:5 6   10:4 13
3Mc   2:20 23 25 26   3:10   5:3 10 19 26 29
        30 31 31 34 36 39 44 51   6:2 4 22 23
        39   7:3
4Mc   2:12 12   8:5 24   12:5 8   14:13 17
        15:4 6 11 13 23 29
1Esr   3:21   8:11 13 26 75
Tb   8:16a 17a 17a   14:7a 9a
OrM   6a   7   14a
Dn   3:35 35 38 42
PsS   2:8 15 37 40   4:29   5:14 17   6:9
        7:5   8:33 34   9:16 20   10:4   11:9
        13:11   15:15   16:3 6 15   17:3 17 51

(PsS)   18:1 3
PsAp   2:17
amor   ܪܚܡܬܐ
Sap   7:10
3Mc   3:18
4Mc   1:26 26   2:10 11 12 15 15   3:18   5:9
               8:18   11:22   13:18 22   15:2 3 4 7 7 9
               10 11 13 23 25   16:3 3   14:1   15:21
               17:7
1Esr   8:10
misericors   ܪܚܡܬܐ
Sir   2:11
amicitia   ܪܚܡܘܬܐ
Sap   7:14   8:18
1Bar   6:21
Sir   6:17   20:9   22:19 20 21 22   25:1
               27:18   40:20
1Mc   8:1 12 17 20 22   10:4 20 23 26 54   12:1
               3 8 10 16   14:18 22 23   15:17
2Mc   6:22   9:27   10:12   11:19 24   13:23
               14:27
3Mc   3:3   6:25 26   7:7
amabilis   ܪܚܝܡܐ
Sir   45:1
1Mc   6:11
1Esr   4:24
PsS   13:8
misericors   ܪܚܡܐ
2Bar   3:2
Sir   5:4
ABar   77:7
4Esr   7:123   8:31
2Mc   1:24   8:29   11:9 10   13:12
3Mc   5:7 11 13   6:9
Tb   6:18   7:11a
OrM   7a
PsS   5:2   7:4   10:8
misericordia   ܪܚܡܘܬܐ
2Bar   5:9
1Mc   2:57
2Mc   4:11   6:22   14:9
3Mc   3:15   5:32   7:6
4Mc   5:11   9:4

```
Tb      1:3 16    2:14    3:2    4:7 8 8 10 11 16
        7:17b    12:8a 8a 9a    13:6a    14:2 10a
        11a
OrM     14b
PsS     15:15
```

incumbere   ܐܪܒ

```
Jdt     9:14    13:5
ABar    75:5
4Esr    6:39
PsS     13:11
```

incubatio   ܐܪܒܘܬܐ

```
4Esr    7:33
```

misericors   ܡܪܚܡܢܐ

```
2Bar    3:2
ABar    77:7
```

removere   ܐܪܚܩ

```
Sap     1:3    2:16    3:10    10:3
1Bar    3:6
2Bar    3:22
Sir     7:2    9:13    10:6    22:13 13    23:4
        28:8 15    30:23
A Bar   33:3    34:1    38:3    41:3    42:4    44:3
        3 14    46:5    64:6
4Esr    3:22    4:14    7:33 48    8:54
1Mc     1:15    6:36    7:30
2Mc     2:3    6:15    12:10    13:11
3Mc     7:10
1Esr    1:25 28 28 46    6:26
Tb      1:4 5    4:21
Dn      3:32 35
PsS     2:4    4:1    5:9    8:38    9:1 16    12:4
        15:8    16:2 6 10 11    17:6
```

discedere   ܐܬܪܚܩ

```
Sap     1:5
Sir     6:11 13    7:2    13:9 10 10    22:1    28:8
ABar    2:1    42:3    73:2
4Esr    14:17
1Mc     8:23
```

distantia   ܐܪܚܩܐ

```
Sap     14:17 17
2Bar    4:15
Jdt     13:11
Sir     24:33
1Esr    5:62
Tb      13:11a
```

426

ܪ‍ܚܝܩܐ

remotus
Sap   11:11   14:17
EpJr   72
Sir   15:8   47:16
ABar   23:7   36:6 8   74:3
1Mc   8:4 12
2Mc   11:5   12:29
3Mc   5:33
Dn   3:32
PsS   11:4
PsAp   2:8 15

schismaticus   ܪ‍ܚܝܩܐ
1Esr   2:17 19 19

discessio   ܪ‍ܚܝܩܘܬܐ
1Esr   2:23

serperə   ܪ‍ܚܫ
Sap   15:15
Sir   10:10 11
Dn   3:79

reptile   ܪ‍ܚܫܐ
Sap   11:15 16   16:1   17:9   19:10 10 18
EpJr   19
4Esr   6:53

humidus   ܪ‍ܛܝܒܐ
4Esr   6:50

humiditas   ܪ‍ܛܝܒܘܬܐ
4Esr   6:52

murmurare   ܪ‍ܛܢ
Jdt   5:22
1Mc   11:39
PsS   5:15

murmur   ܪ‍ܛܢܐ
Sap   1:10 11
PsS   16:11

murmuratio   ܪ‍ܛܢܬܐ ܪ‍ܛܢܬܐ
Sir   16:10   26:5   42:12

spirare facere   ܪ‍ܝܚ
4Mc   1:29

odorari   ܐܪ‍ܝܚ
Sap   15:15
Sir   30:19
4Esr   13:4
Tb   6:18   8:3a
PsS   11:7

odor   ܐ ܣܘ ܐ ܣܘ
Jdt   16:16
Sir   22:1   24:15 15   39:13 14   50:9 15
ABar   29:7   35:4
4Esr   6:44 44   9:17   13:11
2Mc   7:5   9:9 10 12
Tb   8:3
PsS   11:7
PsAp   2:11
vanitas   ܐ ܣܒܠܐܪ
Sap   15:4
caput   ܐ ܣܝ
Sap   5:18   6:17   12:16   14:22 27   16:10
       18:24
EpJr   9   21   30   30
2Bar   5:2
BelD   36   36
Su   34   55a   55a   55a   59a   59a   60a
Jdt   5:1 2   6:12   7:8 10 13   8:3 6 22
       9:1 9 10   10:3 4   13:4 6 7 8 9 15 15
       18   14:1 2 6 11 15 18   15:13
Sir   1:14 16 18   4:7   10:2 12   11:1 3 13
       12:8   13:7   17:23   25:12 12 15 15
       29:21   30:12   31:29   32:1   33:25
       34:4   36:24   39:26   44:23
ABar   10:10 21:4   27:2   36:5   44:12   52:3
       53:1 8   54:1 3 8   56:2 5   59:8 11
       64:3   74:2   76:3 3
4Esr   3:4   4:7 30 42   5:16   6:7   7:41 113
       8:19   9:5 6 38   10:10 14   11:1 4 4 9
       10 23 24 29 29 32 33 34 35 45   12:2 17
       22 24 26 29   13:35   14:22
1Mc   1:29   2:17 65 66   3:13 47 49   4:39
       5:33 56   6·35   7:47   9:30 37   10:54
       47 65 65   11:13 17 28 59 70 71   12:53
       13:42   14:20 28 47   15:1 2 38   16:11
       19
2Mc   1:16   2:7   3:5   4:4 40   5:24   6:18
       7:2 4 4 7   8:8 9 9 22 23 32   10:11 14
       25 32   12:2 19 20 32   13:24   14:12
       15   15:30 30 32 33 35
3Mc   1:18   4:6   5:1
4Mc   2:12   4:20   5:3 9   8:5   9:24 28
       10:20   11:3   12:4   14:16 16   15:15

(4Mc15)15   17:21
1Esr   1:7   2:7   4:30   5:1 40 51 60   8:28
        54 58 68 72 92   9:4 39 40 45 49
OrM   10
Dn   3:38
PsS   2:21 28   17:14 41
PsAp   1:7
ab initio   ܩܕܡ ܪ ܝ ܫ
Sir   36:15
4Esr   7:49
3Mc   6:26
4Mc   16:13
initium   ܪܝܫܝܬܐ
Sap   14:13
Jdt   11:13
Sir   7:31   45:20   51:20
ABar   39:7   40:3   48:7
Tb   1:6 6
PsS   15:5
initium   ܒܪܝܫܝܬ
Sap   14:6
2Bar   3:26
Sir   15:14   31:27   39:25 32
4Esr   7:30   13:14
PsS   8:37
primus   ܪܝܫܝ
4Mc   1:19
PsS   13:4
princeps   ܪܝܫܐ
Su   5
4Esr   9:3
1Mc   1:26   9:61   10:37
1Esr   1:7 8 9 27 47   5:11 43 65 67   6:11 11
        7:8   8:26 43 44 48 58 65 66 67   9:12
        16
PsS   2:34   8:22   17:21 24 41
principatus   ܪܝܫܘܬܐ
ABar   75:8
4Esr   11:28   12:2 18
1Mc   8:16   10:52
2Mc   4:10 27   5:7   13:3
3Mc   6:24
4Mc   2:15   4:17   8:6
1Esr   1:10   5:4

mollire   ܐܘܒܠ
4Mc   3:18
molliri   ܐܬܐܘܒܠ
4Mc   15:13
vehi   ܐܘܒܠ
Sap   16:10
4Esr   8:8
2Mc   2:32   3:25 25   10:29   11:8
eques equites   ܐܘܒܠܐ
Jdt   2:5   9:3
2Mc   5:2
PsS   17:37
vehiculum   ܐܘܒܠܬܐ
Jdt   1:4 13   2:19 22   7:20
Sir   49:8
1Mc   1:17   6:28   8:6
2Mc   9:7   13:2
3Mc   2:7   6:4
4Mc   4:23
1Esr   1:26 29   3:6
compositio   ܐܘܒܢܐ
2Mc   15:39
4Mc   14:3
1Esr   3:6
se inclinare   ܐܘܒ
Sir   4:27   OrM   10
se inclinare   ܐܬܐܘܒ
Sap   7:22
2Mc   6:21
PsS   16:3
inclinare   ܐܘܒ
2Bar   2:16 21
Su   9
Sir   6:33   19:27   21:22   35:16   38:28
ABar   77:26
4Esr   3:18 34
1Mc   5:35 68   6:47   9:47   12:33
OrM   11
PsAp   3:3
vincire   ܐܘܣ
Jdt   6:3
equus   ܐܘܣܐ
Sap   19:9
Jdt   2:5   9:7   16:3
Sir   48:9

2Mc	5:2 3 10:29
3Mc	2:7
1Esr	2:6 8 25 5:42

1Bar	6:15
Jdt	16:3
Sir	7:17 10:11

Sap	5:22
BelD	34
Jdt	4:15 9:8 10:2 21 13:2 14:4 48
	16:6
Sir	1:20 30 3:6 4:17 5:13 14:10 15
	25 21:15 22:1 18 23:4 25 27:22
	28:9 10 10 29:1 35:2 37:8 47:22
ABar	36:6
4Esr	3:1 8:20 9:22 38 10:29 30 13:23
1Mc	4:2 32 33 5:27 6:11 12:26
2Mc	3:31 7:5 8:10 10:25 13:12 15:1
	23
3Mc	1:18 4:8 5:2 6:23
4Mc	2:14 4:10 15:14 17
PsS	9:16

Sir	26:27 28:26
2Mc	1:15 6:21 24 7:25 11:15 24 12:12
	14:20 15:2
3Mc	3:7
4Mc	5:17

2Mc	4:1

Sap	15:11
BelD	31 33 36 42
Jdt	9:1 10:5 13:10 16:6
Sir	2:10 4:19 7:7 17:4 28:13 48:8
ABar	66:4 4Esr 14:22
1Mc	14:22
1Mc	3:11 47 4:3 32 33 39 5:5 27 11:71
	14:3
2Mc	1:16 4:41 42 5:5 7:7 8:5 11:7 11
	12:10 13 43 13:15 15 14:15 17 15:27
3Mc	1:3 5:11 28
4Mc	9:12
1Esr	6:19 8:22 9:20

ܪܡܘܙܐ   ܐܪܡܙ

fraus   ܐܪܡܘܙܐ
Sap   14:24
fundatio   ܐܕܡܙܕ
2Mc   2:29
impetus insidiosus   ܐܪܡܘܙܝܢ
2Mc   4:41   14:15
innuere   ܪܡܙ
Sir   12:16
nutus   ܐܪܡܙܐ
ABar   21:5   48:8 10   54:2
hasta   ܐܪܡܚܐ
Su   59b
Jdt   1:15
Sir   29:13
4Esr   13:9 28
1Mc   2:9   3:3   4:6 33   5:2   7:38   8:25
          9:73
2Mc   15:11 15 16
4Mc   5:2   6:1   11:27 27
PsS   13:2   15:8
viduus fieri   ܐܪܡܠ
Jdt   8:4
vidua   ܐܪܡܠܬܐ
Sap   2:10
EpJr   37
2Bar   4:16
Jdt   9:4 9
Sir   4:10   35:15
2Mc   3:10   8:28 30
4Mc   16:10
viduitas   ܐܪܡܠܘܬܐ
2Bar   4:12
Jdt   8:5 6   10:3   16:7
punica granata   ܐܪܡܢܐ
Su   58a   59b
placidus   ܐܪܡܢ
4Mc   1:2 35
moderatio   ܐܪܡܢܘܬܐ
4Mc   2:17
cinis   ܐܪܡܣ
Tb   8:2b
vesper   ܐܪܡܫ
Jdt   12:9   13:1
Sir   18:26   21:4
ABar   5:6   6:1

```
4Esr   7:40
1Mc    9:13
3Mc    5:5 12 17
4Mc    3:8
Tb     6:2
```
cogitare   ܪܢܐ
```
Sap    1:1
1Bar   5:6
Sir    1:20   6:37   14:20   38:26 27   50:28
2Mc    11:13
```
cogitari   ܐܬܪܢܝ
```
ABar   55:2
```
cogitatio   ܪܢܐ
```
Sap    5:15   6:17   38:34
1Mc    6:10
3Mc    5:22
```
cogitatio   ܪܢܬܐ
```
ABar   48:39
```
spargere   ܪܘ
```
Sir    28:12
ABar   29:7
2Mc    1:21
```
pascere   ܪܥܐ
```
Jdt    8:26
Sir    18:13   34:8
2Mc    10:6
4Mc    4:11
PsAp   1:1
```
pastor   ܪܥܐ ܪܥܘܬܐ
```
Sap    17:15
Jdt    11:19
Sir    18:13
ABar   77:13 15 16
4Esr   5:18
```

           ܪܥܐ <<< ܒܠ ܪܥܐ
             ܪܥܘܬܐ
pastio
```
Sir    13:19
4Esr   5:18
PsS    17:45 45
```
cogitare   ܐܬܪܥܝ
```
Sap    19:3 13
EpJr   48
2Bar   3:31
Jdt    5:20   9:5 8 9   11:12
Sir    2:16   7:12   12:16   13:6   16:23
```

(Sir) 19:27   37:8 28
4Esr   4:50   7:59
1Mc   6:8
2Mc   1:5   3:32   6:12 23 29   9:4 12 15
           11:13   12:12   14:29   15:1
3Mc   3:16
4Mc   4:7   8:10 20   16:5
PsS   2:32

cogitatio   ܐܫܟܚ
Sap   4:12 15
2Bar   4:28
Jdt   2:4   8:14   11:23
Sir   3:24   19:4 6   22:16 17   25:5 6
           37:19
4Esr   10:31
1Mc   10:74   11:49
2Mc   4:10 21 25 34 40 46   5:17 18 21 22 23
           6:9   7:21 24   9:7 21   11:24 26   12:4
           13:9   15:17
3Mc   1:22   2:24 26 30 31   3:11 16 20   5:,12
           20 33 39 46   6:11 12 20
4Mc   1:1 2 3 7 9 13 14 14 15 19 29 33 34 35
           2:4 6 7 9 9 13 15 17 18 19 20 22 24
           3:4 4 5 17 19   5:22   6:5 17 30 31 32
           33 34 35   7:1 4 5 12 14 16 17 20 24
           8:4 15   9:15 17   11:14 25 27   12:4
           13:2 4 4 15   14:11   15:1 1 13 23
           16:1 4 13 16   18:2

cogitatio   ܐܬܚܫܒ
EpJr   5
2Bar   3:28
Jdt   8:13 14 16
Sir   12:16   13:26   15:19   17:7 19 30 30
           19:22   21:13   23:2   27:6   30:22
           33:5   35:19   38:3   39:6   40:2   42:18
           47:23
ABar   14:9   30:2   54:13   70:5
1Mc   2:65   8:30   10:20 27   11:33
2Mc   2:2   4:39   5:20   6:23   7:21 23
           9:12 27   14:5   15:5
3Mc   1:16 21 25 26   2:26   3:11 26   4:16
           5:8 39 47
1Esr   3:17 18 19   4:26
PsS   9:5 6

placari   ܐܬܘܬ ܚܕ

1Bar   7:10
4Esr   10:24
2Mc   7:33 37   8:29   10:26
3Mc   5:13
4Mc   6:28   9:24   12:18
1Esr   4:31

reconciliatio   ܬܪܥܘܬܐ

Sir   22:22   27:21
4Mc   17:22

tremere   ܪܬܠ

3Mc   2:22
1Esr   4:36   9:6
OrM   4b
PsS   8:5

tremor   ܪܬܠܐ

4Mc   4:10

tonare   ܪܥܡ

Sir   46:17

murmurare   ܐܬܪܥܡ

Sir   10:25
4Mc   16:22

tonitrus   ܪܥܡܐ

ABar   59:11
4Esr   6:2   7:40

tristis   ܪܥܡܣܐ

4Mc   15:18

momentum temporis   ܪܘܦܐ

Sap   11:23   18:12

laxus esse   ܪܦܐ

Sir   6:27   25:12   40:26

laxare   ܐܪܦܝ

Sir   2:12

laxari   ܐܬܪܦܝ

4Mc   1:4   15:4

debilitare   ܐܪܦܝ

ABar   8:2   14:5   48:48
1Mc   10:29   12:28 47
2Mc   5:7   12:25
3Mc   1:7
4Mc   2:7   12:13
1Esr   4:50
PsS   2:7

mollis   ܪܦܐ

Sap   2:3   4:29

mollities   ܐܦܝܘܬܐ
Sir   25:23
serpere   ܐܦܠ
2Mc   9:9
sputum   ܐܦܡ.
1Bar   5:4
4Esr 6:56
lamentari   ܐܬܡܘ
Sap   19:3
Sir   38:17
ABar 10:8   41:2
4Esr 9:38
1Mc   4:39   9:20
planctus   ܐܬܪܡܘܬܐ
Sir   10:8
1Mc   4:39
3Mc   4:3
luctus   ܐܬܪܡܘܬܐ
1Mc   9:41
firmamentum   ܐܦܬܐ
Sir   26:16   43:8
ABar 21:4
4Esr 4:7   6:4 20 41
Dn   3:56 63
pannus   ܐܦܬܐ ܐܬܪܦܝܐܪ
Sir   11:4
vituperare   ܐܨܪ
2Mc   2:7
vituperare   ܐܨܪ
1Esr 1:7 9
vituperatio   ܐܬܨܪܡ
ABar 73:4
laxari   ܐܨܠ
2Mc   12:18
relaxari   ܐܬܨܠܪ
ABar 21:26   48:25
1Mc   4:27   11:49
2Mc   4:37
remittere   ܐܬܨܠܪ
4Mc   7:13   10:19
signare   ܐܨܡ
Sap   13:13
Sir   17:20
ABar 4:2
3Mc   2:29

ܢܛܪ

1Esr   1:31
signari
1Esr   1:40
signum
3Mc   2:29
sceleste agere
Sap   10:8
1Bar   5:3
2Bar   2:12
Sir   16:8
ABar   14:7   48:29   51:2   58:1·   62:2 6
       64:2   65:1   66:5
4Esr   3:8 12 13
2Mc   6:13
4Mc   5:37   9:15
1Esr   1:22 47
Dn   3:29
scelus   ܢܘܬܪ
Sap   1:9   14:9 16
Su   5
Sir   18:27
ABar   21:19   36:8   40:1   58:1   62:2   64:1
       6   67:6   69:3
4Esr   3:29   4:12 30 31 38   7:35   12:25 32
       13:37
1Mc   14:14
2Mc   12:3 5   15:10
3Mc   2:17 26   5:47
4Mc   2:12   5:8   10:11
1Esr   1:40 49
OrM   9b   10a
PsS   2:20
scelestus   ܢܛܪ
Sap   1:9 16   3:7 10 19   4:3 16   5:15 23
       10:9 20   11:9   12:9 12   14:9   16:16
       18   19:1
Su   32
Sir   5:6   8:10   9:11   18:18   21:10 14 16 25
       23:8   26:23 26   27:14 16   39:24 30
       40:15   41:11   48:3
ABar   15:2   30:4   48:48   64:7   66:3   70:4
4Esr   3:30   4:23   7:17 18 84 93 102 111
       8:47   9:13   14:35
1Mc   3:8 15   9:23 25 73   6:21   7:5 9
2Mc   1:17   3:11   4:23 38 40   5:6   7:9 34

437

אֵ ד   רֵ אֵ ד

```
            8:2 14 32    9:9 13 28      10:10     12:23
            13:7 11     14:42     15:3 5 33
3Mc        2:14 26     3:1 24     5:47
4Mc        12:11 11 11
Tb         14:10b
Dn         3:32
PsS        4:1 9
PsAp       2:15 18     3:6
```
tremere   אֵ ד

```
Sap        17:9
4Esr       3:18     5:14     13:3
1Mc        2:24     13:2
```
tremor   רֵ ד אֵ ד   רֵ ד אֵ ד

```
2Bar       3:33
Jdt        2:28     15:2
ABar       15:5
4Esr       7:116
2Mc        15:23
3Mc        6:20
```
admonere   ד אֵ ד

```
1Bar       7:1
ABar       31:3     45:1
4Esr       7:49     8:12     14:13 19 19
2Mc        2:25     7:4     15:9
```
admonitio   רֵ ד אֵ ד

```
PsAp       2:12
```
effervescere   ד אֵ ד

```
4Esr       6:37
1Mc        13:7
2Mc        9:21
```
calefacere   ד אֵ ד

```
2Mc        7:3 4
```
ardor   רֵ ד אֵ ד

```
ABar       56:6
```

438

ܬ

daemon						ܟܐܠܐ
2Bar	4:7 35					
ABar	10:8	27:9				
4Mc	11:23					
Tb	3:8 17	6:8 15 16 18	8:3			
petere						ܠܐܠ
Sap	2:19	8:21	19:11			
Su	40	43a				
Jdt	6:16	10:12				
Sir	6:6	14:13	18:30	40:28	41:12	
4Esr	4:6 7 9 23 25 28 35 40 52	5:11 39 46				
	50 51	7:54 102	10:9	12:48		
1Mc	3:44	7:29 33	8:25 27	10:72	11:6	
	12:17	15:31				
2Mc	4:24	14:5	15:3			
3Mc	1:8					
4Mc	9:27					
1Esr	4:42 46	6:11 11	8:51			
Tb	4:2 19	7:3				
OrM	13b					
PsAp	3:3 15					
postulari						ܠܟܒܥ
Sir	46:13					
2Mc	2:28 29 31	3:9 37	7:37			
4Mc	13:5					
interrogare						ܠܐܠ
2Mc	7:2 7					
3Mc	1:13	5:18 27				
4Mc	11:13					
1Esr	6:10					
interrogari						ܠܟܒܥ
Sap	6:7					
Sir	46:20					
petitio						ܟܠܠ ܟܐ
1Bar	8:12					
Sir	6:5	18:30	40:30	41:12		
interrogatio						ܟܐܠܐ
Sap	1:9	2:20	4:6			

Sir   2:20
2Mc   6:21   7:42
3Mc   7:5
pannus sericus   [Mosh ܚܘܘܫ] ܐܪܒܝ
EpJr   71
vicinus   ܝܘܒܢ
3Mc   3:10
sabbatizare   ܒܬܫ
2Mc   6:6 11   8;27
1Esr   1:55
celebrare sabbatum   ܐܒܬܫܐ
2Mc   6:6 11   12:38
sabbatum   ܐܪܒ̈ܐ   ܐܬܒܫ
1Bar   7:8
Jdt   8:6   10:2
ABar   66:4
4Esr   7:43
1Mc   1:43 45   2:32 34 38 41   6:49   9:34 43
        10:33
2Mc   5:25   6:11   8:26 28   12:38   15:1 3 4
4Mc   2:8   14:7
1Esr   1:55   5:51
capere   ܐܒܫ
EpJr   1
2Bar   1:2 9   2:30 32   4:16
Jdt   1:14   2:23 26   15:6   16:9
Sir   2:17
ABar   5:1   8:5   62:6
4Esr   6:35   13:40
1Mc   1:32   3:20   5:13   8:10 11   9:72
        15:40
2Mc   10:19 24   11:6
1Esr   6:15
Tb   14:15a
capi   ܐܬܒܫܐ
EpJr   1   1
1Bar   1:2 5   6:8
Jdt   5:18
Sir   38:6
ABar   1:2   10:16   33:2   64:5
4Esr   10:22   13:40 40
1Mc   10:33
2Mc   1:33
Tb   1:2 10

captivitas   ܚܒܫ

EpJr	1
2Bar	2:14 25 4:10 26
Jdt	4:12 7:26 8:22 9:4 16:3
Sir	28:14 15 77:4
1Mc	1:39 2:9 10:34
Tb	3:4 7:3 13:10a 14:5a
PsS	2:6 9:1

captivitas   ܟܚܒܫ

2Bar	2:3o 3:7 8 4:14 24
Jdt	2:9 4:3 8:22
ABar	6:2 10:2 62:5
4Esr	5:17
1Mc	7:47 9:70 72 14:7
2Mc	8:10 36
1Esr	2:14 5:7 54 64 6:5 8 27 7:6 10 11
	12 13 8:63 74 9:3 4 15
Tb	3:15 13:6a 14:5b 15b
PsS	5:4
PsAp	4:5

laudare   ܚܒܫ

Sap	10:20 20 18:8 19:9 21
2Bar	2:32 3:6 7
BelD	2
Su	60 63
Jdt	6:20 16:1 1 13
Sir	3:2 7:31 11:2 28 17:10 24:1
	25:7 23 31:9 36:22 37:6 24
	39:15 35 42:22 43:2 44:11 45:7
	47:6 49:11 50:22 51:1 11 12 22 30
ABar	48:49 54:7 8 11 21 66:2 68:5
4Esr	9:45 13:57
1Mc	4:24 33 5:64 10:3 65 88 11:42
	13:47 14:15 29 39 15:9
2Mc	5:15 8:27 10:7 15:28 34
3Mc	2:8 9 4:16 5:13 35 6:11 41
	7:12 13
4Mc	4:4
1Esr	5:57 59 8:25 64 78 9:52
Tb	8:15b 9:6b 11:1b 13b 14b 15b 17b
	12:6b 6b 17b 20b 22b 13:6b 18a 14:6b
	15b
OrM	15 15
Dn	3:57 88^z
PsS	5:1 6:6 10:6 8 17:7 32 35

PsAp   2:1 2 3 10   4:4   5:1 6
laudari   ܡܫܒܚ
Jdt   12:13
Sir   11:28   20:2 2   24:2   30:2 3   38:6
             39:8   40:27   48:4
ABar   51:3 5   54:10   61:7   63:10   66:6
             67:3
4Esr   7:60 98   8:48 49   9:31   10:16
1Mc   2:18 64   3:14   5:63   11:51
2Mc   4:24   8:8
gloria   ܫܘܒܚܐ
Sap   7:26   8:4   12:7   15:9
1Bar   6:13
Su   59a
Jdt   10:8   13:19
Sir   54:11
2Mc   7:36
4Mc   5:9   8:23   18:24
PsAp   2:1 4
laudatus   ܫܘܒܚܐ
Sap   5:17
Jdt   16:13
1Mc   6:1
2Mc   3:25 26   6:11 23 28   8:15   10:29
4Mc   1:10   10:3   11:6 20
OrM   3b
gloria   ܪܫܘܒܚܐ
4Mc   5:35
gloria   ܪܟܘܒܚܕ
Sap   4:1   5:2   7:25   8:3 10   9:11
             10:14   15:19   16:16   18:9
1Bar   5:6
2Bar   2:17 18   4:3 24 37   5:1 2 4 6 7 9
Su   64
Jdt   15:9 13 14 14   16:1 7 13
Sir   1:11 18 20   6:31   9:16   10:22
             15:10   17:13 27   24:16   25:6   27:8
             28:10   31:11   32:5   39:10 15   40:2
             43:9   44:4 6 8 15   46:12   47:9 10
             49:1 16   50:1 11   51:1 11 29
ABar   3:6   5:2   11:1   15:8   21:22 25
             30:1   32:4   48:49   51:1 3 10 16
             54:7 8 8 15   64:6   66:7
4Esr   3:19   7:42 60 78 87 91 95 112 122
             8:21 30 51   9:37   10:22 23 50 55

1Mc   1:17 40   2:9 12 51 62   3:3   4:33   56
           9:10 37   10:58 60 64 86   11:6 42 61
           12:8 12 43   13:51   14:4 4 5 9 10 21
           23 29 35 40   15:9 9 32 36

2Mc   1:30   2:8   3:30   4:14 14 15 19 20 22
           22 49   5:16 20   6:19 31   7:6 18
           8:35   10:38   12:37   14:4 5 7   15:2 13

3Mc   1:10   2:9 16 20   6:18 32 33 35 39
           7:13 16 19

4Mc   1:26   2:15   7:9   8:18   18:18

1Esr   1:31   4:17 59   5:58 58   6:9   8:4
           9:8

Tb   3:16   12:15a   13:1b 14a   14:1b 5b 11b

OrM   5   15b

Dn   3:43 52

PsS   1:4   2:4 20 22 35   3:2   5:22   11:7
           8 9   17:7 34 35

PsAp   2:2 7   4:4

excellens   ܚܝܠܐ

Sir   48:22

ABar   70:3

1Mc   1:6   2:8 17   3:32   7:26

2Mc   2:19 22   3:2 12   7:20   14:13

3Mc   1:20   6:18

1Esr   1:53   8:54

Tb   8:5   14:5a 6b

OrM   3a

Dn   3:26 45 51 52 52 53 54 55 56

PsS   8:29 40

gloriose   ܚܝܠܐ ܒܕ

1Esr   9:45

Tb   12:7a 11a   14:11a 13a

laudator   ܚܝܠܐ

Jdt   15:12

1Mc   7:13

2Mc   14:6

PsAp   2:20

baculus   ܚܘܛܪܐ

Sap   6:21   7:8

EpJr   13

1Bar   1:1 4   7:3

Jdt   6:15   8:18

Sir   23:2   36:11   44:23 23   45:6   48:10

ABar   1:2 2 3   62:5   63:3   64:5   73:3 17
           19

```
4Esr    3:7 32    4:23    13:40
1Mc     16:14
2Mc     3:4
1Esr    2:7 7    5:1
Tb      5:11 12 14
PsS     17:26 26
```
via   ܫܒܩ
```
Sap     2:15    5:7 10 10    6:16    9:18    10:10
        14:3
1Bar    8:13
2Bar    3:21 23 31    4:13
Jdt     2:12    5:9    14:21 22    21:10    34:6
Sir     2:12    14:8
4Esr    4:7    7:8 8 48    14:22
4Mc     7:21
Tb      4:19
```
spica   ܫܒܝܐ ܫܒܝܬܐ
```
Sir     40:15 22    50:8
2Mc     14:4
```
relinquere   ܒܝܬ
```
Sap     2:9    8:13    10:8 13 14    13:8    14:6
        19:14 21
EpJr    41    47
1Bar    1:5 7    7:5
2Bar    3:12    4:1
BelD    38    38
Su      22
Jdt     6:6 13    7:30    8:7    12:6 12    16:24
Sir     2:10    3:12 13 30    4:4    5:4    6:2
        7:26 30    8:8    9:10    11:19    13:4
        14:15    15:16 17    16:7 11    17:29
        24:32    28:2 5 5 23    29:15 15 15 18 31
        30:4 11    32:18    34:19    44:8    46:12
        47:10 22    49:4    50:28    51:10 20
ABar    6:1    14:13    32:9 9    33:3    34:1
        36:5    41:4    66:5    76:3 4    77:4
4Esr    3:15 28    5:18    9:39 40    10:5 32 37
        11:7 37    12:41 43 44 48 48    13:10 33
        41 54    14:13
1Mc     1:38 42 48 52    2:21 28    3:32    5:18
        42    6:2    7:20    9:10 35 65    10:13 14
        28 30 30 31 33 33 34 42 79    11:3 17 35
        64    12:40 47    13:37 39 47    15:5 5 8
        12 14
```

2Mc   1:5   4:29 29 31   5:22 22 22 23   6:16
         28 31   8:35   10:13 13 19 20 21   11:15
         18 18 30 35   12:2 18 19 24 25   13:11 24
         14:6 7 8 38   15:36
3Mc   1:19 20   2:19   3:2 21 21   4:7   6:32
         7:4 7
4Mc   2:8   5:13   8:1 13
1Esr   4:7 7 19 20 21   6:26
Tb   4:10   10:5   11:2a   12:13a
OrM   13   13b
PsS   8:14   9:14   17:11 29 45

relinqui   ܐܫܕܘܒ
2Bar   4:12 19
Jdt   8:32   Sir   3:3   23:36   28:2
ABar   14:7   36:6   77:14
2Mc   5:20   6:13   7:16   11:24   15:38
4Mc   11:13
1Esr   8:75 76 85 86
Tb   1:8 20   10:5
Dn   3:44

dimissio   ܫܘܒܩܢܐ
Sir   5:5   18:12
1Mc   13:34
3Mc   1:6
1Esr   4:62
OrM   7

puer   ܛܠܝܐ
4Mc   4:25
PsS   16:7
PsAp   2:4 7

palmes   ܫܒܫܬܐ
Sir   29:5 5
Dn   3:46

accendi   ܐܫܘܕܝ
Sir   48:1
4Mc   11:18

inflammatus   ܝܩܝܕܐ
4Mc   18:20

turbare   ܣܝܦ
Sir   11:30
ABar   55:4   63:2
4Esr   3:18   13:2
1Mc   7:22
3Mc   5:39
1Esr   4:31

perturbari   ܐܟܬܘ݂ܬ݂ܝ
ABar   72:2
4Esr   5:4   6:36   7:15   9:27
Tb   12:16a
perturbatio   ܐܟܘ݂ܬ݂ܐ ܕܬ
Sap   4:12   14:25
ABar   70:2
4Mc   3:21
perturbatio   ܐܟܘ݂ܬ݂ܐ ܪ
Sir   26:27
4Esr   9:3   12:2 30
2Mc   4:41   11:23 25   13:16   15:19
3Mc   1:23   3:8
4Mc   8:25
PsS   6:5
perturbatus   ܐܟܘ݂ܬ݂ܐ ܪ
ABar   73:5
4Mc   7:2
jacere   ܐܠ ܪ
EpJr   6:38 70
2Bar   2:25
BelD   27
Jdt   2:15   6:12 12 13   14:5
Sir   6:21   20:9   22:20   27:15
ABar   10:18 19   41:3   77:22
4Esr   9:9   10:24   14:14
1Mc   2:36   5:43   6:51   7:44   9:11   10:80
        11:4 51
2Mc   1:12 16   3:15 28 29   6:10   9:8
        10:26 30   14:43
3Mc   3:22   5:50
4Mc   12:20   15:24   17:1
Tb   1:7   2:3   11:8a
Dn   3:46
PsS   2:4 28
jaci   ܐܟܕܬ݂ܐ ܝ
Sap   5:12   13:13   17:3
2Mc   5:9 9   9:7
3Mc   6:7 8
4Mc   4:25   16:21
PsS   2:23   9:2
conjugium   ܐܟ ܕ ܪ
Sir   11:7
blanditiis inducere   ܬ݂ܝܵܢ ܠ
Sir   30:23

446

ܐܪܡܠ

blanditiis illicere ܐܪܡܠ
Sir   25:21
blanditiae ܪܡܠܐ
4Mc   8:14   18:8
mittere ܫܪܝ
Sap   9:10 10 17   11:15 18   12:8 25   16:3 4
        10 18   19:2
EpJr   1
1Bar   1:1   7:7   10:1
2Bar   1:7 10 14 21   3:33   4:11 23 37
BelD   37
Su   21   29   29   36   43b   45
Jdt   1:7   3:1   4:4   6:2   8:10   31   9:9
        11:7 14 16 22   12:6   14:5 12   15:4
Sir   9:10 10   48:17
ABar   8:5   10:19   47:1   48:16   77:17 17 19
        19 23 25
4Esr   6:33   7:104   14:4
1Mc   1:29 44   3:27 35 39   5:10 38 48   6:12
        60   7:7 9 10 19 26 27   8:10 17 20 22
        9:1 35 60 70   10:3 20 51 69 89   11:9
        17 41 42 43 44 58 62   12:1 2 3 4 5 10 10
        16 19 21 26 45 46 49   13:11 14 16 17 18
        19 19 21 21 25 34 35 37   14:2 14 20 24
        15:1 17 26 28   16:18 18 19 20 21
2Mc   1:20 29   2:15   3:7 37 38   4:19 19 20
        23 32 50   5:24   6:1 8 23   8:8 9 9 11
        11:6 13 15 20 26 32 34 36 37   12:43 46
        13:19 20   14:12 19 27 39   15:22 23 31
3Mc   1:8   3:11 25 25 42   6:27
4Mc   12:3 6
1Esr   1:24 25 43 48   2:22   3:14   4:4 44 44
        57 57   5:2   6:7   8:43 45   9:51
Tb   2:12   5:18   8:12 13b   10:7a 8 9 11
        12:14 20
PsS   7:4   17:14
PsAp   4:6   5:5
mitti ܐܪܡܪܝ
Sap   6:59 62
1Bar   3:1
2Bar   4:35
Jdt   11:19
ABar   6:6
4Esr   4:3 52   5:8   7:78
1Mc   7:24   12:7 8   14:21

ܫܘܪܝܐ   ܪܐܫ ܪܐܝ

2Mc   1:7 20   3:9   4:21 44   5:18 18   11:17
3Mc   6:40
Tb   3:17
missio   ܫܘܪܝܐ
ABar   27:5
1Esr   9:51 54
missio   ܡܫܘܪܝܘܬܐ
1Bar   8:12
refrigerare   ܫܘܝ
4Mc   2:18   7:5
vigilare   ܫܗܪ
Sap   6:15
1Esr   8:58
vigiliae   ܫܗܪܐ
Sir   31:1 19   38:26 30
2Mc   2:26
par esse   ܫܘܐ
Sap   7:1   9:12   16:9 11
Su   61
Sir   37:12
ABar   11:1   41:1   65:9
4Esr   4:24 44   12:9   13:14   14:45 45
1Mc   10:54
2Mc   4:25 38   6:23 27   7:20 36   8:33
       15:2 11
3Mc   7:12
4Mc   1:5   4:12   5:11   7:6   9:32   11:8
OrM   9   10a   14a
par fieri   ܐܫܬܘܝ
Sap   10:5
2Bar   5:7
4Esr   12:36
2Mc   5:10   7:29   13:7
4Mc   18:3
1Esr   8:53
sternere   ܫܘܝ
Jdt   12:1 15
planare   ܐܫܘܝ
PsS   8:19
par   ܫܘܐ ܫܘܝ
Sap   1:16   3:5   6:16   15:6   16:1   18:10
1Bar   1:5   2:2   Su   15
Sir   11:4   20:14
4Mc   13:18 20
Tb   6:11

448

ܫ ܪ ܫ   ܫܘ

aequaliter   ܫ ܪ ܫ
Sap   6:7   7:6 15
4Mc   5:21   8:28   11:15   14:6
paritas   ܪܬܫܘܫ
2Bar   5:7
3Mc   3:21
4Mc   14:3
tegumentum   ܪܬܫܘܬܫܕ
Su   22   28
Jdt   9:2   13:9
Sir   23:18   47:20
4Esr   3:1
aestus   ܪܩܫ
2Bar   2:25
Sir   14:27   18:16
lavare   ܪܝܚܫ
Jdt   10:3
Tb   6:3
servare   ܪܩܫ
EpJr   14   49   54   56   67
Sir   51:3 3 8 12
Tb   6:18   14:10a
OrM   14b
PsAp   2:17 18   5:2 5
se servare   ܪܝܚܬܩܫ
1Mc   10:83
4Mc   9:32
Tb   14:10a
servatio   ܪܬܚܩܫܡ
Sir   44:18   47:22
servatio   ܪܩܫܡ
Sir   34:16
PsAp   4:6
germinare   ܪܩܫ
ABar   30:4   51:5
4Esr   6:28   7:87
4Mc   13:19 21
germinare facere   ܪܩܫܕ
4Mc   13:26
repugnare   ܪܚܝܫܕ
4Mc   14:11
evanescere   ܫܝܫ
Sap   16:27
4Mc   7:12   9:20   15:15

449

ܚܝܒ ܥܘܡܪܐ

tabeficere ܚܝܒ

4Esr 13:4 4

contemnere ܒܣܐ

EpJr 40

1Bar 1:18

Sir 3:16 11:3 4 4

ABar 28:5 42:2

4Esr 7:24 8:56

1Mc 7:34 11:11

2Mc 5:8

3Mc 4:16

4Mc 5:9 6:9 15:8 23

contemni ܐܬܒܣܝ

2Mc 7:24

4Mc 4:9

contemptus ܒܣܝܐ

Sir 8:16 11:3 5

contemptio ܒܣܝܘܬܐ

ABar 48:35

flagellum ܒܛܐ

Sir 23:2 33:24

4Mc 6:3

saxum ܒܣܐ

Jdt 16:15

Sir 20:16 17

hora ܫܥܬܐ

Sap 18:9

1Bar 5:5

BelD 19 39 42

Jdt 13:4

Sir 6:10

ABar 42:6 48:13 64:8

4Esr 5:36 6:24 7:89 9:44

2Mc 7:35

3Mc 2:19 3:25 5:12 13 14 25 49 49

1Esr 8:62 9:11

ܫܥܬܐ ܒ <<< ܫܥܬܘܡ

livere ܥܪ

Tb 11:8a

forum ܥܘܡܪܐ

Jdt 7:14 22

Sir 9:7 22:1 2 23:21

1Mc 14:9

2Mc 10:2

3Mc 1:18 19 20 4:3 7

450

ܝܐܙ   ܪܚܐܩܐܪ

```
1Esr    2:17
Tb      2:3    13:18a
salire                                          ܝܐܙ
Sap     17:18
4Esr    6:21
salire                                          ܝܐܙ
Sir     36:26
1Mc     3:23    13:44
2Mc     10:35 36    14:43 45
3Mc     1:17
4Mc     11:1
Tb      2:4    6:3    7:6    9:6b    10:7b
murus                                           ܪܝܐܙ
1Bar    3:1 3
Jdt     1:2 2 3    7:5 32    14:1 11
Sir     29:13    50:2
ABar    2:2    6:3    7:1 1    8:1 1
4Esr    11:42
1Mc     1:31 33    4:60 61    6:7 62    9:54    10:11
        45    12:36 37    13:10 33 43    14:37
        16:23
2Mc     1:15    3:19    4:12    5:5    6:10    10:17
        11:9    12:13 14 15 15 15 27    14:43
3Mc     1:29
1Esr    1:52    2:17 18 20
Tb      1:17    11:15b    13:16a
PsS     2:1    8:19 21
lilium                              ܟܠܪܐܙ  ܪܚܠܪܐܙ
Sir     39:13 14    46:12    50:8
participem facere                           ܐܚܐܙ
PsAp    2:3
particeps esse                          ܐܚܐܬܝܪ
Sap     6:23
Sir     11:7    12:14    13:1 2 2 2 17    22:23
2Mc     5:20 27    6:4    14:25
3Mc     2:30 31    3:2    4:8
socius                                      ܪܐܚܐܙ
Sap     14:21
Sir     8:10
2Mc     14:26
3Mc     4:8
socia                                       ܪܚܐܚܐܙ
Sap     8:9
communio                                    ܪܚܐܚܚܐܙ
Sap     8:3 16 18
```

ܐܪܕܝܫܬ

            ܐܘܚܪ

3Mc 2:33 3:21
4Mc 2:3 11
muneribus corrumpi   ܐܪܕܝܫܬ
2Mc 10:20
donum   ܐܘܚܝܪ
Sir 20:29 46:19
3Mc 4:19

        ܢܫ <<< ܕܝܚܘܪܐܣ

simpliciter   ܕܝ ܐܫܝܪ
2Mc 4:20 15:36
3Mc 3:7
stercus calidum   ܐܠܝܚܝ
Tb   2:10
ulcus   ܐܘܚܝܪ
Sir 28:17
accendere   ܝܚܝܡ
3Mc 5:1 2 45
accendi   ܝܚܬܐܪ
2Mc 4:4
calor   ܐܠܝܚܝ
2Mc 4:25
calor   ܪܕܐܠܝܚܝ
2Mc 2:21 4:6 15:21
contundere   ܐܚܝ
Sap 5:24 11:12
Jdt 9:7 8 16:2
4Esr 12:23
1Mc 3:5 22 4:10 30 32 7:42 8:4 5 6
     12:44
2Mc 8:7 10:15 12:28 13:15 14:8
3Mc 2:20 5:43 6:5
PsS 17:26 26
contundi   ܐܚܬܐܪ
Sap 12:9
1Bar 5:8
1Mc 9:7 15
vexatio   ܐܚܝ
Sap 3:3
Sir 31:19
2Mc 2:28 3:16 21
3Mc 1:23 5:41 42 6:28
4Mc 3:11
contristatus   ܐܚܝ
Dn 3:39

nigrum facere   ܢܚܪ
EpJr   6:20
locus asper   ܢܚܝܘܬܐ
Sir   32:20
aerugo   ܢܚܘܬܐ
EpJr   11   23
farina hordeacea   ܢܚܬܚܬܐ
Jdt   10:5
stultus esse   ܢܛܠ
EpJr   6:19
Sir   8:2   42:10
desipere   ܐܢܛܠ
Sap   14:23
pro stulto habere   ܐܢܛܠ
Sir   10:12
stultus   ܢܛܠܐ
Sap   1:3   3:2   5:3 4 20   15:4
Sir   4:27   21:18
3Mc   3:23   4:16
stultitia   ܢܛܠܘܬܐ
Sap   10:8   15:18
2Mc   4:13   12:44
pandere   ܢܛܫ
Jdt   14:4
vicus   ܢܛܠܐ
Jdt   1:14
deliramentum   ܢܛܠܝܘܬܐ
4Mc   5:10
syngraphum   ܢܛܝܪܐ   ܢܛܝܪ
Tb   5:3   9:5a
inferi   ܫܝܘܠ
Sap   1:14   2:1   16:3   17:14
1Bar   6:17
2Bar   2:17   3:11 19
Sir   9:7 9   14:12   28:6 21   30:17   48:5
        51:2 6
ABar   11:6   21:22   23:5   48:16   52:2   56:6
4Esr   4:7 8 41   8:53
2Mc   6:23
3Mc   5:42
Tb   3:10   13:2
PsS   4:15   14:6   15:11   16:2
PsAp   4:2   5:3
placare   ܥܢܝ
Sap   7:27

```
2Mc    4:31    13:26
pax                                                    ܫܠܡܐ
ABar   61:3
2Mc    9:19    14:22
3Mc    3:26    7:4
4Mc    3:20    14:15    18:4
1Esr   5:2     8:82
Tb     12:17a  13:14a   14:4a
marmor                              [ Mosh ] ܫܝܫܐ
EpJr   71
catena                                      ܫܠܫܠܐ ܫܠܫܠܬܐ
Sap    17:17
dormire                                              ܫܟܒ
EpJr   43
1Bar   8:3
Sir    47:23
ABar   11:4
2Mc    12:45 46
jacens                                              ܫܟܝܒܐ
4Esr   7:32
cubile                                              ܡܫܟܒܐ
Sir    31:19   47:20
areolae                                            ܡܫܟܒܬܐ
Sir    24:31
invenire, posse                                      ܐܫܟܚ
Sap    3:5     5:11 13   6:10 14    8:20    9:16 16
       16      10:8      11:20 21 22     12:12 14     13:1
       6 9 9      14:4 17    15:9 16 17 17     16:15
       17:14     18:12    19:4
EpJr   7       13     14    26     26     33     33     34     36
       40     40     41     47     52     53     53     57     63
       65     67
1Bar   3:1     8:15
2Bar   1:6 12     3:15 29 32 37     4:17
BelD   12     24
Su     15     38     39     54b
Jdt    8:30    10:6    14:3 15 17
Sir    1:2 20    3:18 31    4:13    6:14 18 27 28
       7:1     8:17    11:10 19 27    12:2 5 11 16
       17    16:14    18:1 1 20    19:28    20:9
       17    22:13 18 18    25:3 9    27:8 16
       28:1    29:3 6 6 6 19 24    30:6    31:10
       22    33:31    34:1    40:17 18    43:3
       44:23    46:3    51:16 18 20 26 27
ABar   3:2 3 3    14:9 9 15    16:1    19:3    21:9
```

(ABar) 22:3 8   28:6   36:8   45:1   46:4
        48:20.   51:3 16   54:8 8   56:7   75:6 6
        76:5
4Esr   3:36 36   4:6 9 10 11 21 40 41 44 44 52
        5:12 35 39 40 40 43 45 47 56   6:11 50
        7:5 9 14 53 75 102 102 104 105 106 115
        137 138   8:6 42 47   9:7 32   10:32 54
        12:7 38   13:7 47 52 52   14:22 22
1Mc   1:11 23 56   2:46   3:7 53   4:5   5:6
        40 44   6:3 24 63   7:25   9:8 55 60
        10:16 60   11:24   13:22   15:25
2Mc   1:21   2:5 6   3:5 12 28   4:32   5:7 25
        6:6 26 30   8:36   9:9 10 12   10:37
        12:18 21 40   13:21   14:2 5 10 29   15:17
3Mc   2:22   3:8 9 23   4:18 18   6:11   7:6 9
        16
4Mc   4:1 24   7:25   11:24   13:6   15:11
        18:5
1Esr   2:19 22   6:21   8:4 42
Tb   2:2   5:4 8   7:11b   8:13a   9:4b 6b
        10:7b 9b   12:7a
OrM   5   10b
Dn   3:38 48
PsS   7:6
inveniri   ܡܫܟܚ
Sap   1:2   4:7   7:29
1Bar   1:5
2Bar   1:7
Su   63
Jdt   8:14
Sir   23:12   31:8   36:26   44:17 20
ABar   9:1   10:18   29:2   40:2   44:14   48:33
4Esr   5:9 10   6:22 22   13:48
1Mc   1:57 58   2:52   3:30   12:21
2Mc   1:33   2:1 22   4:32   12:6
3Mc   3:28 29   7:11
4Mc   16:14
1Esr   1:7 17 19   4:42   6:22   8:13   9:18
Tb   1:18   12:7b
PsS   13:10   14:5   15:12   17:10 46
inventus   ܡܫܟܚ
4Mc   3:10
inventor   ܡܫܟܚܢ
Sir   6:14
4Mc   11:23

ܥܡܪ

1Esr   1:48
habitare   ܥܡܪ
Sir   27:9   38:21
donare   ܥܡܪ
1Esr   8:55
praesentia (deorum)   ܥܡܘܪܬܐ
Jdt   9:8
Sir   36:12
2Mc   14:35
tabernaculum   ܡܥܡܪܐ
Sap   9:8   11:2
Jdt   2:26   5:22   6:10   7:12 32   10:15 17
        18 18 20 22   12:5 9   13:1 1 2   14:3
        13 14 17   15:1 11 11   16:21
Sir   24:4 8 10
ABar   4:5   6:7
1Mc   9:66
2Mc   2:4 5   12:12
3Mc   1:2 3
4Mc   3:8
Tb   13:10a
PsS   7:1
PsAp   2:20
subversus perire   ܥܡܘܛܝܢ
Sap   5:14
stultus   ܥܡܝܢ
Sap   13:14
2Mc   2:32
guttae sanguinis   ܥܡܝܬܐ ܕܡܐ
PsS   6:8
quiescere   ܥܢܐ
Jdt   5:22   6:1   10:1   14:9
Sir   44:6
ABar   36:10   48:37
4Esr   4:37   10:2   11:4 4 7 23 29   12:22
        14:43
1Mc   1:3   2:23   3:23   7:50   9:57 73
        11:38 50 52   12:11   13:51   14:4
2Mc   4:6   10:27   12:2   13:12   15:28
3Mc   1:25   4:7   6:33
4Mc   8:28
Tb   6:1   10:7a   14:1a
Dn   3:46
PsS   9:18

ܡܠܐ

quietus ܡܠܐ
1Bar   6:16
quies ܪܗܢܡܠܐ
PsS   4:11
quies ܡܠܐ
Sap   18:14
1Bar   6:14
Sir   47:12
1Mc   9:58
2Mc   2:22   3:1   11:29   14:4
4Mc   10:18
subito ܡܠܐ ܗ
Sap   2:2   17:4   18:17
Sir   5:7   11:21
ABar   6:3   36:3   73:3
4Esr   5:4 9   6:22 22 23 44   10:26   11:33
       12:2   13:11
1Mc   1:30   3:23   4:2   5:28
2Mc   3:27   5:5   8:6   14:17 22   15:1
3Mc   3:8   4:2
4Mc   14:9
PsS   1:2
accendere ܒܡܠܐ
ABar   12:2
ardere ܒܡܠ ܗܪܐ
Sap   19:19
4Mc   3:11   16:3
PsS   12:5
flamma ܪܗܒܡܠܐ
Sap   17:5   19:20
Sir   38:28   51:4
ABar   10:19   21:6   48:8 39   59:11
4Esr   4:48   7:61   13:10 10 38
1Mc   2:59   3:5
2Mc   1:32
3Mc   6:6
4Mc   18:14
Dn   3:47 49
PsS   15:6
exuere ܡܠܐ
2Bar   4:20   5:1
Jdt   10:3   16:7
4Esr   14:14
1Esr   4:24

ܡܠܐܟ

denudare   ܦܠܐܟ
1Mc   10:62   ܡܠܐܟ
2Mc   4:38
4Mc   6:2
pellis   ܪܟܠܐ
Jdt   12:15
ramus palmarum   ܪܚܘܠܐ
1Mc   13:37
mittere   ܡܠܐ
Jdt   11:15
ABar   56:4
1Mc   8:31   10:15 17 25 46 56   13:38
2Mc   5:11   11:20
1Esr   8:19
PsAp   1:4
mitti   ܡܠܕܪܐ
Su   59a
ABar   55:3   56:1
4Esr   4:1   5:31 31   7:1 1
apostolus   ܪܟܠܐ
1Mc   1:44
Dn   3:88^W
dominari   ܦܠܐ
Jdt   10:13   11:10 12
Sir   16:6   48:12
dominari   ܦܠܕܪܐ
Sap   9:2
2Bar   2:34   3:16
Jdt   1:14   5:19   15:7   20:27   23:6   24:6
ABar   5:1   6:8   10:19   39:4   53:10   70:3 4
       72:6
4Esr   11:5 7 12 13 14 18 19 29 31 34 39   12:2
1Mc   1:4   6:63   8:16   10:38 70 76   11:8
       14:27   15:29 30 37   16:12
2Mc   3:14
4Mc   5:38   12:6
potentem facere   ܦܠܐܟ
Sir   3:22   9:17   17:2   30:11   33:19 20 28
       37:6   45:17   46:9   47:19
1Mc   7:8   8:24   11:57
4Mc   1:1 4 5 6 9 13 14 30 32   2:7 9 10 10 12
       12 16   3:1   4:18   6:31 35   7:16 23
       13:1   16:1   18:2
1Esr   4:3 14 21

potestas
Sap   10:14
1Bar   8:7
BelD   26
Jdt   9:14
Sir   7:4   10:45   16:27   24:11   25:25
        41:6   42:23   45:26   48:15
4Esr   8:5   11:21 25
1Mc   1:13   2:19   6:11   10:6 8 32 35 38 39
        11:34 58   14:4   15:6
2Mc   3:6 24   4:7 28   7:16
3Mc   1:27   3:11   7:3 12 12 12
4Mc   4:2 5 15   5:15   6:33   8:6
1Esr   4:28 40   8:22

praefectus
Sap   7:5   9:17   12:16 18 ·   16:13
2Bar   3:16   4:21
Jdt   5:2   7:8   8:15   9:10   11:13   14:12
Sir   1:8   4:7 27   7:14   8:8   9:13 17   10:1
        3 24   11:1   15:10   17:17   32:9
        33:18   35:18   36:9   37:18   44:4
        46:13 18
ABar   61:7
4Esr   6:57
1Mc   8:30   9:25   14:44
2Mc   14:46
3Mc   1:1 11 11   5:12   6:39   7:9
1Esr   2:23   4:15
Dn   3:38

potestas
4Mc   1:34   13:15

integer esse
Sap   19:4
1Bar   8:10
Sir   25:1   44:17   46:6   50:14
4Esr   6:35   8:52   11:44
1Mc   7:35
3Mc   3:7
4Mc   1:1 7 29   2:7   5:24   7:7   9:25
        10:15   14:6   18:2

perfici
1Bar   3:3
2Bar   4:5
Jdt   8:21 21   11:6 15
Sir   6:2   7:32

459

ABar   4:1   6:9   57:2   61:5   67:2   69:4
        70:4 9   72:6   77:9 10
4Esr   6:58   10:23
1Mc   3:18   5:50
2Mc   1:31   10:4   14:42
3Mc   5:42
Tb   10:7a

perficere
1Bar   10:1
Jdt   2:2 4   8:11 34   10:1 8 9
Sir   26:2   38:30   46:10
ABar   21:26   22:3   27:15   29:3   40:3
        55:1
4Esr   3:23   6:19   7:1   12:21 25   14:9 25
        26 45
1Mc   4:47 51   13:10
2Mc   1:23   3:8 23   6:14 20   7:7 13 15 37
        9:27   10:27   15:24 39
3Mc   1:26   2:26   6:16
Tb   5:10   8:1a 20   10:1b 7b   14:1b   11b
PsS   7:3

tradere
EpJr   61
1Bar   3:3   7:9 9
BelD   29   30
Jdt   2:10   7:13 25 26   8:9 33   10:15 17
Sir   2:1   4:19   13:18 18   15:14   49:3
ABar   3:5   22:4   50:2   67:6
4Esr   3:27   5:28   14:26 46
1Mc   3:34   4:30   6:35   7:20   8:16   9:14
        10:9 9   11:40   12:34 45   14:29   15:21
        30   16:18
2Mc   1:17   6:19 20 28   7:11 23   8:22
        12:28   13:14   14:18 33 38   15:30
3Mc   1:2 29   2:31 32   6:6
4Mc   2:10   4:1   12:20
1Esr   1:50   2:10   6:14   8:56 58
Tb   7:12a   10:10b
Dn   3:32 34

tradi
1Esr   2:11   6:17   8:61 74
sanus
Sap   3:6
2Bar   1:10
Jdt   4:14   16:16 18

4Mc	18:11
1Esr	4:52 5:48 49
Dn	3:41

perfectio

1Mc	10:20 11:33
2Mc	14:26
3Mc	3:23 6:26 7:7
Tb	6:14

pax

Sap	3:3
EpJr	2
1Bar	1:2
2Bar	3:12 14 4:20 5:4
Jdt	3:1 7:15 24 8:35 15:8
Sir	1:8 4:8 6:5 6 31:10 41:12 12
	44:14 49:15 50:23
ABar	61:3 73:1
4Esr	13:12 39 47
1Mc	1:30 5:24 48 54 6:49 58 60 7:10 13
	14 27 28 29 31 33 35 8:22 9:70
	10:3 18 25 47 66 11:2 6 30 32 51 12:4
	6 17 20 22 51 13:36 37 40 14:8 11 20
	21 15:2 16 16:10
2Mc	1:1 1 4 10 3:1 4:6 11 34 5:25
	9:19 10:12 11:16 22 27 34 12:4 12
	31 13:23 14:6 10 20 20 22
3Mc	1:8 2:20 3:12 20 26 6:15 27 32
	7:1 4 17 18
Tb	7:11b 8:4b 7b 12b 17b 9:6b 10:11b
	12b 12:5b 7b 14:1b

finis

Sap	11:15

perfectio

Sap	7:18 12:17 14:14
1Bar	5:2 2 6:7 12 23 8:10 10:1
Sir	18:7
ABar	13:3 14:9 11 12 19:5 21:8 12 17
	27:15 29:7 8 30:3 39:7 42:6
	53:7 54:21 56:2 59:4 8 69:4 5
	72:1 74:2
4Esr	3:14 5:40 41 6:1 7 9 12 15 16 25
	7:33 112 113 8:54 9:5 6 11:13 14
	36 39 12:2 9 21 30 30 32 34 13:20
	14:5
2Mc	5:8 10:8 11:30 15:39

3Mc	5:5 49 49
4Mc	12:4
1Esr	9:17
PsS	8:18 20 12:6

traditio   ܪܕܐܠܠܐ

Sap	17:12
1Bar	7:9
Jdt	6:10

perfecte   ܠܪܐܠܠܐ

2Mc	14:3

integre   ܠܪܐܠܠܐ

ABar	64:9
2Mc	3:15 22 31 7:40 15:7
3Mc	7:16

traditor   ܪܐܠܠܐ

2Mc	4:1 4 5:8 15 10:13 22 12:42
3Mc	3:24

nomen   ܪܝܐ

Sap	2:4 10:20 14:21 22 27 19:17
1Bar	2:12 14 15 26 32 3:5 7 26 4:30 5:4
BelD	3
Su	1 2 22 45 59a 63 64
Jdt	9:8 8 11:23 16:1
Sir	2:18 6:1 22 15:6 17:10 22:13
	26:28 32:13 36:12 15 37:1 26
	39:9 9 35 40:18 19 41:11 12 42:11
	43:8 44:8 14 45:15 26 46:11 12
	47:13 16 18 49:1 51:11 11 12 30
ABar	3:5 5:1 2 21:21 55:8 63:8 10
	67:3
4Esr	3:13 23 24 36 4:1 25 6:49 49 7:60
	8:60 10:22 14:35
1Mc	2:51 3:14 26 4:33 5:57 61 6:17
	44 7:37 13:29 42 14:10 43
2Mc	3:12 8:4 15 12:13 14:16 37 37
3Mc	1:2 2:9 9 9 14 4:14 5:4
4Mc	5:4
1Esr	1:46 4:63 5:4 6:1 11 32 8:39
	48 75 85 9:16 36
Tb	1:9 3:11 15 15 15 5:12 6:11 8:5
	11:14 12:6 13:11a 14:4b 5b 6b
OrM	3
Dn	3:26 34 43 52
PsS	5:1 6:1 2 6 7 7:5 8:26 31 9:18
	10:6 8 11:9 15:1 4 17:7

PsAp   4:4   5:1
nominare
ABar   48:24   75:6
4Esr   5:26
2Mc   6:2
1Esr   9:36
appellari
Sir   1:30
ABar   3:8   10:16   56:6   57:2   64:7
4Esr   6:4   8:32   10:57
1Mc   3:9   14:10
2Mc   8:7
1Esr   4:63
extrahere
Jdt   13:6
Sir   22:21
2Mc   5:3   12:22
1Esr   3:21
PsAp   1:7
caelum
Sap   8:10   9:16 17   13:2   16:20   18:15 16
EpJr   54   59   66
1Bar   7:2
2Bar   1:11   2:2   3:17 29
3elD   5   Su   9   35   62b
Jdt   5:8   6:19   7:28   9:12   11:7 17
        13:18
Sir   1:3   9:10   16:8 15 17 18   17:32
        24:5   26:16   27:9   35:6   38:21
        43:8 9   46:5
ABar   6:5   10:11 18   19:1 2   21:4   22:1
        59:3
4Esr   3:18   4:8 21 21   6:38   11:2 6   13:3 5
1Mc   2:37 58   3:18 19 50 60   4:10 24 40 55
        5:31   9:46   12:15   16:3
2Mc   2:10 18 21   3:20 39   4:6   7:11 28
        8:20 24   9:10 11 15 20   10:29   11:9
        14:34   15:3 4 8 21 23 34
3Mc   2:2 15   5:25 50   6:17 18 28
4Mc   4:10 11 11   6:26   17:5 5
1Esr   4:34 34 36 46 58 58
Tb   5:17   7:11b 17   8:5 15b   10:11 12a
        11:1b 13b   13:7a 11a
OrM   2   9b   10a   15
Dn   3:36 56 59 60 80

PsS   2:10 34 36   8:7   14:3   17:20

coelestis

4Mc   9:15   11:3

1Esr   6:14

OrM   1b

pinguedo

1Esr   9:51

audire

Sap   6:1   8:15   11:13   15:15   18:1

1Bar   4:1   8:2

2Bar   3:2 4 4 9   4:9

BelD   28

Su   27   44

Jdt   4:1 13   5:5   7:9   8:9 9 11 17 32
       9:4 12   10:14 22

Sir   1:20 20 20   2:11 11   3:1 29   4:6 15
       5:11   6:23 33 34   8:9   11:8   16:5 24
       17:13   19:9 10   21:15 15   22:26
       23:7   24:22   25:9   29:25   30:8
       31:22   33:18 28   34:24 26   35:14 15
       16   36:17   39:13   47:1   48:7 20
       50:16   51:11 28

ABar   6:8   7:1   11:5   13:2   15:4 4   19:8
        21:4   23:6   31:3   39:8   46:5   48:11
        50:1   51:4 13   54:9   55:5 8   63:3 5
        70:1   72:1   76:1   77:2

4Esr   4:11   5:2 7 13 19 32   6:13 17 17 23
        7:2 6 49 51   8:18 19 24   9:30 45
        10:35 38 56 56   11:16 36 37 38   12:31
        13:4 33   14:8 28

1Mc   2:39   3:13 27 41   4:3 27   5:1 16 56
       6:1 8 28 41 55   8:1 12   9:1 43   10:2
       8 15 19 22 26 46 68 74 77 88   11:5 15
       22 23 63   12:24 28 34   13:1 7   14:2
       16 17 25   16:22

2Mc   1:5 8   4:31 37   7:3 24 30 39   8:13
       20   9:4   10:25   11:1 6 24   12:5 21
       14:11 15 18 20 27 28   15:1 11 17 17 17

3Mc   2:10 21   3:1   4:12 16 19   5:16 20 30
       35 42 44 47   6:8 23   7:12

4Mc   4:4 22   8:14   9:28   10:17 18   14: 9
       9

1Esr   4:10   5:62 63 66   8:68

Tb   3:6 10 13   6:13 14 16 18   7:7   10:12a
      11:10b   14:15a

Dn   3:30
PsS   1:2   2:9   6:8   8:1 4   18:3
PsAp   3:10
audiri   ܐܬܟܫܒ
Sap   18:25
EpJr   59
2Bar   3:22 33
Su   25
Jdt   2:3   10:18   11:5 6 8 9 16   13:12
        14:1 7 9 19   15:1 5 5
Sir   3:5   12:11
ABar   8:11   21:4   22:1   48:2 26 42   61:4
        64:8   66:4   71:2   77:25
4Esr   6:2 32 32   7:22   11:15
1Mc   2:19 22 65   5:61 63   8:16   12:43
        14:16 40 43
2Mc   4:4 39   5:5   6:8   7:24 30
3Mc   4:1
4Mc   4:6
1Esr   4:3 11   5:62
Tb   3:4 16   12:12b
PsS   1:2   18:5
PsAp   2:12
audire facere   ܐܟܫܒ
Sir   45:3   46:17
PsAp   2:1
auditus   ܪܬܣܟ
Sap   1:9 10
Jdt   14:7
Sir   47:16
ABar   48:34   55:5
4Esr   10:56
1Mc   3:41   5:63   8:12
2Mc   15:39
4Mc   15:21
Tb   5:14   10:12a
PsS   8:5
auditor   ܐܬܪܬܣܟ
Sap   1:6
oboediens   ܐܢܥܬܫܒܡ
1Esr   4:12
sol   ܪܬܣܟ
Sap   2:4 4   5:6   7:29   16:27 28   18:3
EpJr   59   66
2Bar   4:37   5:5

Jdt	14:2
Sir	17:19 31 23:19 26:16 39:17 42:16
	18 43:2 4 46:4 48:23 50:7
ABar	10:12 12:2 21:3
4Esr	5:4 6:45 7:39 97
1Mc	6:39 10:50 12:27
2Mc	1:22 10:28
3Mc	4:15 5:25
1Esr	4:34
Tb	2:4 7 8:18b 10:7b
Dn	3:62
PsS	2:12 14 4:21 8:8

servire   ܥܒܕ

Sap	10:9 11:15 14:16 18 23 15:13
	16:21 25 18:9
Sir	14:11 24:10 39:4 45:15 50:14 14
ABar	5:3 27:14 48:9 10 54:3 64:2
	73:6 77:24
4Esr	6:42 46
1Mc	10:42
1Esr	4:54

ministrare   ܫܡܫ

Sir	1:20

minister   ܡܫܡܫܢܐ

Sap	6:5
EpJr	25 38
Jdt	4:14
Sir	4:14 14 7:30 10:2
3Mc	5:5
4Mc	9:17

servitium   ܬܫܡܫܬܐ

Sap	12:4 13:11 14:15 27 15:7 7
ABar	66:2 68:5
1Mc	11:58 15:32
2Mc	1:23 3:3

dens   ܫܢܐ ܫܢ

Sir	12:13 21:2 30:10 39:30 40:15
4Mc	7:5 6
PsS	13:3

spica   ܫܒܠܐ

4Esr	4:32

cacumen rupis   ܫܒܠܐ

4Mc	14:16

somnus   ܫܢܬܐ

Sap	17:14 15

```
Sir     22:7   31:1 2 20   40:5 8   42:9
1Mc     6:10
3Mc     5:11 12 20 22
PsS     4:17 18   6:6   16:1
```

annus

```
Sap     4:8   7:19 EpJr   2   2   2
2Bar    1:2           Su     5
Jdt     1:1 13   2:1   8:4   16:23
Sir     18:9 10   26:2 26   33:7 7   47:10 10
ABar    1:1   16:1   17:2 3 4   20:1   21:24
        26:1   29:8   36:7
4Esr    3:1 25 29   4:33   6:5 24 28   7:28 29
        41 43   9:43 44 45   10:45 45 46   13:45
        14:48 48
1Mc     1:7 9 10 20 29 54   2:69   3:28 37
        4:28 52 52 59 59   6:16 20 53   7:1 49 49
        8:4 4 7 7 16   9:3 54 57   10:1 21 40 42
        42 57 67   11:19   13:41 42 51 52 52
        14:1 27 27   15:10   16:14
2Mc     1:7 7 10 20   4:18 23 40   5:24   6:23
        24 24   7:27   10:3 6 8 8   11:21 33 38
        13:1   14:1 4
3Mc     1:11   6:1
4Mc     4:17   5:6 11 36   11:13 14   12:13
1Esr    1:20 32 37 41 43 44 44 55   2:1 25
        4:51 52   5:6 41 54 55 56 70   6:13 16 23
        29   7:5 5   8:6 6
Tb      1:7   14:2 2 2b 11a 14
```

abire

```
Sap     4:2   9:6   15:19
Jdt     6:13
4Esr    4:29   5:6 8   14:14
3Mc     2:32   3:23   5:44
4Mc     8:4 4   9:23   10:13
1Esr    4:26
```

removere   ܥܠܠ

```
Sap     4:2 10
Sir     13:25   18:26   36:6
ABar    48:36
4Esr    10:30
1Mc     9:6 62
2Mc     4:33   5:27   10:20   14:30 34 44
3Mc     2:33
4Mc     4:1 14   18:5
```

Tb   1:19
expelli   ܐܬܟܕ ܪ
2Mc   11:23
mentis alienatio   ܐܬܢܘܗ
4Mc   7:5   8:4   10:13
cruciare   ܐܬܟܕ ܪ
ABar   13:9
1Mc   9:26
2Mc   7:10 13 39   9:28
3Mc   4:4   7:3
4Mc   1:11   6:8 10 11   8:1   9:15   11:16 16
            12:11 13   16:15
cruciatus   ܐܬܢܟ
2Mc   6:19 28 28   7:1 8 12 37 42   9:6 28
            10:4
3Mc   2:28   3:27
4Mc   4:24 26   5:6   6:1 16 27 30 30   7:1 4
            10 14 16 24   8:4 8 10 11 18 23   9:5 5
            6 7 16 18 22 27   10:11 16 16   11:1 8
            11 23   12:12   13:5 8 26   14:5 8 11 12
            15:11 14 18 21 22 24 25 32   16:1 2 17
            23   17:3 7 10   18:20 21
cruciatus   ܐܢܟ ܘܐ
ABar   25:3
cruciatus   ܐܬܢܟܬ
4Mc   7:2
cruciari   ܐܬܟܕܕ
1Bar   1:6   7:8   8:9
ABar   15:6   36:10   51:6   55:2   56:23
            64:9   73:7
4Esr   7:21 64 67 67 72 75 76   9:13   12:26
            13:37
2Mc   9:11
3Mc   3:26
4Mc   15:22
1Esr   8:24
vexare   ܐܢܝ
Sir   30:10
ABar   64:10
1Mc   7:7
2Mc   1:28   3:38 39   6:15   7:17   9:6
3Mc   2:6 22   7:3
4Mc   12:19a   18:22 22
cruciatus   ܐܘܠܨ
Sir   31:19

ܟܐܒܬܐ   ܟܐܒܘܬܐ

4Mc   9:32   13:15   18:5

cruciatus   ܟܐܒܬܐ

Sap   2:19   3:1   19:4

1Bar   6:18

ABar   30:5   36:10   44:12   46:6   51:2

           52:3   54:14 15   55:2 7   59:2 11

4Esr   7:36 38 47 66 80 84 86 93 99 99 117

           8:59   9:9   13:37

1Mc   9:56

2Mc   4:38   6:14   7:37   13:7

4Mc   9:9

cera   ܟܐܬܐ

Jdt   16:15

narrare   ܐܫܬܥܝ

Sap   2:10

2Bar   3:17 23

Jdt   14:8

Sir   17:6   25:9   44:8 15   51:1

ABar   5:4

4Esr   7:54   9:42

1Mc   5:25   8:2   10:15   11:5

2Mc   6:7   8:12   15:11

4Mc   15:4   18:12

1Esr   5:3

PsAp   2:2 6

narratio   ܟܫܬܥܐ

2Bar   3:23

Sir   6:35   8:8 9   9:4 9 15   11:8   13:5 11

           11 25 26   20:5 8 9   21:16   22:6 13 13

           27:4 11 13   32:4   37:20   38:25   39:2

           42:11 12

PsAp   2:14

narratio   ܟܫܬܥܬܐ

2Mc   2:24 28 32 32   6:17   15:12 39

4Mc   3:19   17:7

decidere   ܟܥܪ

Sap   13:12

planus   ܟܥܪ

Sap   10:4

2Bar   5:7

puritas   ܟܥܪܘܬܐ

ABar   66:1

4Esr   6:32
PsS   17:46
perfodere   ܫܦܪ
4Mc   11:19
veru   ܫܦܘܪܐ
4Mc   8:12   11:19   18:20
animum demittere   ܫܦܠ
4Mc   13:10   16:5
humiliare   ܫܦܠ
Sir   7:11
PsS   11:5
humiliari   ܐܬܦܠ
1Mc   1:26   2:61
ignavia   ܫܦܠܘܬܐ
4Mc   6:21
humiliatio   ܫܦܠܐ
1Bar   6:13
se effundere   ܐܬܫܦܟ
Sap   11:6
abundatia   ܫܦܥܐ
2Mc   2:24
abundans   ܡܫܦܥܐ
Sir   24:27
pulcher esse   ܫܦܪ
Sap   4:10 14   14:19
Jdt   7:16   8:25   11:20
1Mc   1:12   6:60   8:21 26 28 30   14:4 23
           15:19 20
2Mc   1:20   9:21
1Esr   8:11
Tb   3:15 4:3
PsS   4:8 22
ornare   ܐܫܦܪ
Sir   13:5 22   22:13   42:12
aurora   ܫܦܪܐ
Jdt   14:11
Sir   7:19   11:2
Tb   9:6b
pulchritudo   ܫܘܦܪܐ
Sap   7:10   8:2   13:3 3 5   14:19 20 21
           17:19
EpJr   23
1Bar   5:7   6:12
Su   32   38   56
Jdt   10:7 14 19 23   11:20 21   16:6 9

Sir   9:8 8   24:17   25:21   26:16 17
       36:22   40:22
ABar   10:17   21:14   51:10 11
4Esr   6:3   10:50
1Mc   1:26
2Mc   3:17
4Mc   2:1   8:4 9
1Esr   4:18
PsS   2:4 20 23   16:8   17:14
adulatio   ܫܘܒܚܐ ܢܬܠ
4Mc   8:25
pulcher   ܫܦܝܪ
Sap   5:17   7:22   9:9 10   13:7 11 11
EpJr   8
2Bar   4:4
Su   2   31
Jdt   3:2 3   8:7   11:22 23   12:13 14
Sir   3:31   9:8   11:2   14:16   18:26   23:4
       32:6   35:5   37:11   50:9
ABar   14:12   15:1 5
4Esr   3:27 31   4:20   7:18
1Mc   8:23   10:55   11:43   12:18 22
2Mc   3:1 25 26   4:17   6:18   11:26   14:37
       15:12 12 13 17
3Mc   6:24
4Mc   2:14   3:18   4:1   7:9   8:5   11:12 22
       13:24   16:9   17:9
1Esr   1:10   4:18 18 19 39   8:27
Tb   3:6   4:21   6:12   7:11a   8:6   12:7a
       8a 11a   14:6b 9a
PsS   12:2
PsAp   1:5
bene   ܫܦܝܪ ܗܘ
1Esr   2:18
pulchritudo   ܫܦܝܪܘܬܐ
ABar   48:35
3Mc   7:17
1Esr   1:21
tuba   ܫܝܦܘܪܐ
1Esr   5:57 61 62 63
potum praebere   ܐܫܩܝ
Sir   15:3   24:30 31   39:22
4Esr   14:38
3Mc   5:2 10 31 45
4Mc   1:29

Tb	11:11b
PsS	8:15

potus   ܟ‍ܕ‍ܩ‍ܨ

Sir	39:23
3Mc	5:2
4Mc	3:14 15 16

pincerna   ܟ‍ܕ‍ܩ‍ܨ

Sir	48:16
Tb	1:22

sufferre   ܠ‍ܐ‍ܩ‍ܨ

Sap	5:15 15 8:19
EpJr	8 57
2Bar	1:8 3:18 4:34
BelD	13 27 36 37 39 39
Su	2 35
Jdt	2:17 22 7:1 2 5 17 13:8 14:11 15 18
Sir	6:25 13:1 14:12 22:15
4Esr	6:21
1Mc	3:37 40 57 4:1 3 12 30 35 5:29 30 36 60 6:4 32 63 7:10 19 47 9:4 11 60 10:86 11:9 22 34 12:25 32 40 13:12 22 25 42 14:5
2Mc	4:2 7:27 8:27 10:13 12:1 12 17 29 38 13:22 14:8 16 41
3Mc	1:1 2:24 4:19 6:5 7:22
4Mc	3:12 9:8 15:29
1Esr	1:4
Tb	3:6 6:4 8:2b 7b 9:5b 11:15b 12:13b

surrigere   ܠ‍ܘ‍ܩ‍ܨ

Sap	14:15
EpJr	3 25
1Bar	8:3
2Bar	2:17
Su	63
Jdt	9:7
ABar	70:4 73:4
4Esr	10:22 23 14:9
1Mc	1:3 3:45 8:5
2Mc	15:6
3Mc	1:26 2:3 5 6:4 7:21
Tb	4:13

sublevare   ܠ‍ܐ‍ܩ‍ܨ

4Mc	18:5

ܩܘܠܐ

1Esr	8:11 60	

tributum   ܩܘܠܐ

1Mc	3:29 31 10:28 29 30 33 38 11:34 57
	13:37 15:5 30 31

majestas   ܩܘܠܣܐ

3Mc	3:11

portatio   ܩܘܠܬܐ

Sir	6:25

portans   ܩܘܠܐ

3Mc	4:6

superbia   ܩܘܠܣܐ

Tb	4:13

verberare   ܩܪܐ

Jdt	16:3
1Esr	4:30

rupes   ܩܐܝܐ

Sir	40:15
ABar	36:2
4Mc	7:5 14:16

mendacium   ܩܘܒܐ

Sap	4:16 5:18 7:25 14:25
1Bar	6:21
Su	21 34 38 61b
Sir	15:20 16:1 13 23:13 38:10
	40:13

mendax   ܩܘܒܐ

Sir	23:18

stabilire   ܩܡ

Sap	9:14 10:12
EpJr	17
Sir	1:20 3:20
ABar	21:4
4Esr	7:60
1Mc	2:17 9:62
3Mc	2:31
4Mc	7:9 18:17
PsS	14:3 16:2

convalescere   ܩܡ

Sir	24:8
ABar	48:34 66:5 70:5 5
4Esr	6:2 4
1Mc	2:49
2Mc	8:5 11:9
4Mc	17:4

firmare
Sir   6:17   29:3
3Mc   5:44
veritas
Sap   1:6   6:8 18   8:18   13:11 25   15:3
       18:6   19:17
1Bar   6:2 19 23   8:9
2Bar   5:7
Su   43b   55a   59a
Sir   4:15   6:14   20:9   23:11   30:15   37:2
       44:18   45:7
ABar   39:6   44:14   55:3   56:2   59:6   61:6
4Esr   5:1   6:28   7:34 104 114   8:23   14:17
1Mc   7:18
2Mc   2:35   3:9 38   4:11 33   7:6   9:11
3Mc   4:19   6:18
4Mc   5:9 11   6:18 22   7:4 16 22   9:6 7 26
       30   10:3 10   11:2 20 21   12:11 15
       13:26   14:3 4   15:1 2 3 12 14 29 32
       16:13 14   17:5 7 7   18:3
1Esr   3:12   4:13 33 35 36 37 38 40 41   5:40
Tb   1:3   3:5   4:6   7:10   8:7a 17b   12:11b
       13:6a   14:4b 7a
PsS   3:7   6:9   8:20   10:4   14:1   15:3
       16:10   17:17
PSAp   2:13
integer
Sap   2:17   4:3   7:22 23   11:4   14:3
1Bar   3:1
Jdt   11:10
Sir   7:22   30:14
ABar   2:2   20:6   77:7
4Esr   8:23   11:41
3Mc   2:10   7:11
4Mc   1:1   11:23
1Esr   8:86
Tb   3:2 5
PsAp   2:2
revera
Sap   8:1
1Bar   1:3   3:7
Su   28
Jdt   5:5
ABar   12:4   23:7   28:6   46:2   48:41 50
       54:16

474

ܪܚܐܝܐ   ,ܐܕܪ

4Esr   8:35 38   12:7
3Mc   7:6 12
4Mc   5:18 24   6:5   17:11
Tb   14:6a
firmitas   ܪܚܐܝܐ
Sir   30:16
firmitas   ܪܝܝܐ
1Bar   5:5
1Mc   2:43
2Mc   12:14
PsS   17:26
firmitas   ܪܚܐܝܝܘ
1Esr   8:78
firmiter   ܕܪܪܝܝܘ
4Mc   17:3
solvere   ܪܝܘ
Sap   12:1
1Bar   10:1
Jdt   6:14   7:3 13 17 18 18 18 32   9:2   10:3
        14:17   15:3   16:6
Sir   4:15   14:24 25   25:26   47:12
ABar   7:1   53:3   77:22
1Mc   1:63   2:34   3:40 57   4:29 45 45
        5:37 39 41 42 49 50   6:26 31 32 48 51
        57   7:19 39 40   9:1 2 3   10:29 48 69
        75 86   11:38 67 73   13:11 13 16 16
        14:44 45   15:13 25 39   16:6
2Mc   3:17   4:11   7:9   11:3 5   13:25
        14:23
3Mc   1:1 4   2:16   3:23   4:11   5:34 40
        6:13 16   7:20
4Mc   3:9   4:16   5:6 33   7:6   10:7   12:8
        10   14:8 11
1Esr   1:52   2:5   9:46
Tb   3:13   7:11b   9:5a
PsS   4:11   7:5
dissolvi   ,ܐܕܪ
Sap   5:22
Jdt   14:6
Sir   2:1
ABar   48:35
4Esr   7:114
1Mc   9:7 55   10:43 82   11:36
2Mc   3:24   4:47   6:22 30   10:30   14:28
3Mc   1:2   2:22   6:29 37

```
4Mc      4:24    10:8 11    11:18
Tb       3:6 6
PsS      8:5
```

coepisse   ܐ ܚܝ

```
Sap      7:3    14:28
Su       26
Sir      18:7   24:5 7 8 8    25:24    42:22
ABar     21:3   29:3    47:1    56:6
4Esr     3:3 12 12    5:22    6:36    8:17    9:27 28
         47    10:41 49    12:5    14:14 26
1Mc      3:25    5:2    7:43    9:13 47 54 66 73
         10:10 49    11:46 69    13:42    15:40
2Mc      2:32    3:24    4:40 47    6:29    8:13 23
         27    9:11    10:23    11:5 6    12:34 37 42
3Mc      1:26    2:13    3:10    4:15
4Mc      7:13
1Esr     2:25    3:16    4:1 13 33    5:52 54    6:2
         8:41    9:13
Tb       2:13    7:14a    8:5a    10:4a 7b
```

habitare facere   ܐ ܝܣܪ

```
Sap      17:19
2Mc      2:30    14:35    15:23
3Mc      6:20
```

solutio   ܪ ܐܝ

```
Sap      8:8
ABar     10:19
2Mc      8:17
```

initium   ܪ ܐܝܐܥ

```
Sap      7:18
ABar     19:5    21:17    53:5    56:8
1Esr     8:67
```

junctura   ܪܚ ܐܝ

```
4Mc      8:12    9:13 17    10:15
```

deversorium   ܪ ܐܝܣܘ

```
Sir      14:25
ABar     48:6
1Mc      3:45
2Mc      3:29
Tb       1:4
```

ܪ ܐܝܣܘ ܕܚܝ <<< ܪ ܐܝܣܘ
castra   ܪܚ ܐܝܣܘ

```
Sap      19:7
Jdt      6:11    7:3 7 17 20    10:18    12:7
         13:10    14:3 11 19    15:5 6 11    16:2 12
Sir      43:8    48:21
```

ܪܚܡܬܐ   ܪܚܝ

ABar   48:10
1Mc   3:3 15 17 23 27 41 57   4:1 2 4 5 7 7 10
        13 20 21 23 30 30 30 31 34 35 35 37
        5:28 34 37 38 40 45 49   6:5 6 32 35 40
        41 42 42 45 48   7:35 38 42 43 43 44
        8:6   9:6 7 11 13 14   10:49 53 78 80
        11:67 68 73   12:26 27 28   13:20 43
        14:3   16:7 8
2Mc   12:22   13:15 16   15:22 29
3Mc   1:1
4Mc   3:9
convivium   ܪܚܡܬܐ
EpJr   31
Su   13
Jdt   4:3
4Esr   7:65
3Mc   5:14 15 16 36
Tb   2:1   12:13a
November   ، ܝܘܪ ، ܝܚܕ
2Mc   11:22
gens   ܪܚܒܬܐ
Sap   3:19   8:14   10ß15
2Bar   2:15
Su   22   30   41   63   64
Jdt   5:10   8:2 18 18 32 32   9:14   16:24
Sir   26:21   41:5
4Esr   3:7   13:41
1Mc   12:24
2Mc   1:10   5:6 9   7:23 28   8:1   12:24
        15:18
3Mc   5:31 49   6:27 27 28
1Esr   5:67   7:8 9   8:28 54 58 58 92   9:5 16
Tb   1:4 4 4 5 9   4:12   5:9 11 12 14   14:5b
PsS   17:9 28 30 48
incendere   ܝ ܝܚܪ
Sir   43:4
lampas   ܪܚܝ
EpJr   18
Sir .   26:17
ABar   17:4   18:2   59:2   77:13 15 16
4Esr   10:2   12:42   14:25
1Mc   4:50
2Mc   1:8   10:3
Tb   8:13b

477

ܥܝܪ ܓܝ ܬܘܗܪ   ܥܝܪ

fata morgana   ܥܝܪ ܓܝ ܬܘܗܪ ܥܝܪ ܓܝ ܬܘܗܪ
Sap   19:16
impudicitia   ܥܝܪ ܘܚܬܪ
ABar   27:12
4Esr   5:2 10   7:114
PsS   2:15   4:3
hallucinari   ܪܬܗܕܝ ܓܝ ܕ
Sap   4:2
nervus   ܥܝ ܠܪ
4Mc   7:13
lorica   ܥܝ ܠܪ
Sap   5:19
4Esr   14:46
1Mc   3:3   6:2 35
2Mc   5:3
reliquum   ܥܝ ܕܪ
Jdt   7:18   15:6 7
Sir   3:23   11:7
ABar   14:5   33:1   40:2   44:15   56:13
4Esr   6:56   7:62
1Mc   2:18 44   3:11 24 35   4:15 26   5:18 27
        36   6:38 53   .7:42   8:4 11   9:22 40
        11:24 35   12:14 45 45   14:20   16:8 23
2Mc   1:23   4:32 42   8:28 31   11:3 11 27
3Mc   4:8
4Mc   1:11
1Esr   1:53   2:15 16 21   5:8   7:6   8:18
Tb   8:21a   14:5b
reliquus   ܥܝ ܕܠܪ
ABar   77:4
decepi   ܪܬܗܕ ܕ
Sap   12:2
corrumpere   ܪ ܥܝ ܕ
PsS   16:8
lapsus   ܥܝ ܕܠ ܬܗܪ
4Esr   8:17 26
PsS   3:8   13:4 9
loca lubrica   ܥܝ ܕܠ ܬܗܪ
PsS   16:1
reptilia   ܥܝ ܣ ܪ
Sap   16:1   19:10
sibilare   ܪ ܥܝ ܣ
Sap   17:18
radix   ܥܝ ܠܪ
Sap   3:15

```
Sir    1:6
4Mc    14:13
PsS    15:7
```

condere   ܘܪܒܐ

```
1Esr   2:17    5:55
```

fundamentum   ܪܘܪܒܐ ܪܘܪܒܐ

```
Sap    4:19
Jdt    16:15
Sir    16:19    24:6
ABar   7:1
4Esr   6:15    10:27 53
```

bibere   ܪܒܐ

```
BelD   6    7    15
Jdt    7:21 21    12:11 13 17 18 19 19
Sir    9:10    24:21    26:12    29:25    30:19
       31:27
ABar   13:8 8    20:5    21:1    77:13
4Esr   8:4    9:24    10:4    14:38 40 40
1Mc    11:58    16:16
2Mc    15:39 39
4Mc    3:11 12    13:20
1Esr   4:63
Tb     4:15    7:10 11b 11b 14b    12:19 19b
```

potari   ܐܬܫܩܝ

```
Sir    31:28 29    32:4
```

potus   ܡܫܬܐ

```
Jdt    12:1 10    13:1
Sir    31:31    32:5 6    49:1
1Mc    16:15 16
3Mc    4:16    5:16 17    6:36
1Esr   5:53
PsAp   2:13
```

                                ܡܫܬܐ ܡܫܐ <<< ܡܫܬܐ
                                    ܪܫܬܐ

compotatio

```
Sap    13:17    14:24 26
1Mc    10:58
Tb     6:13    8:19a 20a 20a    9:2 5b 6    10:7a
       11:19    12:1b
```

plantare   ܐܬܠ

```
Sir    39:13
```

tacere   ܫܬܩ

```
Sap    8:12
Sir    20:1 5    39:11    41:12
ABar   48:33 49    54:11    70:5
1Mc    11:5
```

Tb   10:6a 7a
PsS   5:3
silentium
Sap   18:4
1Bar   6:13 21
4Esr   6:39   7:30

ܛ

ficus carica   ܐܬܬ ܐܬܬ ܐܬܬ̈
1Mc   14:12
orbis terrarum
Sap   1:7   ܐܬܒܠ ܐܬܒܠ
EpJr   61
Sir   10:4   16:19   23:27   24:6
ABar   76:3
4Esr   3:18   5:24 25   6:1   9:20   11:23 40 40
sequi   ܐܬܒ
EpJr   6   34
1Bar   5:2 2   8:9
Jdt   1:12   7:28   8:21 35   16:17
Sir   16:11 12   20:15   30:20
ABar   48:27 27
4Esr   7:135
1Mc   2:67   10:35
2Mc   4:28 39 50
4Mc   15:29   17:10
Tb   3:3
peti   ܐܬܬܒܥ
1Bar   6:22
Jdt   2:1   9:2   11:10   16:17
1Mc   9:42
ultor   ܐܬܒܥ
Sap   12:12
Sir   5:2
1Esr   8:23
ultio   ܐܬܒܥ
Sap   19:4
Jdt   6:5   8:27
ABar   54:13   59:10   73:4   77:4
4Esr   9:6
1Mc   1:29   2:67   6:22   8:32   15:21
2Mc   4:28
frangere   ܐܬܒ
BelD   22   28
Jdt   8:15   9:8 8 10   13:17
Sir   4:2   13:2   19:5 25   21:14   22:18

481

(Sir)   25:9 9   28:17   36:6   38:18   41:2
            46:16 18   47:4 7 7   48:21

1Mc   7:42   10:52

PsAp   4:2

frangi   ܐܬܬܒܪܝ

Sap   4:5

EpJr   15

Jdt   16:11

1Mc   4:14 34 64   5:7 21 43   7:43   9:15 68
            10:53 82   13:50   14:13

2Mc   6:9   9:7

4Mc   9:14.

PsS   13:4

confringere   ܬܒܪ

2Mc   10:36

fragmentum   ܬܒܪܐ

Jdt   7:10

fractura   ܬܒܪܐ

Su   22

Jdt   13:5 14 15 17

Sir   25:23   27:10 12 22

4Esr   7:108

1Mc   2:7   3:4   4:32   5:61

PsAp   3:17

corona   ܬܓܐ

Sir   36:10   40:4

1Mc   1:9   6:15   8:14   11:13 13 54   12:39
            13:32

1Esr   4:30 43

ordo   τάγμα   ܬܓܡܐ

4Mc   9:23

mercator   ܬܓܪܐ ܬܓܪܐ

Sap   15:12

2Bar   3:23

Sir   26:29   37:11

1Mc   3:41

2Mc   8:34

mercatura   ܬܓܪܘܬܐ ܬܓܪܘܬܐ

Sap   13:19   14:2   15:12

Sir   37:11

mamma   ܬܕܝ̈ܐ ܬܕܐ

4Esr   8:10

2Mc   6:10

abyssus   ܬܗܘܡܐ

Sap   10:19

Sir	1:3	16:18	24:5 29	42:18
ABar	59:5			
4Esr	3:18	4:7 8	5:25	8:23
OrM	3			
Dn	3:54			
PsS	17:21			

mirari   ܬܡܗ

4Mc	6:11 13	8:3 4	9:26	18:3

miratio   ܬܡܗܐ

4Mc	1:11

mirabiliter   ܬܡܝܗܐܝܬ

4Mc	4:14

poenitet aliquem   ܬܘܐ

Sap	5:3	19:2

poenitet aliquem   ܐܬܬܘܝ

1Mc	11:10

ad poenitentiam commovere   ܐܬܘܝ

1Esr	8:68

poenitentia   ܬܘܝܐ

4Esr	3:1

poenitentia   ܬܘܝܬܐ

1Bar	8:12	1Mc	6:34

poenitens   ܡܬܬܘܝܢܐ

OrM	7b

redire   ܬܒ

Sap	11:24			
2Bar	2:21 33	4:28		
Sir	5:6	8:5	17:25 25 25 29	18:7
	21:6	48:15		
3Mc	2:24 24	Tb	13:5b	
OrM	7a	7a	13b	
PsS	9:15			

reddere   ܐܬܒ

ABar	48:28
4Esr	8:25

poenitens   ܬܝܒܐ

Sap	16:14
Sir	17:24

poenitentia   ܬܝܒܘܬܐ

Sap	12:10 19		
1Bar	8:12		
Sir	17:24	48:16	51:29
OrM	7 8	8	
PsS	9:19	16:11	

ܐܬܪܝܗ   ܬܘܪܐ

mirari   ܐܬܪܝܗ
4Mc   4:7
miror   ܬܘܡܬܐ
ABar   25:3
4Esr   5:1   13:30
conclave   ܬܘܠܐ
1Bar   6:3
Tb   7:15a
PsS   14:5
taurus   ܬܘܪܐ
Jdt   2:17   3:3
Sir   6:2   25:8   38:25 25 25
1Esr   1:7 8   6:28   7:7   8:14
Tb   8:10b   10:10b
Dn   3:40

                              ܬܘܪܐ ܒܢܝ <<< ܬܘܪܐ
                              ܬܘܪܐ ܬܢܝ <<< ܬܘܪܐ

bovibus arare   ܕܬ
Sir   38:25
mirari   ܬܘܝ
Sir   26:28
miratus   ܬܘܝܪܐ
1Esr   4:19
definire   ܬܚܡ
OrM   7b
finis   ܬܚܘܡܐ
1Bar   6:5   8:12
Jdt   1:12 12   2:10 25   4:4   6:4   14:4
        15:4 5   16:4
4Esr   9:8   13:48
1Mc   2:46   3:32 36 42   5:9 60   6:25
        7:24   9:23 43 72   10:31 43 70 89
        11:34 59 59   14:2 6 33 34   15:29 30
4Esr   12:34
inferior   ܬܚܬܝܐ
OrM   13
PsS   15:11
sordes   ܬܛܠܐ
ABar   13:8
hircus   ܬܝܫܐ
1Esr   8:71
PsAp   2:11
oppressio   ܬܟܐ
Sir   37:8
PsS   4:17

vehemens   ܒܬܝܒ
4Mc   16:3
frequenter   ܬ ܒܬܝܒ
4Esr   5:8
4Mc   6:11
color caeruleus   ܬܟܠܬ
Sir   45:8
fidere   ܬܒܠ
Sir   5:1 2 5 8   13:10   16:3   20:23   38:21
confidi   ܐܬܬܒܠ
Sir   2:10   6:7   15:4   31:6   34:15
ABar   63:3
2Mc   15:17
4Mc   4:7   17:4
confidere facere   ܐܒܬܠ
Sir   20:23   29:2   49:10
fiducia   ܬܒܠܘܬܐ
Sir   2:13 22   34:16   51:2
1Mc   4:30
PsAp   3:17
confisus   ܬܒܠܐ
Sap   3:8   12:24 27   14:29   16:24
1Bar   8:2
2Bar   3:17 19
BelD   13
Su   60b
Jdt   7:10   8:33   9:7
Sir   32:24   51:8
ABar   14:13   48:22
4Esr   8:30
1Mc   10:71 77   12:9
2Mc   8:18 18   10:28 34 11:4   12:14
Dn   3:40
certo   ! ܬܒܠܐ
Sap   4:4
2Bar   5:7
Sir   26:20
1Mc   6:40   9:58
2Mc   10:33   11:10
3Mc   1:14
coercere   ܬܒܩ
Sap   4:29
coerceri   ܐܬܬܒܩ
4Mc   1:35

appendere   ܗ ܠܐ
Jdt   8:24   14:1
ABar   6:8   10:10
4Esr   7:116
1Mc   1:61   4:51   7:47
2Mc   6:10
4Mc   4:11   6:27   9:26
1Esr   8:81

adhaerere   ܐܗܗ ܠܐ
1Esr   6:31

nix   ܗ ܠܐܟ
Sap   16:22   24:13
1Mc   13:22
Dn   3:70

vermis   ܗܐ ܠܐܪ
Jdt   16:17
Sir   10:10 11
1Mc   2:62
2Mc   9:9

palpebrae   ܗ ܦܐܐ
Tb   11:13a

perfectus   ܬܡܣܕ
Dn   3:87
PsS   4:25   8:28   12:4
PsAp   2:3 18

perfectio   ܗܪ ܐܡܣܕ
PsS   4:26

mirari   ܬܡܕ
Sap   5:1
Jdt   10:6 19   11:16   13:17
Sir   18:7
4Esr   6:24   13:11
1Mc   6:8   16:22
2Mc   1:22
Tb   11:16a

mirari   ܐ ܗ ܗܡܕ
ABar   55:2

mirari facere   ܐ ܗܡܕ
Sir   47:17

miror   ܬܗܡܕ
Sir   16:11
PsS   8:36

mirabilis   ܬܡܣܕ
Sap   8:7 11   10:17   11:4   14:1   17:1
          18:15

Jdt   10:13 14   11:8   13:13
4Esr   6:48   10:25   12:3
2Mc   3:26
1Esr   4:29
Tb   12:21a
PsS   5:15   8:28
mirabilia   ܬܕܡܪܬܐ
Sap   8:8   17:9   19:8
Sir   36:6
ABar   51:7   54:9   55:7
4Esr   7:27   13:14
Dn   3:87
mirabiliter   ܬܕܡܘܪܬܐ ܒܬ
Sap   5:21   17:3
4Mc   15:4
mirabilitas   ܬܕܡܘܪܬܐ
Sap   13:4
heri   ܐܬܡܠܝ
Sir   38:22
1Mc   9:44
palpebrae   ܬܡܪܐ
ABar   35:2
fumare   ܬܢ
Sap   11:19
Tb   6:17
fumare   ܬܢܢ
Sap   10:7
fumare   ܐܬܬܢܢ
Tb   6:8   8:2a
fumus   ܬܢܢܐ
Sap   2:2   5:14   11:19
EpJr   20
1Bar   5:6
Sir   22:24   27:4
ABar   67:6 6
4Esr   4:48 50 50   7:61   13:11
1Mc   4:20
draco   ܬܢܝܢܐ
Sap   16:10
BelD   23   26   27   27   28
Sir   25:16
ABar   29:4
4Esr   6:7 9   11:1 13 27   12:15
PsS   2:29

487

repetere   ܬܢܐ

Sir   19:6 7 14

ABar   10:47   48:49   54:8 11   75:3

4Esr   6:48

2Mc   13:22

1Esr   8:53

PsS   5:15

repetere   ܬܢܝ

Sap   17:1

Sir   42:15

ABar   75:4

4Esr   10:43

1Mc   3:26

iterari   ܐܬܬܢܝ

ABar   48:34

4Mc   10:1

conditio   ܬܢܝ

4Mc   4:17

narratio   ܬܘܢܝܐ

2Mc   2:24 24

furnus   ܬܢܘܪܐ

Sir   48:1   51:21

4Esr   7:36

pendere   ܬܠܐ

Sir   5:14   8:2   18:21   20:20   23:14

ABar   48:4

4Esr   3:34   4:5 36 36

1Esr   8:55 56

offendere   ܐܬܬܩܠ

Sir   13:23   19:16   23:8   26:29   30:21

           31:7   32:20   34:7   41:2

ABar   41:6 6

4Mc   3:16   1Esr   8:61

Tb   11:10 10a

PsS   3:5 11

offendere facere   ܐܬܩܠ

Sir   15:12   23:1   30:13

lapis offensionis   ܬܘܩܠܬܐ

Sap   14:11

Jdt   5:20   8:22   12:2

Sir   4:22   11:31   21:10   31:7 30   47:23

           51:3

1Mc   1:36

libra   ܬܩܠܐ

Sap   11:21

Sir   6:15   8:1   16:25   21:25
       26:15   28:25   38:28
ABar   41:6
4Esr   4:5
1Esr   8:62 62
PsS   5:6
Jdt   12:19   stare   ܩܡ
Sir   2:17   11:17   46:13
ABar   6:9   68:5
4Esr   5:12   6:38   12:18
1Mc   14:36   15:3 7
PsS   12:6
statuere   ܩܡ
Sap   9:2   13:11 14
Sir   6:37   29:26   32:2   38:8 14
ABar   54:13
2Mc   2:22   7:22
Tb   7:11b 15b   8:15b 19b   10:11b   11:3b
statuere   ܐܩܝܡ
Sap   13:3   18:9   19:17
EpJr   29
1Bar   6:8   8:4
2Bar   3:32
Jdt   3:10
Sir   37:15   38:3
ABar   43:1   44:14
4Esr   5:49   7:22 42 52   9:19
1Mc   4:55
2Mc   2:13 26 27   4:6 11 12   6:5 21   15:38
4Mc   4:20
PsS   2:4   7:9   8:18   10:2   15:5   16:9 10
creari   ܐܬܩܝܡ
Sir   1:15
ABar   56:4
4Esr   8:52
locus   ܩܘܡܐ
Sir   26:18
creatio   ܩܘܡܐ
Sap   13:2   14:23   16:21
Sir   13:7   44:6
4Esr   6:45   1Mc   1:21
2Mc   15:39   PsS   8:22

489

ܬܘܩܦܐ   ܐܬܬܩܦ ≈

firmitas   ܬܘܩܦܐ
ABar   48:35
4Mc   2:7
validus esse   ܬܩܦ
Sir   36:6
firmare   ܬܩܦ̈
Sir   45:2
firmari   ܐܬܬܩܦ
Sir   27:2   50:1
validus   ܬܩܝܦܐ
Sap   4:4   7:23   10:20
Sir   2:21   15:18   31:2   40:1   47:12
          50:16   51:8
1Mc   5:6   11:15
2Mc   3:36   11:13
valide   ܬܩܝܦܐܝܬ
Sap   12:17
2Mc   12:33
robor   ܬܩܦܐ
Sap   15:2
Sir   1:18   6:13   21:9   29:13   40:26
          44:5   45:8 18 19   46:5 9 9   47:5 19
          50:11
pinguedo   ܬܪܒܐ
BelD   27
Jdt   16:16
Sir   39:26   47:2
1Esr   1:13
interpretari   ܐܬܬܪܓܡ
2Mc   1:36
sedes   θρόνος   ܬܪܘܢܘܣ
ABar   51:11   54:13   59:3   73:1
1Mc   2:57
4Mc   2:22
PsS   2:20
restituere   ܬܪܣ
Sap   15:1
Sir   14:6
2Mc   3:5
4Mc   15:31
Tb   2:10   14:13b
PsS   5:13
nutriri   ܐܬܬܪܣ
Jdt   5:10

ܬܘܪܣܝܐ   ܐܬܬܪܝܣ

nutritio   ܬܘܪܣܝܐ
Sap   19:11
Jdt   2:17   11:12
ABar   77:24
1Mc   14:10 34
nutritor   ܡܬܪܣܝܢܐ
2Mc   1:25
frangere   ܬܪܥ
porta   ܬܪܥܐ
Sap   6:14   16:13   19:16 16
BelD   11   14   18   18
Su   17   18   20   25   36   39
Jdt   1:3 3 4   7:22   8:33   10:6 9 9   13:1
        10 11 12 13
Sir   14:23   21:23 24   28:24   49:13   51:20
ABar   10:5
4Esr   3:19
1Mc   1:22 55   4:38 51 57   9:50   12:38
        13:33   15:39
2Mc   1:8 16   8:33   10:36   12:7
3Mc   5:48   6:18
4Mc   3:13
1Esr   1:15   4:49   7:9   9:41
Tb   8:13   11:10b 15b 16a
PsS   8:19   16:2
PsAp   2:8 12

                          ܬܪܥܐ ܕܒܝܬ <<< ܬܪܥܐ

ostiarius   ܬܪܥܐ
1Esr   1:15   5:45   7:9   8:5
rima   ܬܘܪܥܬܐ
Sir   25:25   45:23   46:7
dirigere   ܬܪܨ
Sap   7:15   11:1   13:18
1Bar   8:4
Jdt   13:18
Sir   2:6
ABar   77:6
2Mc   10:16
1Esr   5:49
PsS   6:3   8:7
rectus fieri   ܐܬܬܪܨ
Sap   9:18   EpJr   26
1Esr   1:21

491

ܟܐܢ ܐ   ܟܐܝܢܐ

ܟܐܢ ܐ

erectus

Sap	9:10	10:10	
Su	48b		
Sir	3:9	10:10	39:4
ABar	44:6	77:26	
4Esr	11:42		
4Mc	7:21		
1Esr	9:46		
Tb	4:19		
Dn	3:27		
PsS	4:7	9:6	10:3 6 12:5
PsAp	2:2		

recte

ܕ ܟܐܢ ܐ

Sap	2:1	6:5
Jdt	10:11	
ABar	14:15	
4Esr	8:37	
4Mc	1:1	

directio

ܟܐܘ ܢ ܐ

Sap	6:22
1Bar	7:10
Jdt	13:20
ABar	38:2 63:1
4Esr	10:39
PsS	2:16

correctio

ܟܐܝܢܐ

1Esr	8:52